fwereld-romanserie bestaat uit de volgende delen:

DE KLEUR VAN TOVERIJ
DAT WONDERBARE LICHT
MEIDEZEGGENSCHAP
DUNNE HEIN
BETOVERKIND
DE PLAAGZUSTERS
PYRAMIDES
WACHT! WACHT!
~~FAUST~~ ERIK
ROLLENDE PRENTEN
MAAIERSTIJD
HEKSEN IN DE LUCHT
KLEINGODERIJ
EDELE HEREN EN DAMES
TE WAPEN
ZIELTONEN

Den Nieuwen Spellig

in 1996 den officiëlen spellig van de Nederlandse taal
lerd. In deze Schijfwereldboeken kwam je in de verha-
eestal den officiëlen spellig tegen. Door een sterke to-
n Schijfwereldwoorden soms in een eigen spellig, iets
cht deed aan de invloed van het vermaarde Ouds op
dialecten.
deel in de serie onder het nieuwe spelligsregime. Ook
fwereldwoorden toch hun eigen spellig krijgen; en al
voorkomende typisch Schijfwereldse namen en ter-
ndeels gespeld zoals vroeger.
aanpassing van zulke woorden aan den nieuwen
achts onder invloed van de door het veelal gierende
ongedaan gemaakt. De geleerden staan voor een

Uitgever en vertaler

Zieltor

De Schij

Zoals bekend is
weer eens veran
lende stukken n
verkracht stond
wat ook meer r
de Schijfwerelds
Dit is het eerste
nu kunnen Schij
in vorige deeltje
men blijven grot
Niets helpt; elk
spellig wordt 's r
spellionen weer
raadsel.

Terry Pratchett

Zieltonen

Het Spectrum

Spectrum-boeken worden in de handel gebracht door:
Uitgeverij Het Spectrum B.V.
Postbus 2073
3500 GB Utrecht

Oorspronkelijke titel: *Soul Music*
Uitgegeven door Victor Gollancz Ltd., Londen

Vertaald door: Venugopalan Ittekot
Omslagtekening: Josh Kirby
Omslagontwerp: Alpha Design, Leusden
Zetwerk: Elgraphic + DTQP, Schiedam
Druk: Giethoorn, Meppel
Eerste druk 1997

20 0771 01   ISBN 90 274 5614 3   NUGI 335

CIP-GEGEVENS KONINKLIJKE BIBLIOTHEEK, DEN HAAG

VOORGESCHIEDENIS

Dit verhaal gaat over herinnering. En we herinneren ons in elk geval...
...dat de Dood van de Schijfwereld, waarom weet hij alleen zelf, ooit eens een pasgeboren meisje redde en haar meenam naar zijn huis tussen de dimensies. Hij liet haar wel opgroeien tot een zestienjarige, want hij geloofde dat oudere kinderen minder lastig waren dan jonge, waaruit maar blijkt dat je een onsterfelijke antropomorfe verpersoonlijking kunt wezen en er evengoed, tja, doodgewoon naast kunt zitten...
...dat hij later een leerjongen inhuurde die Hendrik heette, of kortweg Hein. Die Hein en IJzebel kregen acuut een hekel aan elkaar en iedereen weet wat dat inhoudt voor de lange termijn. Als vervanger van de Man met de Zeis was Hein een volslagen mislukkeling, wat allerlei narigheid gaf – van een wiebelende Werkelijkheid tot aan een duel tussen hem en de Dood dat Hein verloor...
...en dat, waarom wist hij alleen zelf, de Dood zijn leven spaarde en hem met IJzebel terugstuurde naar de wereld.
Niemand weet waarom de Dood zich opeens begon te bemoeien met de mensen waarmee hij al zo lang werkte. Het zal wel gewoon nieuwsgierigheid zijn geweest. Zelfs de meest bedreven rattenvanger krijgt vroeg of laat een zwak voor ratten. Zo iemand gaat bijvoorbeeld zien hoe ratten leven en sterven en krijgt dan oog voor elke kleinigheid van het rattenbestaan, al zal hij wel nooit echt beseffen hoe een leven van vallen en gangen aanvoelt.
Maar als het klopt dat de loutere daad van waarneming het waargenomene verandert,* dan geldt nog meer dat die de waarnemer verandert.

Hein en IJzebel trouwden.
Ze kregen een kind.

Dit verhaal gaat ook over sex en drugs en Rots- en Bonkmuziek.
Of nou ja...

*Vanwege quantum.

...één van de drie raak is nog niet zo beroerd.
Eigenlijk is het maar drieëndertig procent, maar het kon slechter.

Waar eindig je mee?
Een donkere, stormachtige avond. Een koets, zonder de paarden, die door het gammele en nu nutteloze hek breekt en hals over kop omlaag stort in de kloof. Hij raakt niet eens zo'n uitsteeksel aan de rotswand maar kwakt pardoes in de droge rivierbedding daar in de diepte, en spat in flinters uiteen.

Juffrouw Bipps rommelde zenuwachtig door haar paperassen. Hier had je er eentje van dat meisje op haar zesde:
Wat We Deden Met de Vakansie: Ik deed Met vakansie dat ik lozeerde bij opa die heeft een groot Wit paart en een tuin die is Heelemaal zwart. We aten een Ei met petat.

Dan vat de olie uit de koetslantaarns vlam en er klinkt een tweede knal, en daaruit komt – er zijn nu eenmaal conventies, ook bij een tragedie – een brandend wiel gerold.

En nog zo'n velletje, een tekening van toen ze zeven was. Eén en al zwart. Juffrouw Bipps snufte. Dat kind had echt niet alleen maar zwarte krijtjes. Het Quorms Jongedamesinternaat had juist heel dure pastelkrijtjes in alle kleuren.

En dan, na het laatste vonkje en knettertje in de as, rest de stilte.
En de waarnemer.
De toeschouwer die zich omdraait en tegen iemand in het donker zegt:
JA. IK HAD ER IETS AAN KUNNEN DOEN.
En wegrijdt.

Juffrouw Bipps rommelde nog wat in de paperassen. Ze had een onbehaaglijk zenuwengevoel, een gevoel dat ze deelde met iedereen die met het kind te maken had. Paperassen stelden haar meestal weer op haar gemak. Je wist veel meer wat je eraan had.
Toen was er dat geval met... dat ongeluk.
Juffrouw Bipps had vaker zo'n tijding overgebracht. Dat risico liep je als je er zo'n grote kostschool op nahield. De ouders van die bakvissen zaten vaak voor zaken in het buitenland, en soms waren dat het soort zaken waarbij de kans op rijke buit hand

in hand ging met het risico dat je onaardige lui tegenkwam. Juffrouw Bipps wist hoe ze zulke gevallen moest aanpakken. Het was pijnlijk, maar het ging wel vanzelf. Eerst de schok en de tranen, en dan, ten slotte, was alles voorbij. Mensen konden het wel aan. In de menselijke geest zat een soort scenario ingebouwd. Het leven ging door.

Maar dat kind zat daar toen gewoon maar. Vooral van die *beleefdheid* kreeg Juffrouw Bipps het ijselijk benauwd. Ze was echt geen onaardig mens, ondanks een leven lang zoetjes uitdrogen op het kacheltje van haar leraarschap, maar ze hield graag nauwgezet vast aan fatsoen en vond dat ze wist hoe zoiets hoorde te lopen en het beviel haar niet erg dat het niet zo liep.

'Uh... als je liever even alleen bent, om uit te huilen –' had ze geopperd in een poging om alles weer in het gareel te brengen.

'Scheelt dat dan?' had Suzan toen gezegd.

Voor Juffrouw Bipps zou het zeker gescheeld hebben.

Ze had niet meer kunnen uitbrengen dan: 'Ik vraag me af, heb je wel echt goed begrepen wat ik je net zei?'

Het kind had naar het plafond zitten staren alsof het daar een lastige algebrasom probeerde op te lossen en toen zei het: 'Het zal wel lukken.'

Net alsof ze het al geweten had, en het zeg maar al had verwerkt. Juffrouw Bipps had de leraressen gevraagd om goed op Suzan te letten. En die zeiden toen dat dat niet meeviel, want...

Er werd aarzelend aan Juffrouw Bipps' deur geklopt, als door iemand die eigenlijk liever niet werd gehoord. Ze keerde naar het heden terug.

'Binnen,' zei ze.

De deur zwaaide open.

Suzan maakte nooit geluid. Alle leraressen hadden daar al iets over gezegd. Het was griezelig, zeiden ze. Ze stond altijd voor je neus als je er het minst op rekende.

'Ach, Suzan,' zei Juffrouw Bipps en er fladderde een gespannen lachje om haar mond, als een pas uit een spanrups verpopt vlindertje. 'Ga toch zitten.'

'Maar natuurlijk, Juffrouw Bipps.'

Juffrouw Bipps schoof wat aan de paperassen.

'Suzan...'

'Ja, Juffrouw Bipps?'

'Tot mijn spijt heeft men je kennelijk weer eens gemist bij de les.'

'Ik begrijp er niets van, Juffrouw Bipps.'

De schoolleidster boog zich naar voren. Ze zat er een beetje mee, maar... dat kind had iets dat je ronduit afstootte. Verstandelijk briljant in alles wat haar beviel, vanzelf, maar dat was

het juist; ze was net zo briljant als een diamant een briljant is, een en al kille kantjes.
'Heb je... het weer gedaan?' zei ze. 'Je had beloofd dat je met die malligheid zou ophouden.'
'Juffrouw Bipps?'
'Zeg op, heb je je weer onzichtbaar zitten maken?'
Suzan kleurde. Juffrouw Bipps ook, zij het minder *rose*. Nou ja, dacht ze, dit is toch *belachelijk*? Het kan helemaal niet. Het is – o, nee hè...
Ze draaide haar hoofd om en deed haar ogen dicht.
'Ja, Juffrouw Bipps?' zei Suzan, vlak voordat Juffrouw Bipps 'Suzan?' zei.
Juffrouw Bipps huiverde. Dit was ook iets waar de leraressen het over gehad hadden. Suzan gaf soms antwoord op vragen voordat je ze had gesteld...
Ze beheerste zich.
'Je zit daar toch nog wel?'
'Maar natuurlijk, Juffrouw Bipps.'
Belachelijk.
Het was geen onzichtbaarheid, hield ze zich voor. Ze maakt zich alleen onopvallend. Ze... wie...
Ze concentreerde zich. Juist met het oog op deze eventualiteit had ze zichzelf een memootje geschreven, en dat zat aan het dossier geniet.
Ze las:
Je bent in gesprek met Suzan van Stoo Hielet. Probeer dat te onthouden.
'Suzan?' waagde ze.
'Ja, Juffrouw Bipps?'
Als Juffrouw Bipps zich goed concentreerde zat Suzan voor haar neus. Als ze haar best deed kon ze de stem van dat kind horen. Alleen moest ze zich verzetten tegen een dwingende neiging om zich alleen te wanen.
'Ik heb helaas klachten van Juffrouw Blemmer en Juffrouw Kraak,' wist ze uit te brengen.
'Ik volg elke les, Juffrouw Bipps.'
'Dat wil ik graag aannemen. Juffrouw Vrader en Juffrouw Stemp zeggen dat ze je aldoor zien.' Dat had nog een fikse ruzie opgeleverd in de leraarskamer.
'Komt dat doordat je *wel* houdt van Logica en Wiskunde, maar niet van Taal en Geschiedenis?'
Juffrouw Bipps concentreerde zich. Dat kind kon toch absoluut niet de kamer uit zijn gegaan. Als ze haar geest tot het uiterste inspande kon ze nog net iets van een stem opvangen die zei: 'Weet ik niet, Juffrouw Bipps.'

'Suzan, het is echt *heel* erg storend als –'
Juffrouw Bipps zweeg. Ze zocht rond in haar studeerkamer, en keek toen even naar een briefje dat aan de paperassen voor haar zat vastgeniet. Ze las het blijkbaar en keek eventjes verbaasd op, maar maakte er toen een propje van dat ze in de prullenmand liet vallen. Ze nam een pen, tuurde even in de leegte, en wijdde zich weer aan de schoolboekhouding.
Suzan bleef nog een tijdje beleefd zitten wachten maar stond toen op en glipte zo stilletjes mogelijk weg.

Bepaalde dingen moeten voorafgaan aan andere. Goden spelen spelletjes met het lot van mensen. Maar eerst moeten ze alle stukken op het bord krijgen en zich te pletter zoeken naar de dobbelstenen.
Het regende in het kleine berglandje Llawelos. Regenen deed het in Llawelos altijd. Regen was er het belangrijkste exportartikel. Men had er regenmijnen.
Buddie de bard zat onder het hulstbosje, meer uit gewoonte dan in de oprechte hoop dat dit de regen tegenhield. Het water sijpelde gewoon langs de stekelblaadjes en liep in stroompjes langs de twijgen, zodat het eigenlijk meer een soort regenindikker was. Af en toe pletste er dus een *klont* regen op zijn hoofd.
Hij was achttien, zat boordevol talent en zag momenteel weinig gat in zijn leven.
Hij stemde zijn harp, zijn prachtige nieuwe harpje, en keek naar de regen terwijl de tranen over zijn wangen liepen en zich met de druppels vermengden.
Goden zien zulke lui *graag*.
Men zegt wel dat de goden al wie ze willen vernietigen, eerst tot waanzin drijven. Maar al wie de goden willen vernietigen, geven ze in werkelijkheid eerst iets dat neerkomt op zo'n staaf met een rokende lont en de tekst *Acme Dynamite Company* erop gedrukt. Dat is veel interessanter en het kost minder tijd.

Suzan slenterde door de naar ontsmettingsmiddel ruikende gangen. Ze zat er niet wat je noemt over in wat Juffrouw Bipps hier wel van zou denken. Ze maakte zich meestal niet zo druk over wat iemand anders dacht. Ze wist niet waarom men haar vergat zodra ze dat wilde, maar naderhand vond men het altijd nogal gênant om erover te beginnen.
Soms hadden sommige leraressen moeite om haar te zien. Dat kwam goed uit. Dan nam ze meestal een boek mee naar de klas om daar vreedzaam in te lezen, terwijl overal om haar heen anderen te stellen hadden met de Voornaamste Exportproducten van Klatsch.

*

Het was zonder twijfel een pracht van een harp. Maar heel zelden krijgt een ambachtsman iets zo goed voor elkaar dat je je onmogelijk nog een verbetering kunt indenken. Versiering had hij maar weggelaten. Dat was maar een soort heiligschennis geweest.

En het was een nieuwe, wat heel ongewoon was in Llawelos. De meeste harpen waren oud. Niet dat ze versleten. Soms moest het raam worden vernieuwd, of de hals, of er moesten nieuwe snaren op – maar de *harp* bleef. De oude barden zeiden dat ze met het ouder worden beter werden, al hebben ouwe kerels wel de neiging om zulke dingen te zeggen, los van de dagelijkse ervaring.

Buddie tokkelde aan een snaar. De noot hing even in de lucht en stierf weg. De kleine Llawelosharp was nog vers en glanzend maar galmde het al uit als een klok. Wat hij over honderd jaar moest worden liet zich niet voorstellen.

Zijn vader had gezegd dat het flauwekul was, dat de toekomst geschreven stond in stenen, niet in tonen. Dat was nog maar het begin geweest van die ruzie.

En toen had hij van alles gezegd, en *hij* had van alles gezegd, en opeens was de wereld een nieuw en akelig oord, want eens gezegd blijft gezegd.

Hij had gezegd: 'Je weet nergens van! Je bent maar een stomme ouwe vent! Maar ik ga mijn leven besteden aan de muziek! Het zal niet zo lang duren of *iedereen* zegt dat ik de grootste muzikant van de wereld was!'

Domme woorden. Alsof het een bard iets kon schelen wat anderen van je dachten, behalve als dat barden waren die een leven lang geleerd hadden hoe je naar muziek moest luisteren.

Maar hij had ze wel gezegd. En als ze met de juiste geestdrift gezegd zijn en de goden vervelen zich net, dan wil het heelal zich wel eens hergroeperen om zulke woorden. Woorden hebben altijd al de macht gehad om de wereld om te vormen.

Kijk uit met wat je wenst. Je weet maar nooit wie je hoort.

Of wat, trouwens.

Want misschien zweeft er wel net iets door de heelallen, en zorgen een paar woordjes van de verkeerde persoon op het juiste moment ervoor dat het van zijn koers afwijkt...

Ver weg in die bruisende metropool van Ankh-Meurbork kropen even wat vonkjes over een verder kale muur, en toen...

...was daar een winkeltje. Een oud muziekinstrumentenwinkeltje. Niemand maakte over het opduiken ervan een opmerking. Zodra het winkeltje er was, was het er altijd geweest.

*

De Dood zat in het niets te staren, met zijn onderkaak op zijn knokkels.
Albert naderde heel behoedzaam.
In zijn meer overpeinzende ogenblikken, en dit was er zo een, zocht De Dood telkens weer antwoord op de vraag waarom zijn bedienden toch steeds langs dezelfde paden door deze kamer liepen.
WANT NEEM NU EENS, dacht hij, DE OMVANG VAN DIT VERTREK...
...dat doorliep tot in het oneindige, of zover dat het geen verschil met oneindig maakte. Het mat in feite zo'n twee kilometer. Voor een vertrek is dat groot, terwijl je het oneindige niet eens echt kon zien.
De Dood was nogal geagiteerd geraakt bij het scheppen van dit huis. Ruimte en tijd waren dingen om te manipuleren, niet om aan te gehoorzamen. De inwendige maten waren wat al te gul uitgevallen. Hij had vergeten om de buitenkant groter te maken dan de binnenkant. Met de tuin was het net zo gegaan. Toen hij eindelijk wat meer belangstelling voor zulke dingen begon te krijgen, drong tot hem door welke rol mensen kennelijk aan *kleur* toekenden bij begrippen als, bijvoorbeeld, rozen. Maar hij had ze helemaal zwart gemaakt. Hij hield wel van zwart. Het paste overal bij. Vroeg of laat paste het bij alles.
De mensen die hij had gekend – en dat waren er nogal wat – hadden op een rare manier gereageerd op de onmogelijke afmetingen van de kamers, namelijk door ze gewoon te negeren.
Neem bijvoorbeeld Albert. De grote deur was opengegaan, Albert was erdoor gestapt, met een keurig balancerende kop en schotel...
...en een oogwenk later stond hij al een heel eind de kamer in, aan de rand van het betrekkelijk kleine vierkantje tapijt rondom het bureau van De Dood. De Dood zag er maar vanaf om zich af te vragen hoe Albert de tussenliggende ruimte had afgelegd toen het tot hem doordrong dat er, voor zijn bediende, helemaal geen tussenliggende ruimte *was*...
'Ik heb hier wat kamillethee voor je, heer,' zei Albert.
HMM?
'Heer?'
O, PARDON. IK DACHT EVEN. WAT ZEI JE DAAR?
'Kamillethee?'
IK DACHT DAT DAT EEN SOORT ZEEP WAS.
'Je kunt het in zeep *of* in thee doen, heer,' zei Albert. Hij zat in de rats. Hij zat altijd in de rats als de Dood ergens over ging nadenken. Het was niet het juiste baantje om over dingen na te denken. En de manier waarop hij er dan over dacht was abuis.
WAT NUTTIG TOCH. SCHOON VAN BINNEN EN VAN BUITEN.

De Dood liet zijn kin weer op zijn handen rusten.
'Heer?' zei Albert na een tijdje.
HMM?
'Het wordt wel koud als je het laat staan.'
ALBERT...
'Ja m'neer?'
IK ZAT ME AF TE VRAGEN...
'M'neer?'
WAAR GAAT HET EIGENLIJK OM? ALS PUNTJE BIJ PAALTJE KOMT? *ECHT* EIGENLIJK DUS?
'Och. Uh. Ik zou het echt niet weten, heer,'
IK WILDE HET HELEMAAL NIET, ALBERT. DAT WEET JE. NU WEET IK WAT ZE BEDOELDE. NIET LOUTER DAT VAN DIE KNIEËN.
'Wie, heer?'
Er kwam geen antwoord.
Bij de deur gekomen keek Albert even om. De Dood zat weer in het niets te staren. Niemand kon echt zo staren als hij.

Niet gezien worden was niet zo'n probleem. Het waren de dingen die *zij* aldoor zag die meer zorgen baarden.
Je had die dromen. Het waren natuurlijk maar dromen. Suzan wist dat de moderne opvatting was dat dromen maar beelden waren die het brein oprispte bij het opbergen van de daagse lotgevallen. Dat had haar meer gerust gesteld als er *ooit* vliegende witte paarden tot haar daagse lotgevallen hadden behoord, of enorme donkere kamers en hopen schedels.
En dat waren ten minste nog alleen maar dromen. Ze had andere dingen gezien. Ze had bijvoorbeeld nooit wat gezegd van dat vreemde mens in de slaapzaal, die nacht toen Rebecca Schril die tand onder haar kussen deed. Suzan had haar door het open raam zien komen en bij het bed zien gaan staan. Ze had wel iets van het melkmeisje en leek totaal niet eng, ook al was ze *door* het meubilair heen gelopen. Er hadden muntjes gerinkeld. De volgende morgen was de tand weg en was Rebecca een vijftig-duitsstuk rijker.
Aan zulke dingen had Suzan de pest. Ze wist dat geestelijk labiele lui in sommige landen hun kinderen iets wijsmaakten over een Tandenfee, maar daarom hoefde er nog geen te bestaan. Dat had iets van warhoofderij. En aan warhoofderij had ze een hekel, en trouwens, onder het bewind van Juffrouw Bipps gold het als een overtreding.
Dat was overigens zo beroerd nog niet. Juffrouw Eulalia Bipps en haar collega Juffrouw Kruys hadden hun internaat gegrondvest op de verbijsterende gedachte dat bakvissen, aangezien ze zolang niemand met ze trouwde toch niets omhanden hadden,

zich net zo goed konden toeleggen op het leren van allerlei dingen.
Er waren scholen zat op de wereld, maar die stonden stuk voor stuk onder leiding van de diverse kerken, of anders van de Gilden. Juffrouw Bipps had op logische gronden bezwaren tegen de kerken en betreurde het feit dat de enige twee Gilden die meisjes de moeite van een opleiding waard vonden, dat van de Dieven en dat van de Naaisters waren. Maar daarbuiten lag een boze en gevaarlijke wereld en zo'n kind was er vast niet minder tegen opgewassen met een grondige kennis van meet- en sterrenkunde onder haar kamizooltje. Want Juffrouw Bipps geloofde oprecht dat er geen principieel verschil was tussen knapen en bakvissen.
Tenminste, geen noemenswaardig.
Niks, in elk geval, dat Juffrouw Bipps hardop zou willen noemen.
En zodoende geloofde ze in het aanmoedigen van logisch denken en een gezonde weetgierigheid bij de aan haar zorg toevertrouwde ontluikende jongedames, een handelwijze die op het stuk van prudentie gelijkwaardig is aan het in een kartonnen bootje op krokodillenjacht gaan tijdens het zinkseizoen.
Als voorbeeld: toen ze de school eens met trillend vooruitgestoken kin onderhield over de gevaren die men tegenkomt in de stad, besloten driehonderd gezonde weetgierigen 1) dat ze daar bij de eerste gelegenheid een monster van moesten nemen, en vroegen driehonderd logische denkers zich af 2) hoe Juffrouw Bipps er eigenlijk *weet* van kon hebben. En die hoge, bespeerpunte muren om het internaatsterrein oogden makkelijk zat voor eenieder met een vers met driehoeksmeetkunde gevulde geest en een door gezonde schermkunst, turnen en koude baden op alles voorbereid lichaam. Juffrouw Bipps wist een gevaar echt *interessant* voor te stellen.
In elk geval, zo ging dus dat voorval met die nachtelijke bezoekster. Na een tijdje overwoog Suzan dat ze het zich wel zou hebben verbeeld. Dat was de enige logische verklaring. En daar was Suzan goed in.

Iedereen, zegt men, is ergens naar op zoek.
Buddie zocht ergens om naar toe te gaan.
De boerenkar die hem het laatste stukje van de reis had meegenomen ratelde over de velden weg.
Hij bekeek de wegwijzer. Eén arm ervan wees naar Quorm, de andere naar Ankh-Meurbork. Hij wist net genoeg om te weten dat Ankh-Meurbork een grote stad was, maar op leem gebouwd en vandaar niet interessant voor de druïden in zijn fa-

milie. Hij had drie Ankh-Meurborkse daalders en wat kleingeld. Dat zou in Ankh-Meurbork wel niet veel waard zijn.
Van Quorm wist hij niets, afgezien van dat het aan de kust lag. De weg naar Quorm zag er niet erg bereden uit, terwijl die naar Ankh-Meurbork doorgroefd was met sporen.
Het zou het verstandigst zijn om naar Quorm te gaan om het stadsleven te leren kennen. Het zou verstandig zijn eerst wat op te steken over hoe stadslui dachten alvorens naar Ankh-Meurbork te gaan, waarvan werd gezegd dat het de grootste stad ter wereld was. Het zou verstandig zijn een baantje zien te krijgen in Quorm en zo wat extra kapitaal op te doen. Het zou verstandig zijn eerst te leren lopen voor hij aan hollen begon.
Het gezonde verstand gaf Buddie dit alles in, dus stapte hij kordaat weg in de richting van Ankh-Meurbork.

Voor zover het haar uiterlijk betrof deed Suzan iedereen altijd wat denken aan een ragebol of een paardebloemenpluisbol. Het internaat monsterde zijn bakvissen uit in een ruimvallende marineblauwe wollen overgooier die van de hals tot aan net boven de enkels reikte – praktisch, gezond en even aantrekkelijk als een plank. De taille hing ergens op kniehoogte. Suzan begon het een en ander echter op te vullen, in overeenstemming met de aloude regels waar Juffrouw Kruys bij Biologie en Hygiëne aarzelend en hakkelend omheendraaide. De bakvissen hielden aan haar lessen het vage gevoel over dat ze met een konijn moesten trouwen. (Suzan hield er het vage gevoel aan over dat het kartonnen geraamte aan het haakje in de hoek van de klas leek op iemand die ze ooit had gekend...)
Het was haar haar dat mensen deed stilstaan en naar haar omkijken. Het was zuiver wit, maar dan met een zwarte streep erdoor. De schoolregels eisten dat het tot twee vlechten werd gevlochten, maar het had de griezelige neiging om uit zichzelf los te raken en weer in zijn voorkeursvorm terug te veren, net als de slangen van Medusa.*

En dan had je die moedervlek, als het er tenminste eentje was. Die dook alleen op als ze bloosde, waarbij dan drie bleke, vage streepjes op haar wang verschenen zodat het net leek of ze een klap gekregen had. Als ze bij gelegenheid kwaad was – en ze was nogal eens kwaad, op de pure stompzinnigheid van de wereld – gloeiden ze op.

*Zelden stelt men de vraag *waar* Medusa slangen had. Okselhaar is nog veel lastiger als het aldoor in de dop van je deodorantflesje bijt.

In theorie had ze omtrent deze tijd Literatuur. Suzan had de pest aan literatuur. Ze las veel liever een goed boek. Momenteel had ze Van Benjems *Logica en Paradox* opengeslagen voor zich liggen en ze las erin met haar kin op haar handen.
Met een half oor luisterde ze naar wat de rest van de klas uitvoerde.
Die deden een lang gedicht over de lente.
Daar was de dichter kennelijk nogal weg van.
Het was Suzan zeg maar om het even. Dit was een vrij land. Als iemand weg was van de lente ging hij zijn gang maar. Alleen hoorde zo iemand, naar Suzans heel stellige en vaste mening, aan zijn uitingen ter zake niet meer dan een bladzijde te besteden.
Ze ging verder met haar opleiding. In haar ogen zat de school haar daarbij telkens hinderlijk dwars.
Rondom haar werd het dichterlijk denkbeeld met onbeholpen middelen gedemonteerd.

De keuken was volgens dezelfde giganteske lijnen opgezet als de rest van het huis. Een heel leger van koks en keukenmeiden kon erin verdwalen. De buitenmuren lagen verborgen in schaduwen en de fornuiskachelpijp, op vaste afstanden gestut door beroete kettingen en stukjes vettig touw, verdween ergens op zo'n halve kilometer van de vloer in de schemer. Tenminste, zo deed het zich voor aan een buitenstaander.
Albert bracht al zijn tijd door op een klein tegelplekje, net groot genoeg voor het dressoir, de tafel en het fornuis. En een schommelstoel.
'Als een mens begint van "Waar gaat het eigenlijk om? Als puntje bij paaltje komt? *Echt* eigenlijk dus?" dan is hij er beroerd aan toe,' zei hij onder het rollen van een sjekkie. 'Dus wat het inhoudt als *hij* het zegt weet ik niet. Het is weer zo'n bevlieging van hem.'
De enige ander in de kamer knikte. Die had zijn mond vol.
'Al dat gedoe met zijn dochter,' zei Albert. 'Moet je nagaan... dochter? En toen hoorde hij weer over leerjongens. Dus hij moest en zou er ook een hebben! Poe! Dat werd een en al narigheid. En nu ik er bij stilsta, jij ook... jij bent ook een van zijn bevliegingen. Niks persoonlijks, hoor,' zei hij vlug in het besef tegen wie hij het had. 'Jij viel achteraf best mee. Je levert goed werk.'
Weer een knik.
'Hij weet het altijd te verknallen,' zei Albert. 'Dat is de ellende. Net als toen hij wat opving over Berewaaksavond, nou? Weet je nog? We moesten de hele reutemeteut, een potje met een ei-

kenboom, marsepeinen surprises, een pan vol varkensvlees, en hij daar maar zitten met dat papieren hoedje met LOLLIG HÈ? erop. Ik had voor hem zo'n bureausierdingetje gemaakt en hij gaf mij een letter.'
Albert stak het sjekkie tussen zijn lippen. Het was vakkundig gerold. Alleen de vakman weet ze zo dun en toch zo klef te rollen.
'Wel een goeie letter, hoor. Hij moet nog ergens rondslingeren.'
PIEP, zei de Dood der Ratten.
'Daar leg je je vinger precies op de zere plek,' zei Albert. 'Of in elk geval, dat had je gedaan als je een vinger had. De clou ontgaat hem altijd. Och, zie je, hij kan zich nergens overheen zetten. Hij kan niet vergeten.'
Hij zoog aan zijn zelfgerolde stinkpeukje tot zijn ogen ervan traanden.
'"Waar gaat het eigenlijk om? Als puntje bij paaltje komt? *Echt* eigenlijk dus?"' zei Albert. 'Goeie genade.'
Hij keek even op de keukenklok, uit een menselijk soort gewoonte. Die had sinds Albert hem kocht nooit meer gelopen.
'Anders is hij rond deze tijd altijd thuis,' zei hij. 'Ik zal zijn blaadje maar vast klaarmaken. Geen idee waar hij blijft.'

De heilige man zat onder een heilige hulst, de benen gekruist en de handen op zijn knieën. Hij had zijn ogen dicht om scherper in het Oneindige te zien en droeg niets anders dan een lendendoek om zijn verachting voor schijvelijke zaken te tonen.
Voor hem stond een houten kom.
Na een tijdje drong tot hem door dat iemand naar hem keek. Hij deed één oog open.
Een meter of zo van hem af zat een vage gedaante. Pas later was hij er zeker van dat de gedaante... iemand was. Hij kon zich niet echt het uiterlijk herinneren maar de iemand moest er zeker eentje gehad hebben. Hij was zowat... zo lang en een beetje... vagelijk...
PARDON DAT IK STOOR.
'Ja, mijn zoon?' Hij fronste zijn voorhoofd. 'Je bent toch wel mannelijk?' voegde hij eraan toe.
JE WAS WEL EVEN ZOEKEN. MAAR IK BEN DAAR GOED IN.
'En?'
MEN ZEGT DAT JE ALLES WEET.
De heilige deed zijn andere oog open.
'Het geheim van dit bestaan is verachting voor aardse banden, het mijden van het spook der stoffelijke waarden, en het zoeken van enigheid met het Oneindige,' zei hij. 'En blijf met je jatten uit mijn bedelnap.'
De aanblik van deze smekeling bezorgde hem last.

DAT ONEINDIGE HEB IK GEZIEN, zei de vreemdeling. NIKS BIJZONDERS.
De heilige keek even om zich heen.
'Doe niet zo achterlijk,' zei hij. 'Het oneindige *kun* je niet zien. Is toch zeker *oneindig*?'
TOCH ZAG IK HET.
'Okee, hoe zag het er dan uit?'
HET IS BLAUW.
De heilige ging ongemakkelijk verzitten. Zo hoorde het niet te gaan. Een vlugge scheut van het Oneindige en een veelbetekenende por richting bedelnap, zó hoorde het te gaan.
'Zwart isset,' mompelde hij.
NEE, zei de vreemdeling, VAN BUITENAF GEZIEN NIET. DE NACHTHEMEL IS ZWART. MAAR DAT IS DE RUIMTE MAAR. HET ONEINDIGE IS ECHTER BLAUW.
'En dan weet je zeker ook wat het geluid is van één klappende hand?' zei de heilige vuil.
JA. KL. DE ANDERE HAND DOET AP.
'Haha-ha, nee, nou heb ik je tuk,' zei de heilige, nu op vertrouwder terrein. Hij wapperde met een mager handje. 'Zie je wel? Geen geluid!'
DAT WAS GEEN KLAP. DAT WAS MAAR EEN WUIF.
'Dat was *wel* een klap. Ik deed hem alleen niet met twee handen. Trouwens, wat voor blauw?'
JIJ WUIFDE ALLEEN MAAR. NIET WAT JE NOEMT ERG WIJSGERIG. DUIVENEI.
De heilige keek langs de berg omlaag. Er naderde een aantal mensen. Ze hadden bloemen in hun haar en droegen wat veel weghad van een kom rijst.
ANDERS MISSCHIEN EAU-DE-NIL.
'Hoor eens, mijn zoon', zei de heilige vlug, 'wat wil je nu precies? Ik heb niet de hele dag de tijd.'
O, JAWEL HOOR. NEEM DAT MAAR VAN MIJ AAN.
'Wat *wil* je nou?'
WAAROM MOET ALLES TOCH ZO ZIJN ALS HET IS?
'Tja–'
JE WEET HET ZEKER NIET?
'Niet *precies*. Het is allemaal als een mysterie bedoeld, snap je?'
De vreemdeling staarde de heilige man een tijdje aan, zodat deze het gevoel kreeg dat zijn hoofd doorzichtig werd.
LAAT IK JE DAN IETS EENVOUDIGERS VRAGEN. HOE KUNNEN MENSEN VERGETEN?
'Wat vergeten?'
ALLES VERGETEN. WAT DAN OOK.
'Nou... uh... dat gaat vanzelf.' De bekeerlingen in spe kwamen

op het bergpad de bocht om. De heilige raapte schielijk zijn bedelnap op.
'Stel nou dat dit je geheugen is,' zei hij, er wat mee zwaaiend. 'Daar kan maar zus en zoveel in, toch? Er komen nieuwe dingen in, dus moet het ouwe wel overlopen –'
NEE. IK WEET ALLES NOG. ALLES. DEURKNOPPEN. REGEN TEGEN 'T ZOLDERRAAM. VOETSTAPPEN. ELK KLEINIGHEIDJE. ALSOF HET PAS GISTEREN GEBEURDE. ALSOF HET PAS MORGEN GEBEURDE. *ALLES*. BEGRIJP JE WEL?
De heilige krabde op zijn glimmend kale kop.
'Per traditie', zei hij, 'kennen we als vergeetmanieren het dienstnemen in het Klatschieke Vreemdelingenlegioen, het drinken uit een zekere toverrivier, niemand weet waar die ligt, en het nuttigen van enorme hoeveelheden alcohol.'
AAH, OP DIE MANIER.
'Maar alcohol ondermijnt het lichaam en is vergif voor de ziel.'
LIJKT ME WEL WAT.
'Meester?'
De heilige keek geërgerd om. Daar waren de bekeerlingen.
'Ogenblikje, ik praat even met –'
De vreemdeling was weg.
'O, meester, wij zijn vele kilometers getrokken door –' zei de bekeerling.
'Even kop dicht, ja?'
De heilige stak zijn hand op, de palm rechtstandig omhoog, en wuifde er een paar keer mee. Hij mummelde wat bij zichzelf.
De bekeerlingen wisselden blikken uit. Hier hadden ze niet op gerekend. Ten slotte raapte hun aanvoerder wat moed bij elkaar.
'Meester –'
De heilige keerde zich om en gaf hem een oorveeg. Dit bracht inderdaad een hoorbare *klap* teweeg.
'Aha! Hebbes!' zei de heilige. 'Okee, wat kan ik voor jullie bet–'
Hij zweeg, want zijn hersens haalden zijn oren in.
'Wat bedoelde hij? Hoezo, *mensen*?'

De Dood wandelde peinzend over de heuvel naar de plek waar een groot wit paard kalm van het uitzicht stond te genieten.
Hij zei: GA WEG.
Het paard keek hem wantrouwig aan. Het was aanzienlijk intelligenter dan de meeste paarden, al was dat niet zo'n prestatie. Het dier leek te beseffen dat het met zijn meester niet helemaal goed zat.
HET KAN EVEN DUREN, zei de Dood.
En hij ging op weg.

*

In Ankh-Meurbork regende het niet. Dat was voor Buddie een volslagen verrassing.
Nog zo'n verrassing: hoe snel je door je geld heen was. Tot heden was hij drie daalders en zevenentwintig duiten kwijt.
Hij was die kwijt omdat hij ze in een kom had gedaan die hij onder het spelen voor zich had gezet, net zoals een jager lokeenden laat drijven. Maar toen hij even later keek, waren ze weg.
Men kwam naar Ankh-Meurbork om fortuin te zoeken. Maar helaas zochten daar ook anderen naar.
En het leek wel of niemand wat in barden zag, zelfs niet eentje die de maretakprijs èn de eeuwfeestharp had gewonnen op het grote Eisteddfod van Llawelos.
Hij had een plekje veroverd op een van de grote pleinen, en de snaren gestemd en gespeeld. Niemand had notitie van hem genomen, behalve om hem onder het haastig langslopen uit de weg te duwen en, kennelijk, om zijn kom leeg te ratsen. Uiteindelijk, net toen hij al twijfelde of hij er wel goed aan gedaan had om hierheen te komen, kwamen er een paar wachters aangeslenterd.
'Dat lijkt wel een lier, Bobo, waar die op speelt' zei de ene, nadat hij een tijdje bij Buddie was blijven staan kijken.
'Met vuur spelen, dus. Pak hem op.'
'Er brandt toch niks –' De dikke wachter keek hem schuins aan. 'O, je bent weer eens leuk, Bobo,' zei hij. 'Guttegut, op een lier spelen, branden als een lier, dus met vuur spelen. Geinig, hoor. Ha ha.'
Buddie hield op met spelen. Zo kon hij onmogelijk doorgaan.
'Dit is anders well een harp, hoor,' zei hij. 'Heb ik gewonnen in –'
'O, jij komt dus uit Llawelos?' zei de dikke wachter. 'Ik hoor dat aan je tongval. Hartstikke muzikaal, die Llawelozen.'
'*Mij* klinkt het of je gorgelt met grind,' zei de een die met Bobo was aangeduid. 'Heb je wel een vergunning, gozer?'
'Vergunning?' zei Buddie.
'Pietje precies met vergunningen, dat Muzikantengilde,' zei Bobo. 'Die pakken je zodra ze je betrappen op spelen zonder vergunning, zo je instrument af en steken het dan in je –'
'Kom nou effe,' zei de andere wachter. 'Jaag die knul nou niet de stuipen op zijn lijf.'
'Laat ik dan alleen zeggen dat het voor een piccolospeler geen pretje is,' zei Bobo.
'Maar muziek is toch zeker zo vrank en vrij als de vogelltjes,' zei Buddie.
'Niet in deze buurt. Een gewaarschuwd mens, moet je maar bedenken,' zei Bobo.

'Van een Muzikantengillde heb ik nog nooit gehoord,' zei Buddie.
'Zit in de Hoempasteeg,' zei Bobo. 'Wie muzikant wil wezen, moet bij het Gilde gaan.'
Buddie was opgevoed om zich aan regels te houden. De Llawelozen waren zeer gezagsgetrouw.
'Dan ga ik daar gellijk op af,' zei hij.
De wachters keken hem na.
'Hij heeft een nachthemd aan,' zei Korporaal Bollebos.
'Een bardengewaad, Bobo,' zei Sergeant Dendarm. De wachters slenterden verder. 'Echt bardse luitjes, die Llawelozen.'
'Hoelang geef jij hem, Sergeant?'
Dendarm wuifde even op die kantelmanier van iemand die wikt en weegt.
'Twee, drie dagen,' zei hij.
Ze lieten de steenmassa van de Gesloten Universiteit achter zich en sloften door het Achterom, een stoffig straatje waar weinig verkeer kwam en dat dus bij de Wacht geliefd was als plek om zich verdekt op te stellen en wat te roken en het rijk van de geest te verkennen.
'Zeg, zalmen, die ken je toch, Sergeant,' zei Bobo.
'Ja, die vissen zijn me wel bekend.'
'Nou, je weet dat ze die zeg maar in plakjes verkopen, in blikjes...'
'Dat heb ik vernomen, ja.'
'Nou... hoezo zijn al die blikjes dan even groot? Die zalmen worden naar beide einden toch dunner?'
'Daar zeg je zowat, Bobo. Ik vermoed –'
De wachter zweeg en staarde langs de straat. Korporaal Bollebos volgde zijn blik.
'Dat winkeltje,' zei Sergeant Dendarm. 'Dat winkeltje daar... was dat hier gisteren ook al?'
Bobo keek naar de bladderende verf, het vuilige etalagetje en de gammele deur.
''Tuurlijk,' zei hij. 'Dat was hier *altijd* al. Al *jaren*.'
Dendarm stak de straat over en wreef aan het vuil. In de schemer vielen wat donkere vormen te onderscheiden.
'Juist, precies,' mompelde hij. 'Alleen had ik... ik bedoel... was het hier *gisteren* ook al jaren?'
'Alles wel goed met je, Sergeant?'
'Kom, we gaan, Bobo,' zei de sergeant terwijl hij zo snel als hij kon doorliep.
'Waarheen, Sergeant?'
'Als het maar niet hier is.'
Tussen de duistere stapels koopwaar voelde iets hoe ze weggingen.

*

Buddie had de Gildegebouwen al kunnen bewonderen – de majestueuze pui van het Moordenaarsgilde, de schitterende pilaren van het Dievengilde, het rokende doch niettemin indrukwekkende gat waar tot gisteren het Alchemistengilde was gevestigd. En daarom was het een hele teleurstelling toen hij na lang zoeken merkte dat het Muzikantengilde niet eens een gebouw was. Het bestond louter uit wat armzalige kamertjes boven een kapperszaak.

Hij nestelde zich in een bruinbehangselde wachtkamer en wachtte. Aan de wand tegenover hem hing een bordje. Daarop stond: Ter Wille Van Eigen Gerief En Gemak ZULT GIJ NIET ROKEN. Buddie had van zijn leven nog nooit gerookt. Alles in Llawelos was veel te doorweekt om gerookt te worden. Maar hij kreeg op slag de neiging om het eens te proberen.

Verder bevatte het vertrek alleen een trol en een dwerg. Daarbij voelde hij zich niet zo op zijn gemak. Ze keken telkens naar hem.

Na een tijdje zei de dwerg: 'Ik dacht even: als die nou es elf is? En?'

'Ik? Wellnee!'

'Nou, die kuif van je heeft wel wat elvigs.'

'Geen greintje ellf, is eerllijk waar.'

'Waar kojje vandaan?' vroeg de trol.

'Uit Llawellos,' zei Buddie. Hij deed zijn ogen dicht. Hij dacht: ik weet wat trollen en dwergen van oudsher doen met iemand van wie ze denken: als dat geen elf is? Daar kon het Muzikantengilde een puntje aan zuigen.

'Wat hejje daar bij je?' vroeg de trol. Voor zijn ogen had hij twee grote vierkante stukken donker glas hangen, aan om zijn oren gehaakte ijzerdraadjes.

'Een harp, kijk maar.'

'Daarzo speel je op?'

'Ja.'

'Bejje dan een druïde?'

'Nee!'

Het bleef weer even stil terwijl de trol zijn gedachten bijeenraapte.

'In die nachtpon ziejje der anders *wel* uit azzen druïde,' rommelde hij even later.

Aan Buddie's andere kant moest de dwerg even giechelen.

Trollen hadden het ook niet op druïden. Elke vertegenwoordiger van een bewuste soort die vaak langdurig vertoeft in een toestand van versteende stilstand, heeft bezwaar tegen elk ander wezen dat hem eerst honderd kilometer op rollen versleept

om hem dan tot zijn knieën begraven in een kring neer te zetten. Hij vindt daarmee grond te hebben voor enige verongelijktheid.
'In Llawellos draagt iedereen dit, snap je,' zei Buddie. 'Maar ik ben een bard! Geen druïde. Ik heb de pest aan keien!'
'Oei,' zei de dwerg zachtjes.
De trol nam Buddie eens goed op, langzaam en nadrukkelijk. Toen zei hij, zonder een merkbaar spoor van dreiging: 'Zeker nog niezzo lang in de stad?'
'Pas aangekomen,' zei Buddie. Ik haal de deur niet eens, dacht hij. Hij gaat me tot pullp vermalen.
'Dan hier wat goeie raad die je weten moet. Gratis goeie raad van me, helemaal voor niks. In deze stad hier zeggen ze "keien" tegen trollen. Lillijk woord van stomme mensen. Ajje een trol kei noemt, reken er dan wel op dat je een tijdje zal moeten zoeken naar je hoofd. Vooral als je haar nogal als van een elf is. Da's gratis goeie raad vanwege dat je een bard bent en muziek maakt, net azzik.'
'Okee! Bedankt! Jawell!' zei Buddie, kopje onder in opluchting. Hij pakte zijn harp en speelde een paar tonen. Dat leek de sfeer wat te klaren. Iedereen wist dat elfen nog nooit muziek hadden kunnen maken.
'Malm Blauwsteen,' zei de trol terwijl hij iets logs met vingers uitstak.
'Imp y Celyn, maar zeg maar Buddie,' zei Buddie. 'En met dat keien sjouwen heb ik helemaal nooit wat van doen gehad!'
Uit de andere richting werd een wat kleiner en knobbeliger handje naar hem uitgestoken. Zijn blik gleed langs de aansluitende arm, die weer aan de dwerg vastzat. Die was klein, zelfs voor een dwerg. Dwars op zijn knieën lag een bronzen toeter.
'Govd Govdsen,' zei de dwerg. 'Speel je alleen harp?'
'Alllles waar snaren op zitten,' zei Buddie. 'Maar de harp is well de koningin der instrumenten, snap je.'
'Ik blaas alles,' zei Govd.
'Echt?' zei Buddie. Hij zocht een beleefd weerwoord. 'Dan ben je vast heell popullair.'
De trol zeulde een grote leren zak omhoog.
'*Hierzo* speel ik op,' zei hij. Er tuimelde een aantal grote ronde keien op de grond. Malm raapte er eentje op en knipte er een van zijn vingers tegenaan. Dat deed *bam*.
'Muziek uit keien?' zei Buddie. 'Hoe will je die noemen?'
'Die noemen we *Ggroehauga*', zei Malm, 'en dat betekent muziek van de rotsen.'
De rotsklompen waren allemaal verschillend van grootte, met zorg gestemd door er hier en daar een plakje af te hakken.

‘Mag ik even?’ vroeg Buddie.
‘Ga je gang.’
Buddie zocht een keitje uit en knipte ertegen met een vinger. Dat ging van *bop*. Een nog kleinere ging van *bieng*.
‘Wat doe je er dan mee?’ vroeg hij.
‘Ik sla ze tegen mekaar.’
‘En wat dan?’
‘Hoe bedoel je, “En wat dan?”’
‘Wat doe je als je ze tegen elkaar hebt geslagen?’
‘Dan sla ik ze noggeres tegen mekaar,’ zei Malm, de geboren drummer.
De deur naar de achterkamer ging open en er gluurde een man met een puntneus omheen.
‘Horen jullie bij elkaar?’ snauwde hij.

Nu was er volgens de legende inderdaad een rivier die een mens met één druppel van zijn herinnering kon beroven.
Menigeen nam aan dat het ging om de Ankh, waarvan het water zowel gedronken kan worden als gesneden en gekauwd. Een teug uit de Ankh kon een mens vast wel van zijn herinnering ontdoen, of hem in elk geval dingen laten overkomen die hij zich in geen geval zou willen herinneren.
Maar het was dus een andere rivier waarmee het echt kon. Vanzelf zat daar wel een minpuntje aan. Niemand weet waar hij ligt, want als je er eenmaal bent heb je uiteraard fikse dorst.
De Dood richtte zijn aandacht elders.

‘Vijfenzeventig daallders?’ zei Buddie. ’Llouter om te mogen speellen?’
‘Dat is vijfentwintig daalders inschrijfgeld, twintig procent van de honoraria, en vijftien daalders vrijwillig verplichte jaarlijkse intekening in het Pensioenfonds,’ zei meneer Kliet, de Gildesecretaris.
‘Maar zoveell gelld hebben we niet!’
De man haalde zijn schouders op om aan te geven dat de wereld weliswaar veel problemen kende, maar dat dit er niet eentje van hem was.
‘Maar misschien zullllen we well kunnen betaallen alls we eenmaall wat hebben verdiend,’ zei Buddie wanhopig. ‘Alls je ons nu eens, och, een week of zo de tijd –’
‘Mogen je nergens laten spelen zolang je geen Gildelid bent,’ zei meneer Kliet.
‘Maar we kunnen geen lid worden zolang we niet gespeeld hebben,’ zei Govd.
‘Klopt,’ zei meneer Kliet monter. ‘Hè. Hè. Hè.’

Het was een raar lachje, volstrekt vreugdeloos en met ergens iets vogelachtigs. Het had veel van zijn eigenaar, die het soort wezen was dat je krijgt als je de genen haalt uit iets fossiels in een brok amber en dat dan een pak aantrekt.
Heer Ottopedi had de groei van Gilden bevorderd. Dat waren de grote tandwielen in het geoliede raderwerk van een goedlopende stad. Hier een drupje olie... en daar een spaak in het wiel, o zeker... en al doende *liep* het dan allemaal.
En zoals een composthoop wormen voortbracht, bracht dat dan meneer Kliet voort. Niet dat hij in de gebruikelijke zin een slechtaard was; evenmin als een pestdragende rat, vanuit onpartijdig standpunt, een slecht dier was.
Meneer Kliet sloofde zich uit voor het welzijn van zijn medemens. Daar wijdde hij zijn leven aan. Want er zijn zoveel dingen te doen in de wereld die niemand wil doen maar wel graag gedaan ziet worden door meneer Kliet. Het bijhouden van notulen, bijvoorbeeld. Zorgen dat de ledenlijst helemaal bij is. Archiveren. *Organiseren.*
Voor het Dievengilde had hij ook hard gewerkt, ook al was hij toen geen dief, tenminste niet in de gewone betekenis. Toen kwam er die net iets betere vacature bij het Zottengilde, en meneer Kliet was lang niet zot. En ten slotte dus het secretariaat van het Muzikantengilde.
Strikt genomen moest hij dan musicus zijn. Dus kocht hij een kammetje en papier. Omdat het Gilde tot dan toe gedraaid had onder echte musici, waardoor het ledenregister verwerd tot een registerniet en haast niemand meer zijn contributie voldeed en de organisatie bij de trol Chrysopraas in het krijt stond voor verscheidene duizenden daalders tegen moordende rente, vond men een auditie niet eens nodig.
Toen meneer Kliet bij het openen van het eerste verslonsde kasboek de bandeloze janboel aanschouwde, doortrok hem een zalig gevoel. Sindsdien had hij niet meer omgekeken. Wel had hij veel tijd besteed aan omlaagkijken. En al had het Gilde een voorzitter en een bestuur, het had ook een meneer Kliet die de notulen bijhield en zorgde dat alles gladjes liep en stiekem voor zich heenlachte. Het is een raar maar steevast feit: telkens als mensen het juk van tirannen afwerpen en zich tot zelfbestuur bekeren, duikt er zomaar, als een paddestoel na een regenbui, een meneer Kliet op.
Hè. Hè. Hè. Meneer Kliets lachen om dingen was omgekeerd evenredig aan de humor ervan.
'Maar dat is toch onzin!'
'Welkom in de wonderbare wereld der gildeneconomie,' zei meneer Kliet. 'Hè. Hè. Hè.'

'Wat gebeurt er dan, als we speellen zonder van het Gillde te zijn?' vroeg Buddie. 'Neem je dan onze instrumenten in besllag?'
'Daar beginnen we mee,' zei de voorzitter. 'En dan geven we ze je in zekere zin weer terug. Hè. Hè. Hè. Tussen haakjes... ik dacht net: het lijkt wel of dat 'n elf is. Nou?'

'Vijfenzeventig daallders is *misdadig*,' zei Buddie terwijl ze door de avondstraten sjokten.
'Erger dan misdadig,' zei Govd. 'Ik hoorde dat het Dievengilde gewoon maar een percentage heft.'
'En daar krijje een echte Gildekaart en al,' rommelde Malm. 'Een pensioen zelfs. En ze hebben elk jaar een uitje naar Quorm met een piknik.'
'Muziek *hoort* anders gratis te kunnen,' zei Buddie.
'Wat ganeme nou dan doen?' zei Malm.
'Iemand nog ergens geld?' zei Govd.
'Kep een daalder,' zei Malm.
'Ik heb een paar duiten,' zei Buddie.
'Dan gaan we eerst iets behoorlijks eten,' zei Govd. 'Hier ter plekke.'
Hij wees naar het uithangbord.
'Priempjes' Schachtlokaal?' zei Malm. 'Priempjes? Klinkt dwergs. Zeker vooral veel ratjetoe?'
'Tegenwoordig ook trols eten,' zei Govd. 'De etnische vooroordelen opzij gezet ter wille van de verdienste. Vijf soorten steenkool, zeven soorten cokes en as, afzettingen waar je van kwijlt. Zal je best bevallen.'
'Soms ook dwergenbrood?' vroeg Buddie.
'*Lust* je dat dan?' zei Govd.
'Llekker, ja,' zei Buddie.
'Wat, *echt* dwergenbrood?' zei Govd. '*Meen* je dat?'
'Ja. Llekker knapperig, snap je.'
Govd haalde zijn schouders op.
'Dat doet de deur dicht,' zei hij. 'Niemand die dwergenbrood lust en toch een elf is.'
De gelegenheid was vrijwel leeg. Een dwerg met een schort voor tot onder zijn oksels keek ze van net over de toonbank aan.
'Heb je ook gebakken rat?' vroeg Govd.
'Beste gebakken rat van de hele rotstad,' zei Priempjes.
'Mooi. Doe mij dan vier gebakken ratten.'
'En wat dwergenbrood,' zei Buddie.
'En cokes,' zei Malm geduldig.
'Bedoel je rattenkoppen of rattenpootjes?'

'Nee. Vier gebakken ratten.'
'En cokes.'
'Moet je ketchup bij die ratten?'
'Nee.'
'*Echt* niet?'
'Geen ketchup.'
'En cokes.'
'En twee hardgekookte eieren,' zei Buddie.
De anderen keken hem raar aan.
'Nou en? Hardgekookte eieren, vind ik llekker,' zei hij.
'En cokes.'
'Vijfenzeventig daalders,' zei Govd toen ze gingen zitten. 'Hoeveel is drie keer vijfenzeventig daalders?'
'Veel daalders,' zei Malm.
'Meer dan tweehonderd daallders,' zei Buddie.
'Volgens mij heb ik dat zelfs nog nooit *gezien*, tweehonderd daalders,' zei Govd. 'Tenminste niet als ik wakker was.'
'Ganeme dat geld verdienen?' zei Malm.
'We kunnen het niet verdienen als muzikanten,' zei Buddie. 'De Gilldewet llaat dat niet toe. Als ze je betrappen, pakken ze je instrumenten af en steken die in –' Hij zweeg even. 'Laat ik allleen zeggen dat het voor een piccoollospeler geen pretje is,' wist hij zich te herinneren.
'Een trombonist zal ook wel niet al te blij zijn,' zei Govd terwijl hij zijn rat bepeperde.
'Naar huis kan ik niet meer,' zei Buddie. 'Ik heb gezegd dat ik... ik kan nog niet naar huis. En all kon ik well, dan moest ik net alls mijn broers dollmens overeind zetten. Stenenkringen, dat is alllles waar zij zich druk over maken.'
'Als *ik* nou op huis af ging', zei Malm, 'zou ik druïden moeten meppen.'
Allebei schoven ze behoedzaam net dat beetje verder uit elkaar.
'Dan spelen we ergens waar het Gilde ons niet kan vinden,' zei Govd vrolijk. 'We zoeken ergens een nachtclub. Naar ik hoor vinden een hoop daarvan die gildetarieven ook maar knots.'
'Een knots, die heb ik,' zei Malm trots. 'Met een *spijker* derin.'
'We kunnen daar gewoon wat riedeltjes doen', zei Govd die dit commentaar maar negeerde, 'en het geld in een *mum* bij elkaar hebben.'
'Met zijn drieën?' zei Buddie.
'Welja.'
'Maar we speellen dwergenmuziek en mensenmuziek en trolllenmuziek,' zei Buddie. 'Ik weet niet of dat well samengaat. Ga maar na, dwergen lluisteren naar dwergenmuziek, mensen naar mensenmuziek en trollllen naar trollllenmuziek. Wat krijg je

alls je dat allllemaall door ellkaar doet? Wordt vast vresellijk.'
'Wij schieten prima met mekaar op,' zei Malm die opstond om het zout van de toonbank op te halen.
'We zijn musici,' zei Govd. 'Dat is anders dan bij echte lui.'
'Nou, persies,' zei de trol.
Malm ging zitten.
Er klonk een gekraak.
Malm stond op.
'O,' zei hij.
Buddie stak een hand uit. Langzaam en heel zorgvuldig raapte hij de resten van zijn harp van de bank.
'O,' zei Malm.
Met een droef geluidje krulde een snaar om.
Het was alsof je een jong katje zag sterven.
'Die had ik gewonnen op het Eisteddfod,' zei Buddie.
'Zou je hem weer aan elkaar kunnen lijmen?' vroeg Govd op het laatst.
Buddie schudde zijn hoofd.
'Er is in Llawelos niemand meer die zou weten hoe, snap je.'
'Jawel, maar in de Sluwe-Ambachtenstraat –'
'Het spijt me erg. Het spijt me erg, geen idee hoe hij daar kwam.'
'Het is niet jouw schulld.'
Buddie probeerde vergeefs een paar stukjes weer aan elkaar te passen. Maar een muziekinstrument kon je niet weer heel maken. Hij hoorde dat de oude barden nog zeggen. Instrumenten hadden een *ziel*. Allemaal hadden ze een ziel. Als ze kapot waren ontsnapte die ziel, gevlogen als een vogeltje. Wat je dan weer in elkaar zette was maar gewoon een ding, louter een combinatie van hout en metaaldraad. Je kon er wel op spelen, en het kon de oppervlakkige luisteraar misschien zelfs voor de gek houden, maar... Kon je net zo goed iemand in een afgrond duwen en weer aan elkaar naaien en verwachten dat hij dan weer leefde.
'Uh... kunnen we dan soms een nieuwe voor je versieren?' zei Govd. 'Er is een... aardig muziekwinkeltje op het Achterom –'
Hij hield in. Maar *natuurlijk* was er een aardig muziekwinkeltje op het Achterom. Was daar *altijd* al.
'Op het Achterom,' herhaalde hij voor de zekerheid. 'Daar is er vast wel een te krijgen. Op het Achterom. Ja. Is daar al *jaren*.'
'Niet zò eentje,' zei Buddie. 'Voor zo'n vakman het hout zellfs maar aanraakt moet hij well twee weken aan een stuk in een grot achter een watervall bllijven zitten, met een stierenhuid om.'
'Hoezo dat?'

'Geen idee. Traditie. Hij moet zijn geest zuiveren van ellke afleiding.'
'Er moet evengoed vast wel iets zijn,' zei Govd. 'We kopen wel iets. Je kunt geen muzikant zijn zonder instrument.'
'Gelld heb ik niet,' zei Buddie.
Govd gaf hem een klap op zijn rug. 'Geeft toch niks,' zei hij. 'Je hebt vrienden! Wij helpen je wel! Minste wat we doen kunnen.'
'Maar we hebben alllles wat we hebben all aan dit maallll besteed. Er is geen gelld over,' zei Buddie.
'Dat is maar een pessimistische kijk,' zei Govd.
'Och, tja. Maar we hebben niks meer, snap je.'
'Ik versier wel wat,' zei Govd. 'Ik ben dwerg. Wij hebben verstand van geld. Wij staan bekend als de jongens die verstand hebben van geld.'
'*Lange* bijnaam, dat wel.'

Al bijna in het donker kwamen ze aan bij het winkeltje, dat recht tegenover de hoge muren van de Gesloten Universiteit lag. Het leek op zo'n muziekinstrumentenbazar annex pandjeshuis, omdat elke muzikant op zeker moment wel eens zijn instrument moet afgeven als hij onder dak wil eten en slapen.
'Hejje hier ooit wel wat gekocht?' vroeg Malm.
'Nee... niet dat ik nog weet,' zei Govd.
'Tis dicht,' zei Malm.
Govd bonsde op de deur. Na een tijdje ging die op een kier, net genoeg om een dun plakje te onthullen van het gezicht van een oude vrouw.
'Wij willllen een instrument kopen, dame,' zei Buddie.
Een oog en een partje mond namen hem eens goed op.
'Ben jij een mens?'
'Jawell, dame.'
'Nou, vooruit dan.'
Het winkeltje werd verlicht door een paar kaarsen. Het oude mens had zich teruggetrokken achter de veilige toonbank vanwaar ze hen nauwlettend controleerde op aanstalten om haar in bed te vermoorden.
Het drietal ging voorzichtig rond tussen de koopwaar. Naar het scheen had de winkel zijn voorraad van nimmer teruggehaalde artikelen door de eeuwen heen opgebouwd. Muzikanten zaten vaak op zwart zaad; het was een van de definities van een muzikant. Er hingen strijdhoorns. Er lagen luiten. Er stonden trommen.
'Dit is troep,' zei Buddie zachtjes.
Govd blies het stof van een kromhoorn en zette hem aan zijn

lippen, om er het geluid van een opgebakken bruine boon aan te ontwringen.
'Volgens mij zit hier een dooie muis in,' zei hij terwijl hij in de diepte tuurde.
'Voor jij erop blies was hij nog prima,' snibde het oude mensje.
Uit het andere eind van de winkel klonk een lawine van bekkens.
'Pedon,' riep Malm.
Govd deed de klep open van een instrument dat Buddie totaal onbekend voorkwam. Dit onthulde een reeks toetsen; Govd liet er zijn vingerstompjes overheen gaan, wat een reeks trieste, blikkige toontjes teweegbracht.
'Wat is dat?' fluisterde Buddie.
'Een virginaal,' zei de dwerg.
'Hebben wij daar wat aan?'
'Dacht ik niet, nee.'
Buddie richtte zich op. Hij had het gevoel dat hij werd bespied. Het oude dametje spiedde inderdaad, maar er was nog iets...
'Het is zinlloos. Er is hier niks,' zei hij hardop.
'Hela, wat hoor ik daar?' zei Govd.
'Ik zei dat er –'
'Nee, ik hoorde wat.'
'Wat dan?'
'Daar heb je het weer.'
Achter hen klonk afwisselend kletteren en bonzen, want Malm groef vanonder een stuwwal van muziekstandaards een contrabas op, waarna hij op het scherpe eind ervan probeerde te blazen.
'Toen jij praatte klonk er iets eigenaardigs,' zei Govd. 'Zeg nog eens wat.'
Buddie aarzelde, want dat doet een mens als hem na een leven lang taalgebruik 'zeg wat' wordt opgedragen.
'Buddie?' zei hij.
WUMM-Wumm-wumm.
'Het kwam uit –'
WAA-Waa-waa.
Govd tilde een stapel oeroude bladmuziek opzij. Daarachter lag een muzikaal kerkhof, compleet met ontvelde trommel, een stel Lankhrische doedelzakken zonder de doedels en een enkele castagnet, mogelijk bestemd voor een met Zen behepte flamencodanser.
En nog iets.
De dwerg trok het te voorschijn. Het had wel iets van een met een stenen beitel uit één stuk oeroud hout gehakte gitaar. Al bespeelden dwergen als regel geen snaarinstrumenten, Govd wist

best hoe een gitaar eruit zag. Die hoorde de vorm te hebben van een vrouw, tenminste als je vond dat vrouwen geen benen hadden, een lange hals en veel te veel oren.
'Buddie?' zei hij.
'Ja?'
Wauauaumm. Aan het geluid zat een dringende, zagende bijklank. Er waren twaalf snaren, maar de romp van het instrument was van massief hout, totaal niet hol – het was zeg maar louter een vorm om de snaren bijeen te houden.
'Hij galmde mee met jouw stem,' zei Govd.
'Hoe kan –?'
Waumm-waa.
Govd legde zijn hand om de snaren en wenkte de andere twee dichterbij.
'We zitten hier vlakbij de Universiteit,' fluisterde hij. 'Daaruit lekt toverkracht weg. Algemeen bekend. Of misschien is deze ooit beleend door een tovenaar. Nooit een gegeven rat in de bek kijken. Kun jij gitaar spelen?'
Buddie verbleekte.
'Je bedoelt... vollkslliedjes en zo?'
Hij nam het instrument over. Volksliedjes werden in Llawelos niet gewaardeerd en het zingen ervan werd met klem ontmoedigd; men meende er dat eenieder die op ene zoete meimorgen ter zeewaarts een jong maagdeke gewaarwerd zelf de hem passende stappen mocht nemen zonder dat iemand er iets over opschreef. Gitaren keurde men af omdat ze... tja, te makkelijk waren.
Buddie sloeg een akkoord aan. Dat bracht een geluid voort zoals hij nog nooit had gehoord – je hoorde galmen en vreemde echo's die tussen het instrumentale wrakhout rondsnorden om daar extra harmonieën op te doen en dan weer terug te kaatsen. Hij kreeg er de kriebel van langs zijn ruggegraat. Maar zonder een of ander instrument kon je niet eens de *slechtste* muzikant van de wereld zijn...
'Juistem,' zei Govd.
Hij wendde zich tot de oude vrouw.
'Je wou dit toch geen muziekinstrument noemen, hè?' zei hij op hoge toon. 'Moet je zien, de helft zit er niet eens aan.'
'Govd, ik vind niet –' begon Buddie. Onder zijn handen trilden de snaren.
De oude vrouw bekeek het geval.
'Tien daalders,' zei ze.
'Tien daalders? *Tien daalders?*' zei Govd. 'Hij is geen twee daalders waard!'
'Klopt,' zei de oude vrouw. Op een gemene manier monterde ze

wat op, alsof ze zich voorbereidde op een veldslag waarin geen duit zou worden gespaard.
'En hij is stokoud,' zei Govd.
'Antiek.'
'Moet je die klank eens horen! Totaal bedorven.'
'Smeltend. Waar vind je vandaag de dag nog zulk vakmanschap?'
'Bij onervaren leerjongens!'
Buddie bekeek het geval nog eens. De snaren galmden uit zichzelf. Er lag een blauw waas over, net of ze nooit helemaal uitgetrild waren.
Hij tilde de gitaar vlak voor zijn mond en fluisterde: 'Buddie.'
De snaren zoemden.
Nu viel hem het krijtteken op. Het was bijna vervaagd. En meer dan een streepje was het niet. Gewoon maar een krijtstreep...
Govd raakte op dreef. Dwergen staan bekend als de felste financiële onderhandelaars, in schrandere onbeschaamdheid slechts overtroffen door oude vrouwtjes. Buddie probeerde bij te houden wat er gaande was.
'Okee dan', zei Govd net, 'zijn we het eens?'
'Afgesproken,' zei het oude vrouwtje. 'En ga nou voor we elkaar een hand geven niet erin spugen, want dat is maar onhygiënisch.'
Govd wendde zich tot Buddie. 'Dat heb ik maar weer mooi geklaard, vind ik,' zei hij.
'Mooi. Hoor eens, dit is heell –'
'Heb je twaalf daalders?'
'Watte?'
'Toch een koopje, vind ik.'
Achter ze klonk een bons. Daar was Malm die met een stel bekkens onder zijn armen een zeer grote trom voor zich uit rolde.
'Ik zei toch dat ik geen gelld had!' siste Buddie.
'Ja, och... tja, *iedereen* zegt dat hij geen geld heeft. Nogal wiedes. Je gaat niet rondbazuinen dat je geld hebt. Maar bedoel je dan dat je *echt* geen geld hebt?'
'Nee!'
'Niet eens twaalf daalders?'
'Nee!'
Malm kwakte de trommel, de bekkens en een stapel bladmuziek op de toonbank.
'Hoeveel mottie met dit erbij kosten?' zei hij.
'Vijftien daalders,' zei de oude vrouw.
Malm richtte zich zuchtend op. Hij kreeg even een vage blik in

zijn ogen en stompte zich toen op zijn kaak. Met één vinger tastte hij in zijn mond om daaruit –
Buddie stond versteld.
'Hela, laat mij even kijken,' zei Govd. Hij griste het ding uit Malms gewillige vingers en bekeek het zorgvuldig. 'Jemig! Op zijn minst vijftig karaats!'
'*Dat* pak ik niet aan,' zei de oude vrouw. 'Dat heeft een trol in zijn mond gehad!'
'Je eet toch ook eieren?' zei Govd. 'En trouwens, iedereen weet dat trollentanden van zuiver diamant zijn.'
De oude vrouw pakte de tand aan en inspecteerde hem bij een kaars.
'Als ik die naar zo'n juwelier in de Puikstraat breng zou hij me tweehonderd daalders bieden,' zei Govd.
'Nou, ik zeg je anders dat hij hier maar vijftien waard is,' zei het oude dametje. De diamant verdween als bij toverslag tussen haar kleren. Ze keek hen opgewekt en uitgestreken aan.
'*Waarom* konden we hem niet gewoon afpikken?' zei Govd toen ze weer buiten stonden.
'Omdat ze een arm en weerlloos oud vrouwtje is,' zei Buddie.
'Precies! Dat bedoel ik juist!'
Govd keek op naar Malm.
'Heb jij een mondvol van die dingen?'
'Jep.'
'Want zie je, ik ben mijn hospita al twee maanden hu–'
'Zet dat maar uit je kop,' zei de trol beslist.
Achter ze werd de deur dichtgeslagen.
'Nou, kop op dan maar,' zei Govd. 'Morgen vind ik wel ergens een schnabbel voor ons. Komt best in orde. Ik ken iedereen hier in de stad. Met z'n drieën... zijn we een *band*.'
'We hebben nog niet eens fatsoenllijk samen gerepeteerd,' zei Buddie.
'We repeteren wel al doende,' zei Govd. 'Treed binnen in de wereld van de beroepsmuziek.'

Suzan wist niet zoveel van geschiedenis. Dat leek haar altijd maar een saai vak. Vervelende mensen deden al maar door dezelfde stomme dingen. Wat had dat voor zin? De ene koning was zeg maar net als de andere.
De klas werd onderwezen over zo'n revolutie waarin van die arme sloebers niet langer arme sloebers hadden willen wezen, en omdat de edelen het hadden gewonnen waren ze dat dan ook maar *al* te gauw niet meer. Hadden ze maar gezorgd dat ze lezen leerden en wat geschiedenisboeken versierd, dan waren ze wel achter de geringe verdiensten gekomen van zeisen en hooi-

vorken en zulks, toegepast in een strijd tegen kruisbogen en slagzwaarden.
Zonder geestdrift luisterde ze een tijdje tot de verveling toesloeg, en toen haalde ze een boek te voorschijn en liet ze zich wegglijden uit de aandacht van haar omgeving.
PIEP!
Suzan keek even opzij.
Op de grond naast haar bank stond een piepklein wezentje. Het leek erg op een rattengeraamte in een zwarte pij, met een heel klein zeisje in zijn poot.
Suzan keek weer in haar boek. Zulke dingen bestonden gewoon niet. Daar was ze heel zeker van.
PIEP!
Suzan keek nog eens omlaag. De verschijning stond er nog steeds. De vorige avond hadden ze geroosterde kaasbroodjes gehad. In boeken heette het inderdaad dat je na zo'n avondhapje wel het een en ander kon verwachten.
'Jij bestaat niet,' zei ze. 'Je bent maar een stukje kaas.'
PIEP?
Toen het wezentje eenmaal zeker was van haar aandacht haalde het een klein zandlopertje voor de dag waar het dringend naar wees.
Ondanks alle redelijke overwegingen liet Suzan haar geopende hand omlaag zakken. Het wezentje klom erop – de voetjes voelden aan als spelden – en keek haar vol verwachting aan.
Suzan tilde het tot voor haar neus. Okee, dan *was* het een product van haar eigen verbeelding. Ze kon het op zijn minst serieus nemen.
'Je gaat toch niet zoiets zeggen van "O, mijn pootjes, mijn vacht en mijn snorren" hè?' zei ze zachtjes. 'Want anders ga ik je doortrekken in de plee.'
De rat schudde zijn schedeltje.
'En je bent echt?'
PIEP. PIEPIEPIEP –
'Hoor eens, ik snap er niks van,' zei Suzan geduldig. 'Ik spreek geen knaags. Bij Moderne Talen doen we alleen Klatschiek en dan kan ik alleen "Mijn tantes kameel is in de luchtspiegeling gevallen" zeggen. En als je denkbeeldig bent, wees dan liever wat... aaibaarder.'
Nu is een geraamte, zelfs een kleintje, van nature maar weinig aaibaar, ook al heeft het nog zo'n open grijns. Maar het gevoel... nee, besefte ze... de herinnering bekroop haar zomaar dat dit kleintje niet alleen echt was maar ook aan haar kant stond. Dat was een onwennig idee. Haar kant bestond normaal gesproken uit haar.

De rat zaliger keek Suzan een ogenblik aan, pakte toen de zeis tussen zijn tandjes en sprong tegelijk van Suzans hand, om op de grond te belanden en tussen de banken door weg te trippelen.
'En je hebt geeneens pootjes, vacht en snorren,' zei Suzan. 'Niet zoals het hoort, tenminste.'
De geraamterat stapte door de muur. Suzan wijdde zich weer aan haar lectuur en las verbeten verder in Deeds, Van Bergen en De Wids Deelbaarheidsparadox, waarin werd aangetoond dat het onmogelijk is om koek te snijden.

Nog diezelfde avond repeteerden ze, in Govds dwangmatig netjes gehouden huurkamer. Die lag achter een leerlooierij in de Phaedrusstraat en was dus wel veilig voor de rondneuzende oren van het Muzikantengilde. Het was er ook pas geschilderd en keurig geboend. Het kamertje blonk. Waar een dwerg woont heb je nooit kakkerlakken of ratten of ander ongedierte. Of in elk geval niet zolang de bewoner nog een koekenpan kan hanteren.
Govd en Buddie zaten te kijken hoe Malm met zijn keien sloeg.
'Nou, wat vinje?' zei die toen hij klaar was.
'En meer doe je niet?' vroeg Buddie na een tijdje.
'Het benne rotsen,' zei de trol geduldig. 'Meer kejje der niet mee. Bonk, bonk, bonk.'
'Hmm. Mag ik ook even?' zei Govd.
Hij ging achter het keienstel zitten en keek er even naar. Toen legde hij er een paar in een andere volgorde en met een stel hamers uit zijn gereedschapskist sloeg hij even proef.
'Goed, even kijken...' zei hij.
Bengebeng-bengeBENG.
Naast Buddie gonsden de gitaarsnaren.
'Zonder hemd zonder broek,' zei Govd.
'Hè?' zei Buddie.
'Gewoon wat muziekonzin,' zei Govd. 'Net als "Heb je der haar op of touw", snap je?'
'Watte?'
Bengerde Beng-beng, bengBENG.
'Niks derop is anders veel beterder,' zei Malm.
Buddie keek streng naar de keien. Slagwerk werd in Llawelos ook al niet gewaardeerd. Volgens de barden kon iedereen wel met een stok op een steen of een holle boomstam slaan. Dat was geen *muziek*. Bovendien was het... en dan lieten ze hun stem dalen... te *dierlijk*.
De gitaar zoemde. Het leek net of hij geluiden opving.
Buddie kreeg opeens het gevoel dat je met slagwerk juist heel wat kon.

'Mag ik ook eens?' vroeg hij.
Hij pakte de hamertjes. Heel vaag steeg er uit de gitaar een toontje op.
Vijfenveertig tellen later legde hij de hamers weer neer. De nagalm stierf weg.
'Waarom sloeg je me daar aan het eind nou op mijn helm?' zei Govd behoedzaam.
'Ja, sorry,' zei Buddie. 'Ik lliet me zeker wat meesllepen. Ik dacht dat je een bekken was.'
'Dat was heel... apart,' zei de trol.
'De muziek... zit in de rotsen,' zei Buddie. 'Je hoeft hem er maar uit te llaten. Overall zit muziek in, alls je hem maar weet te vinden.'
'Mag ik die rif even perberen?' zei Malm. Hij greep de hamers en nestelde zich weer achter de keien.
E-beng-bonk-e-rie-bonk-e-bing-beng-boem.
'*Wat* heb je der mee uitgehaald?' zei hij. 'Ze klinken... wild.'
'Klonk mij wel goed,' zei Govd. 'Klonk heel wat beter.'
Die nacht sliep Buddie ingeklemd tussen Govds piepkleine bedje en Malms kolos. Na een tijdje begon hij te snurken.
Naast hem galmden de snaren zachtjes gelijk op. In slaap gesust door hun haast onhoorbare klank was hij de harp totaal vergeten.

Suzan werd wakker. Er trok iets aan haar oor.
Ze deed haar ogen open.
PIEP?
'O, nee hè?'
Ze kwam overeind zitten. De andere meisjes sliepen. Het raam stond open, want de school was in voor frisse lucht. Die was met grote hoeveelheden tegelijk voorhanden, en gratis.
De geraamterat sprong op de vensterbank, controleerde of ze wel keek en sprong de nacht in.
Zover Suzan begreep bood de wereld haar nu twee keuzen. Ze kon weer naar bed, of ze ging achter de rat aan.
En dat zou dom wezen. Zulke dingen, dat deden kinderachtige luitjes in boeken. Die belandden dan in een halfgare wereld vol kabouters en achterlijke pratende dieren. Dat waren van die treurige, weeïge meiden. Die lieten zich maar van alles *overkomen*, zonder er *iets* aan te doen. Die bleven dan maar 'Hemeltjelief' zeggen, terwijl het zonneklaar was dat een verstandig mens zo'n oord in een mum op orde zou hebben.
Eigenlijk, als je het zo bekeek, was het wel aanlokkelijk... Er was teveel warhoofderij in de wereld. Ze hield zich altijd voor dat het de taak was van mensen als Suzan, als er tenminste

nog meer zo waren, om orde op zaken te stellen.
Ze trok haar kamerjas aan en klom over de vensterbank, hield die nog even vast en liet zich toen in een bloembed vallen.
De rat was een vlekje dat over het maanverlichte gazon trippelde. Ze volgde het helemaal tot de stallen waar het ergens in de schaduwen verdween.
Ze stond er al wat bibberig en meer dan voor joker bij toen het wezentje weer opdook, een voorwerp meezeulend dat nogal wat groter was dan het zelf was. Het leek wel een bundeltje ouwe lappen.
De geraamterat liep er omheen en gaf de voddenbaal een flinke schop.
De voddenbaal deed één oog open en draaide dat wild rond tot het Suzan in de kijker kreeg.
'Denk erom, hoor,' zei de voddenbaal. 'Ik zeg geen miezerig rotwoordje.'
'Pardon?' zei Suzan.
Het baaltje verrolde, kwam wankelend overeind en stak twee mottige vleugels uit. De rat staakte zijn geschop.
'Nou, ik ben toch een raaf?' zei hij. 'Eén van de weinige vogels die kunnen praten. Dus zegt iedereen meteen, o, ben jij een raaf, vooruit dan, zeg eens zo'n woordje... Als ik voor elke keer een stuiver kreeg, was ik –'
PIEP.
'Okee, *okee*.' De raaf schikte zijn veren. 'Dit geval hier is de Dood der Ratten. Let maar even op die zeis en die mantel, ja? Dood der Ratten. Een hele piet in de rattenwereld.'
De Dood der Ratten maakte een buiging.
'Brengt veel tijd door onder schuren en overal waar mensen een schoteltje neerzetten met broodjes strychnine,' zei de raaf. 'Veel plichtsbesef.'
PIEP.
'Goed. Wat wil hij – wat moet hij van mij?' zei Suzan. 'Ik ben geen rat.'
'Heel schrander opgemerkt,' zei de raaf. 'Hoor eens, ik heb hier niet om gevraagd, hoor. Ik lag op mijn schedel te slapen en voor ik het wist had hij me bij mijn poot te pakken. Als raaf zijnde, zoals ik al zei, ben ik een van nature occulte vogel –'
'Ja, sorry,' zei Suzan. 'Ik weet wel dat dit weer zo'n droom is, dus ik wil precies weten of ik het snap. Je zei... dat je sliep op je *schedel*?'
'O, niet die van mij *persoonlijk*, hoor,' zei de raaf. 'Van iemand anders.'
'Van wie dan?'
De ogen van de raaf rolden wild. Het lukte hem maar niet om

beide ogen dezelfde kant uit te laten kijken. Suzan moest de neiging onderdrukken om ze te volgen.
'Weet ik dat? Er zit geen etiketje op die dingen,' zei hij. 'Gewoon een schedel. Hoor eens... ik werk voor zo'n tovenaar, hè? In de stad. Ik zit dan de hele dag op die schedel om "kras" te doen tegen de mensen –'
'Waarom?'
'Omdat een raaf op een schedel die "kras" doet net zo goed hoort bij de onvervalste *modus operandi* van tovenaars als die grote druipkaarsen en hier en daar aan de zoldering zo'n opgezette krokodil. Weet je dan helemaal niks? Je zou toch denken dat iedereen die ergens iets over weet dat wel weet. Nou zeg, kon een tovenaar anders net zo goed ook geen groen borrelbrouwseltje in van die flesjes hebben als hij geen raaf had om op een schedel te zitten en "kras" te doen –'
PIEP!
'Ja hoor eens, bij mensen moet je het een beetje inleiden,' zei de raaf geplaagd. Er richtte zich weer een oogje op Suzan. 'Die daar heeft geen gevoel voor het subtiele. Ratten gaan niet redetwisten over wijsgerige vragen als ze dood zijn. Ik ben hier in de buurt trouwens de enige die praten kan –'
'Mensen praten ook,' zei Suzan.
'Jazeker', zei de raaf, 'maar het kernpunt bij mensen, zeg maar het cruciale verschil, is dat ze zich niet zo makkelijk midden in de nacht laten wakker maken door een rattengeraamte dat om een tolk verlegen zit. Trouwens, mensen kunnen hem niet zien.'
'Ik zie hem wel.'
'Aha. Daar leg je je vinger denk ik op de zere plek, waar alles om draait,' zei de raaf. 'De kern waar alles op neerkomt. Het merg, kun je zeggen.'
'Hoor eens', zei Suzan, 'begrijp vooral goed dat ik hier geen snars van geloof. Ik geloof nooit dat er een Dood der Ratten bestaat, met een mantel aan en met een zeis.'
'Hij staat anders pal voor je.'
'Daarom hoef ik het nog niet te geloven.'
'Ik merk wel dat jij een *behoorlijke* opleiding hebt gehad,' zei de raaf zuur.
Suzan staarde omlaag naar de Dood der Ratten. Diep in zijn oogkasjes hing een blauwe gloed.
PIEP.
'De kwestie is', zei de raaf, 'dat hij er weer vandoor is.'
'Wie?'
'Je... opa.'
'Opa Lijzak? Hoe kan die er dan weer vandoor zijn? Die is dood!'

'Je... eh... *andere* opa..?' zei de raaf.
'Ik heb helemaal geen –'
Beelden stegen op uit het slib onderin haar geest. Iets met een paard... en dan die kamer vol gefluister. En een badkuip, die er ook ergens inpaste. En tarwevelden kwamen er ook in voor.
'Dit krijg je nou als ze hun kinderen een opleiding proberen te geven', zei de raaf, 'in plaats van ze het een en ander te vertellen.'
'Ik dacht dat mijn andere opa ook... dood was,' zei Suzan.
PIEP.
'Die rat zegt dat je met hem meemoet. Heel belangrijk is het.'
Het beeld van Juffrouw Bipps verrees als een walkure voor Suzans geestesoog. Dit was *malligheid*.
'O nee,' zei Suzan. 'Het is vast al middernacht. En morgen hebben we een aardrijkskunderepetitie.'
De raaf sperde verbijsterd zijn snavel open.
'Maar zoiets kun je toch niet zeggen,' zei hij.
'Dacht je echt dat ik me laat sturen en stellen door een... knokige rat en een pratende raaf? Ik ga terug!'
'Helemaal niet,' zei de raaf. 'Niemand met een greintje lef zou nu teruggaan. Je zou als je nu terugging nergens achterkomen. Dan zou je alleen maar opgeleid worden.'
'Maar ik heb geen *tijd*,' jammerde Suzan.
'Och, *tijd*,' zei de raaf. 'Tijd, dat is grotendeels een gewoonte. Tijd is geen bijzonder zwaar punt in *jouw* geval.'
'Hoe –'
'Daar kom je dan dus wel achter, hè?'
PIEP.
De raaf sprong opgewonden op en neer.
'Mag ik het haar zeggen? Mag ik het zeggen?' kraste hij. Zijn ogen draaiden naar Suzan.
'Jouw opa', zei hij, 'die is... de de de DE... DO–'
PIEP!
'Eens zal ze het toch moeten weten,' zei de raaf.
'Doof? Is mijn opa doof?' zei Suzan. 'Je haalt me hier midden in de nacht heen om over *gehoorstoornissen* te praten?'
'Ik zei geen doof, ik zei dat je opa... de de de DE... DO–'
PIEP!
'Nou, goed! Jij je zin!'
Suzan week terwijl het tweetal ruziede achteruit.
Toen pakte ze de zoom van haar nachtpon op en ze rende het erf af en weg over de vochtige gazons. Het raam stond nog open. Het lukte haar om vanaf de vensterbank een verdieping lager, het kozijn te grijpen en zich de slaapzaal in te hijsen. Ze dook in bed en trok de dekens over haar hoofd...

Na een tijdje drong het tot haar door dat dit geen intelligente reactie was. Maar toch liet ze ze daar maar.
Ze droomde van paarden en koetsen en een klok zonder wijzers.

'Nou, hadden we dat soms nog beter kunnen aanpakken?'
PIEP? 'De de de *DO*' PIEP?
'Hoe had ik het dan moeten formuleren? "Je opa is de Dood?" Recht voor zijn raap? Waar blijft dan de dramatische sfeer van het moment? Mensen houden daar zo van.'
PIEP, bracht de Dood der Ratten daar tegenin.
'Voor ratten ligt dat anders.'
PIEP.
'Dit vind ik wel weer genoeg voor één nacht,' zei de raaf. 'Raven zijn doorgaans geen nachtdieren, hoor.' Met een pootje krabde hij aan zijn snavel. 'Neem jij alleen ratten, of ook van dat spul zoals muizen en hamsters en wezels?'
PIEP.
'En cavia's dan? Cavia's?'
PIEP.
'Tjee, zeg. Nooit geweten. Dus ook Dood der Cavia's? Tjee, dat jij die op zo'n tredmolentje nog kunt inhalen –'
PIEP.
'Je zegt het maar.'

Je hebt dagmensen en nachtwezens.
En je moet vooral onthouden dat nachtwezens niet zomaar dagmensen zijn die laat opblijven omdat ze denken dat ze dan *cool* en interessant lijken. Om die grens te passeren is heel wat meer nodig dan dikke mascara en bleke wangen.
Erfelijkheid wil vanzelf ook helpen.
De raaf was opgegroeid in de immerafbrokkelende, klimopoverdekte Toren der Kunsten, die uitzag over de Gesloten Universiteit in het verre Ankh-Meurbork. Raven zijn van nature intelligente vogels en de weglekkende toverkracht, vaak oorzaak van overdrijving, had voor de rest gezorgd.
Een naam had hij niet. Dieren zien daar meestal weinig in.
De tovenaar die dacht dat hij er de eigenaar van was noemde hem Sprak,* maar dat kwam louter omdat hij geen gevoel voor humor had en dus net als de meeste lui zonder gevoel voor hu-

*Er zwerft een gedicht door het veelal waarin telkens een regel voorkomt à la 'Sprak de raaf: ...', waarna dan telkens hetzelfde ene miezerige woordje staat. Raven worden achtervolgd met telkens dezelfde leukigheden hierover.

mor, apetrots op het gevoel voor humor dat hij dus helemaal niet eens had.

De raaf vloog weer naar het huis van die tovenaar, scheerde door het open raam naar binnen en nestelde zich weer op de schedel.
'Arm kind,' zei hij.
'Dat heb je met dat noodlot,' zei de schedel.
'Geef haar eens ongelijk, dat ze normaal probeert te wezen. Als je nagaat.'
'Ja,' zei de schedel. 'Laat je nooit op je kop zitten, zeg ik altijd maar.'

De eigenaar van een graansilo in Ankh-Meurbork hield zoiets als een opruiming. De Dood der Ratten kon de terriërs in de verte horen keffen. Dat ging een drukke nacht worden.
Het zou niet meevallen om het gedachtenverloop van de Dood der Ratten te beschrijven, of zelfs er zeker van te zijn of hij die wel had. Ergens had hij het gevoel dat hij de raaf erbuiten had moeten houden, maar die mensen hechtten zo aan woorden.
Ratten denken niet erg vooruit, afgezien van in het vage. In het vage was hij heel, heel bezorgd. Op dit onderwijsgedoe had hij niet gerekend.

Suzan wist de volgende ochtend door te komen terwijl ze gewoon kon blijven bestaan. Aardrijkskunde ging over de flora van de Stoovlakte,* de voornaamste exportproducten van de Stoovlakte** en de Stoovlaktese dierenwereld.*** Als je eenmaal de grootste gemene deler ervan onder de knie had was het verder een fluitje van een cent. De bakvissen moesten een kaartje inkleuren. Dat vergde nogal wat groen. Als middagmaal dienden Maccaroniwurmen met Hondenkeutelworstjes, een gezonde maagvulling voor de middagactiviteit die uit Sport bestond.

Dat was het terrein van IJzeren Lenie, van wie de geruchten zeiden dat ze zich schoor en dat ze gewichthief met haar tanden, en wier aanmoedigingskreten onder het langs de lijn denderen in de richting neigden van: 'Niet kloten, geef die bal een beurt, slappe trienen!'
Juffrouw Bipps en Juffrouw Kruys hielden op gymmiddagen

*Kolen.
**Kolen.
***Al wat kool at en het zonder vrienden kon redden.

hun ramen dicht. Juffrouw Bipps studeerde dan uit alle macht logica en Juffrouw Kruys, gekleed in haar eigen idee van een toga, deed aan ritmische gymnastiek in de gymzaal.
Tot ieders verrassing was Suzan goed in Sport. Bepaalde sporten, in elk geval. Hockey, kastiën en softbal, prima. Elk willekeurig spel dat haar een stok in handen gaf en dan wilde dat ze daarmee zwaaide, beslist. De aanblik van een Suzan die met haar uitgekookte blik op het doel afstormde liet elke doelvrouw alle geloof in haar beschermende lagen verliezen en plat op de grond duiken, net voor de bal zoevend en wel op navelhoogte kwam langsrazen.
Het was alweer een bewijs voor de algemene stompzinnigheid van de rest van de mensheid, bedacht Suzan, dat ze weliswaar een van de beste speelsters van de school was maar toch nooit in een team werd gekozen. Zelfs dikke meiden met pukkels werden eerder gekozen dan zij. Dat was zo hemeltergend oneerlijk, en ze snapte maar nooit waarom.
Ze had andere meisjes uitgelegd hoe goed ze wel was, en dat ook laten zien, en met nadruk opgemerkt dat het stom was om haar niet te kiezen. Maar om een of andere ergerlijke reden leek dat niks te helpen.
Deze middag deed ze in plaats ervan mee aan een officiële wandeling. Dat was een aanvaardbaar alternatief, mits de meisjes gezamenlijk gingen. Meestal gingen ze de stad in om daar weke patat te kopen bij een onwelriekende snackbar in de Drierozensteeg; gebakken gerechten waren volgens Juffrouw Bipps maar ongezond, en werden dus bij elke gelegenheid buiten school aangeschaft.
De meisjes moesten in groepjes van drie of meer lopen. Onheil kon zich volgens de ingeschatte ervaring van Juffrouw Bipps niet voltrekken over eenheden van meer dan twee.
In elk geval zou het zich vast niet voltrekken over een groep waarvan Prinses Jade en Truida Domperdochter deel uitmaakten.
De schooleigenaren hadden er wel even tegenaan gehikt, een trol toelaten, maar Jades vader was koning van een hele berg en een vorstenhuis op de lijst was toch een opsteker. En bovendien, had Juffrouw Kruys tegen Juffrouw Bipps opgemerkt, is het onze *plicht* om ze aan te moedigen bij elke getoonde neiging om *nette* luitjes te worden en die koning is eigenlijk heel *innemend* en heeft me verzekerd dat hij niet eens meer *weet* wanneer hij voor het laatst iemand opat. Jade had moeite met zien, wat haar dispensatie bezorgde van onnodig daglicht en van het maliën breien bij handenarbeid.
Op haar beurt werd Truida uitgesloten van sport vanwege haar

neiging tot het dreigend hanteren van haar bijl. Juffrouw Bipps had al opgemerkt dat een bijl toch geen wapen was voor een *dame*, maar Truida had tegengeworpen dat hij haar integendeel juist was nagelaten door haar opoe die hem haar hele leven had gehad en elke zaterdag had gepoetst, ook al had ze hem die week niet eens gebruikt. Er was iets in de manier waarop ze hem vastklemde waardoor zelfs Juffrouw Bipps toen maar toegaf. Om haar goede wil te tonen liet Truida haar ijzeren helm af en hoewel ze haar baard niet afschoor – er was ook niet echt een *schoolregel* waarom meisjes geen baard van een halve meter mochten hebben – maakte ze er wel vlechtjes in. Waaraan ze weer lintjes in de schoolkleuren strikte.
Bij deze twee voelde Suzan zich eigenaardig op haar gemak wat haar, in bedekte termen, lof van Juffrouw Bipps opleverde. Het was aardig dat ze zo'n goed kameraadje wou zijn, zei ze. Suzan had ervan opgekeken. Het was nooit bij haar opgekomen dat iemand zo'n woord als kameraadje zou *zeggen*.
Het drietal slenterde terug langs de beukenlaan naast het sportterrein.
'Van sport snap ik niks,' zei Truida met een blik op het roedel hijgende jongedames dat over het sportveld draafde.
'Trollen hebben ook een spel,' zei Jade. 'Het heet *aargroeha*.'
'Hoe speel je dat?' vroeg Suzan.
'Nou... je rukt een mens zijn kop af en schopt die rond met speciale granieten laarzen tot je een doelpunt maakt of tot het barst. Maar dat spelen we niet meer, natuurlijk,' besloot ze vlug.
'Dat mag ik wel hopen,' zei Suzan.
'Niemand weet zeker meer hoe je die laarzen maakt,' opperde Truida.
'Als het nou werd gespeeld zou IJzeren Lenie vast langs de lijn rennen onder het roepen van "Niet kloten, geef die vent een beurt, slappe trienen!",' zei Jade.
Ze liepen een tijdje zwijgend verder.
'Eigenlijk', zei Truida aarzelend, 'zou ze dat toch niet zeggen, denk ik.'
'Zeg hoor eens, hebben jullie de laatste tijd niks... raars gemerkt?' zei Suzan.
'Wat voor raars?' zei Truida.
'Nou... ratten of zo...' zei Suzan.
'Nergens ratten gezien in school,' zei Truida. 'En ik heb echt wel gezocht.'
'Ik bedoel meer... vreemde ratten,' zei Suzan.
Nu liepen ze ter hoogte van de stallen. Daar huisden normaal de twee paarden die de schoolkoets trokken, plus de jaarlijks

logerende paar knollen van bakvissen die er niet van konden scheiden.
Je hebt een slag bakvissen dat weliswaar met geen mes te bewegen is tot het opruimen van hun slaapkamer, maar vecht om het voorrecht de hele dag in een stal de mest te mogen verscheppen. Met die betovering was Suzan niet besmet. Ze had niets tegen paarden, maar kon al dat teugel-, bit- en vetlokgedoe niet erg volgen. En al helemaal niet waarom de hoogte ervan moest worden aangeduid in 'handen' als je daar zulke praktische centimeters voor had. Na observatie van de gerijbroekte meisjes die om de stallen gonsden, besloot ze dat het kwam omdat die zulke ingewikkelde machines als meetlinten niet konden begrijpen. Ze had het gezegd ook.
'Goed dan,' zei Suzan. 'En raven?'
Er blies iets tegen haar oor.
Bliksemsnel draaide ze zich om.
Het witte paard stond midden op het erf als een tweederangsfilmeffect. Het was te helder. Het straalde gewoon. Het leek wel het enige echte ding in een wereld vol bleke vormen. Vergeleken met de bobbelige pony's die meestal de boxen bevolkten was dit een reus.
Een paar van de rijbroekmeisjes stonden aan hem te frunniken. Het waren, zag Suzan, Cassandra de Vosch en Sara baronesse van Loon tot Barwoude, vrijwel eender in hun liefde voor al wat hinnikte op vier benen en in hun neerzien op verder alles, in hun vermogen om je zeg maar met hun gebit aan te kijken en in hun behendigheid in het spreken met twee hete aardappels.
Het witte paard hinnikte zachtjes tegen Suzan en begroef zijn neus in haar handpalm.
Jij bent Binkie, dacht ze. *Ik ken jou. Ik heb op je gereden. Je bent... van mij. Geloof ik.*
'Hela, zag', zei Sara baronesse, 'van wie is deze?'
Suzan keek om.
'Hè? Wie, ik?' zei ze. 'Ja. Van mij... neem ik aan.'
'Is het acht? Hij stond naest meen Sonja. Ek wist niet dat jee hier een paerd had. Je moet wel toestamming hebben van Juffrouw Bipps, heur.'
'Het is een kadootje,' zei Suzan. 'Van... iemand..?'
Het nijlpaard der herinnering roerde zich in de sliblagen van haar geest. Waarom had ze dat nou gezegd, vroeg ze zich af. Ze had in geen jaren aan haar opa gedacht. Tot afgelopen nacht.
Ik weet nog van de stal, dacht ze. *Zo groot dat je de muren niet meer zag. En ik mocht een keer op je meerijden. Iemand hield me vast om te zorgen dat ik er niet afviel. Maar van dit paard zou je nooit afvallen. Niet als het dat niet wilde.*

'Ach, neu toch? Ek wist niet dat je reed.'
'Eh... vroeger wel.'
'Kost extra schoolgeld, heur. Als je hier een paerd habt,' zei Sara baronesse.
Suzan zei niets. Ze had zo'n vermoeden dat het wel zou worden betaald.
'En je habt geen teug, zag,' zei Sara baronesse.
Daar wist Suzan wel raad mee.
'Heb ik niet nodig,' zei ze.
'Eu, *ongezaedeld*,' zei Sara baronesse. 'En je stuurt zeker met de euren?'
Cassandra de Vosch zei: 'Kunnen ze vast niet betaelen, in de *rimboe*. En laet die dwerg niet zo naer mijn pony kijken. Ze *kijkt* naar mijn pony!'
'Ik kijk toch alleen maar,' zei Truida.
'Je stond... te watertanden,' zei Cassandra.
Er klonk even gekletter op de keien en Suzan zwaaide zich bovenop de paardenrug.
Ze keek neer op de verbijsterde meisjes en toen om naar het veldje achter de stallen. Daar stonden een paar hindernissen, gewoon wat door vaten ondersteunde palen.
Zij verroerde geen spier, maar het paard draaide zich om en draafde het veldje op, naar de hoogste hindernis. Even was er een gevoel van samengebalde energie, een oogwenk van versnelling, en daar gleed de hindernis onder hen door...
Binkie keerde en bleef staan, van de ene op de andere hoef dansend.
De meisjes keken toe. Allevier met een volstrekt verbijsterde uitdrukking.
'Hoort hij dat wel te doen?' zei Jade.
'Wat is er nou?' zei Suzan. 'Heeft niemand van jullie ooit een paard zien springen?'
'Jawel. Maar het bijzondere eraan is...' begon Truida, op die trage, afgemeten toon die mensen bezigen als ze het heelal niet willen laten omvallen, '...is dat ze dan, meestal, weer neerkomen.'
Suzan keek maar eens.
Het paard stond op lucht.
Met wat voor commando kon je een paard weer contact laten maken met de grond? Om die instructie had de hippische zusterschap tot heden niet verlegen gezeten.
Alsof het paard haar gedachten las draafde het naar voren en omlaag. Heel even doken de hoeven *onder* het maaiveld, alsof dat oppervlak niet tastbaarder was dan mist. Toen stelde Binkie kennelijk vast waar dat maaiveld precies lag, en hij besloot om erop te gaan staan.

Sara baronesse was de eerste die haar stem terugvond.
'Dat zullen we aen Juffrouw Bipps verklappen,' bracht ze uit.
Suzan was haast beduusd van onwennige angst maar de kleinzieligheid in die toon knalde haar terug tot iets dat op bezinning leek.
'O, ja?' zei ze. 'En *wat* ga je dan vertellen?'
'Dat je het paerd omhoog liet springen en...' Het meisje zweeg toen tot haar doordrong wat ze had willen zeggen.
'Precies,' zei Suzan. 'Ik neem toch aan dat paarden in de lucht zien zweven malligheid is.'
Ze liet zich van het paard glijden en keek haar publiek opgeruimd aan.
'Het is anders wal teugen de schoolregels,' mompelde Sara baronesse.
Suzan voerde het witte paard terug naar de stal, roskamde het en deed het in een onbezette box.
Even ritselde er iets in de ruif. Suzan dacht dat ze een glimp opving van ivoorwitte botjes.
'Die *rot*ratten,' zei Cassandra, die moeizaam weer in de werkelijkheid terugkwam. 'Ik heb Juffrouw Bipps aan de tuinman horen zeggen dat hij gif moet uitzetten.'
'Zonde, hoor,' zei Truida.
Bij Sara baronesse leek nog altijd iets door de geest te razen.
'Heur eens, dat paerd stond toch niet acht in de lucht, zag?' vroeg ze op hoge toon. 'Paerden kunnen dat toch niet!'
'Dan kon het dat dus niet,' zei Suzan.
'Hangtijd,' zei Truida. 'Meer was het niet. Hangtijd, op het hoogste punt van een sprong. Net als met basketbal.* Vast net zoiets.'
'Ja.'
'Meer niet.'
'Ja.'
De menselijke geest heeft een opmerkelijk herstelvermogen. Trolse en dwergse geesten eveneens. Suzan keek ze met onverholen verbazing aan. Allemaal hadden ze een paard in de lucht zien staan. En nu hadden ze dat stilletjes ergens in hun geheugen weggeduwd en het sleuteltje in het slot afgebroken.
'Louter uit interesse', zei ze met nog altijd één oog op de ruif, 'maar niemand van jullie weet hier zeker in de stad een tovenaar te vinden?'

*Tot een betreurenswaardig bijlongelukje was Truida aanvoerder geweest van het basketbalteam. Dwergen missen lengte maar hebben *wel* acceleratievermogen en menig tegenspeler had tot zijn akelige verrassing ervaren hoe Truida opeens rechtstandig uit de diepten kon opstijgen.

*

'Ik heb een zaak gevonden waar we kunnen spelen!' zei Govd.
'Waar dan?' vroeg Malm.
Govd zei het.
'*De Gelijmde Trom?*' zei Malm. 'Daar gooien ze met *bijlen*!'
'We zijn daar *wel* veilig. Het Gilde wil er niet spelen,' zei Govd.
'Ja, nou hé, ze raken er leden kwijt. Die *leden* raken er leden kwijt,' zei Malm.
'We krijgen er vijf daalders voor,' zei Govd.
De trol aarzelde.
'Vijf daalders heb ik wel zin in,' gaf hij toe.
'Een derde van vijf daalders,' zei Govd.
Rimpels trokken over Malms voorhoofd.
'Is dat nou meer of minder dan vijf daalders?' zei hij.
'Hoor eens, zo lopen we in de kijkerd,' zei Govd.
'In de Trom wil ik niet in de kijkerd lopen,' zei Malm. 'In de kijkerd lopen is wel het laatste wat ik wil in de Trom. In de Trom wil ik me ergens achter kunnen verstoppen.'
'We hoeven alleen maar wat te spelen,' zei Govd. 'Geeft niet wat. Die nieuwe waard is maar wat tuk op vermakelijkheid in zijn kroeg.'
'Maar hadden ze dan niet zo'n eenarmige bandiet?'
'Jawel, maar die is opgepakt.'

In Quorm hebben ze zo'n bloemenklok. Echt een toeristische trekpleister.
Die blijkt dan niet bepaald wat ze hadden verwacht.
In gans het veelal hebben fantasieloze stadsbestuurders voor bloemenklokken gezorgd die dan een in een openbaar bloemperk begraven fors klokmechaniek blijken te zijn, waarbij men wijzerplaat en cijfers met perkbloemen heeft beplant.*
Maar de Quormse klok is gewoon maar een rond bloemperk, bezet met vierentwintig verschillende bloemsoorten, met zorg uitgekozen om de vaste regelmaat waarmee hun kelken opengaan en weer sluiten...
Terwijl Suzan langsrende ging de Boerenzwaluwtong net open en het Juffertje-in-het-geel net dicht. Dit betekende dat het zowat half elf was.
De straten waren verlaten. Quorm was geen uitgaansstad. Wie naar Quorm kwam om nachtelijk vertier zocht zijn heil elders.

*Dan wel met methaankristallen. Of zeeanemonen. Het beginsel blijft gelijk. Hoe dan ook, het een en ander ligt weldra vol met wat ter plekke de rol vervult van patatzakken en zwervende pilsblikjes.

Quorm was zo fatsoenlijk dat zelfs de honden verlof vroegen voor ze naar het toilet gingen.
Of tenminste, de straten waren *bijna* verlaten. Suzan beeldde zich in dat ze ergens door gevolgd werd, snel en trippelend, dat zo vlug over de keitjes van plek naar plek schoot dat het nooit meer werd dan een vaag vermoede vorm.
Bij het bereiken van de Drierozensteeg hield Suzan wat in.
Ergens in de Drierozensteeg, bij de snackbar, had Truida gezegd. Kennis omtrent tovenaars werd bij de bakvissen niet aangemoedigd. In het heelal van Juffrouw Bipps speelden ze geen rol.
In het donker zag de steeg er maar onaards uit. Uit de muur aan het ene eind stak een beugel met een brandende fakkel. De schaduwen werden er louter donkerder van.
En halverwege dat duister stond een ladder tegen de muur waar zojuist een jongedame in wilde klimmen. Ze had iets bekends.
Op Suzans nadering keek ze om, en ze leek zowaar aangenaam verrast.
'Hai,' zei ze. 'Kun je soms een daalder voor me wisselen, juf?'
'Pardon?'
'Een paar halve daalders is al goed. Dat is het tarief, een halve daalder. Anders maar duiten of stuivers. Geeft niet wat, eigenlijk.'
'O, eh. Nee, spijt me. Mijn zakgeld is per week trouwens maar vijftig duiten.'
'Verdorie. Nou ja, niks aan te doen.'
Zover Suzan zien kon leek het meisje niet van het gewone slag jongedames dat in stegen hun brood verdiende. Ze had iets geboends en vlezigs; ze leek meer het type verpleegster dat assisteert bij dokters van wie de patiënten nu en dan wat in de war raken en verkondigen dat ze een beddensprei zijn.
Ze zag er ook echt bekend uit.
Het meisje haalde een tang uit een zak van haar jurk, klauterde langs de ladder omhoog en klom door een bovenraam naar binnen.
Suzan aarzelde. Het meisje had bij dit al een zakelijk air vertoond, en toch waren lui die 's nachts via ladders in huizen klommen naar haar beperkte ervaring Onverlaten die door Kordate Meiden bij hun Kladden Gegrepen dienden te worden. En wellicht was ze ten minste op zoek gegaan naar een wachter als verderop in de steeg geen deur was opengegaan.
Twee kerels waggelden arm in arm naar buiten en zigzagden opgewekt richting hoofdstraat. Suzan deed een stap achteruit. Niemand viel haar ooit lastig als ze niet wilde opvallen.
De kerels liepen dwars door de ladder heen.
Van tweeën één: of die kerels waren niet al te massief, en

ze klonken in elk geval massief genoeg, of er was iets niet pluis met die ladder. Maar dat meisje was er wel opgeklommen...

...en klom er intussen weer af, terwijl ze iets in haar zak liet glijden.

'Niet eens even wakker geworden, het engeltje,' zei ze.

'Pardon?' zei Suzan.

'Had geen vijftigduitsstuk bij me,' zei het meisje. Met gemak zwaaide ze de ladder over haar schouder. 'Regels zijn regels. Ik moest wel nog een tand nemen.'

'Pardon?'

'Die accountants lopen alles na, snap je. Ik zou lelijk knijp zitten als de daalders en tandjes niet uitkwamen. Ach, *jij* kent dat wel.'

'O ja?'

'Evengoed kan ik hier niet de hele nacht blijven staan praten. Moet er nog zestig doen.'

'*Waarom* ken ik dat wel? Zestig *wat*? Bij *wie*?' zei Suzan.

'Kinderen, vanzelf. Kan ze toch niet laten zitten? Stel je die gezichtjes eens voor als ze hun kussentjes optillen, de stakkers.'

Ladder. Tang. Tanden. Kussentjes...

'Je wilt me toch niet laten geloven dat jij het Tandenfeetje bent, hè?' zei Suzan wantrouwig.

Ze voelde aan de ladder. Die voelde massief zat.

'Niet *het*,' zei het meisje. '*Een*. Ik kijk ervan op dat *jij* dat niet weet.'

Ze was al naar de hoek geslenterd toen Suzan vroeg: 'Ik, waarom?'

'Omdat het *haar* meteen opvalt,' zei een stem achter haar. 'Ons kent ons.'

Ze draaide zich om. De raaf zat in een open raampje.

'Ik zou maar binnen komen,' zei hij. 'Je komt daar van alles tegen, in die steeg.'

'Zeg dat wel.'

Op de muur naast de deur zat een koperen plaatje geschroefd. Het verkondigde: 'Dr (Mag.) Mr (Bet.) Ir (Thaum.) C. V. Kaaspletter (Gesl Un).'

Dit was de eerste keer dat Suzan een stuk metaal iets had horen zeggen.

'Eenvoudig truukje,' zei de raaf geringschattend. 'Het voelt dat je ernaar kijkt. Geef gewoon maar –'

'Dr (Mag.) Mr (Bet.) Ir (Thaum.) C. V. Kaaspletter (Gesl Un).'

'...kop dicht... geef gewoon maar een duwtje tegen de deur.'

'Maar die zit op slot.'

De raaf kraaloogde haar met een scheef kopje aan. Toen zei hij:

'En dat houdt jou tegen? Nou, vooruit dan. Ik haal wel een sleutel.'
In een oogwenk was hij er weer en er viel een grote ijzeren sleutel op de keien.
'Is die tovenaar dan niet thuis?'
'Heel thuis, ja. In bed. Snurkt zich een ongeluk.'
'En ik dacht dat die de hele nacht opbleven!'
'Deze niet. Kopje chocola tegen negenen, en om vijf over al onder zeil.'
'Maar ik kan me toch niet zomaar zelf binnenlaten!'
'Waarom niet? Je wilt mij toch spreken! Trouwens, ik ben het brein van deze bedoening. Hij zorgt alleen voor die malle hoed en die wappergebaren.'
Suzan draaide de sleutel om.
Binnen was het warm. Hier waren de gebruikelijke tovenaarstoestanden – een smidsvuur, een werkbank met een allegaartje aan flesjes en bosjes kruiden, een in het wilde weg met boeken volgepropte boekenkast, een opgezette krokodil aan het plafond, enkele zeer grote kaarsen die zeg maar lavastromen van was vertoonden, en een raaf op een schedel.
'Dat hebben ze allemaal per postorder,' zei de raaf. 'Echt waar. Allemaal uit één grote doos. Dacht je dat kaarsen uit zichzelf zo druiperig werden? Dat is drie dagen dagwerk voor een ervaren kaarsdruiper.'
'Dat verzin je maar gewoon,' zei Suzan. 'Bovendien, je kunt niet zomaar een schedel kopen.'
'Kun jij natuurlijk weten, met al die opleiding,' zei de raaf.
'Wat probeerde je me gisteravond nou te zeggen?'
'Zeggen?' zei de raaf met een schuldbewuste trek om zijn snavel.
'Met al dat gede-de-de-DO.'
De raaf krabde zich op zijn kopje.
'Van hem mocht ik het je niet zeggen. Ik mocht je eigenlijk alleen waarschuwen vanwege dat paard. Ik werd wat al te geestdriftig. Het is zeker komen opdagen?'
'Ja!'
'Ga er maar op rijden.'
'Heb ik gedaan. Maar het kan toch niet echt zijn! Echte paarden weten waar de grond zit.'
'Nou juf, geen paard is echter dan dat daar.'
'Ik weet hoe hij heet! Ik heb al eerder op hem gereden!'
De raaf slaakte een zucht, of liet in elk geval een soort fluitje horen dat bij snavels nog het dichtst bij een zucht komt.
'Rij nou maar op dat paard. Hij heeft beslist dat jij het wezen moet.'
'Waarheen dan?'

'Hoef ik niet te weten en jij zoekt het maar uit.'
'Stel nou dat ik stom genoeg was om het te doen... kun je dan zeg maar geen vage aanduiding geven van wat me te wachten staat?'
'Tja... je hebt boeken gelezen, dat kan ik merken. Heb je wel eens gelezen van kinderen die naar een afgelegen toverrijk gaan en daar avonturen beleven met kabouters en zo?'
'Ja, natuurlijk wel,' zei Suzan nors.
'Dan lijkt het me het best dat je in die richting denkt,' zei de raaf.
Suzan raapte een kruidenbosje op en speelde er even mee.
'Ik zag daarnet buiten eentje die zei dat ze het Tandenfeetje was,' zei ze.
'Annee, vast niet *het* Tandenfeetje,' zei de raaf. 'Het zijn er ten minste drie.'
'Maar er bestaat niet zo iemand. Ik bedoel... ik wist niet... ik dacht dat het maar een... een verhaaltje was. Net als Klaas Vaak of de Berevaar.'*

'Aha,' zei de raaf. 'Een toontje lager al, hè? Niet meer zo van dat nadrukkelijk stellige, hè? Wat minder "Dat bestaat niet" en wat meer "Wist ik niet", hè?'
'Iedereen weet – ik bedoel, het is toch niet logisch dat er een ouwe vent met een baard is die op Berewaaksavond maar overal worstjes en krabbetjes uitdeelt?'
'Van logica weet ik niks. Nooit wat over geleerd,' zei de raaf.

*Volgens de plattelandslegende – in elk geval in alle regio's waar zwijnen een wezenlijk onderdeel van de volkshuishouding uitmaken – is de Berevaar een mythisch winterpersonage dat op Berewaaksavond van dak tot dak galoppeert op een door vier beslagtande wilde zwijnen getrokken ruwe slee om cadeautjes als knak- en bloedworstjes, spekrandjes en ham rond te brengen bij alle brave kindertjes. Daarbij roept hij van 'ho, ho, ho'. Kinderen die stout geweest zijn krijgen 'knorren' en een zakje bloederige botjes (aan zulke kleinigheidjes herkent men de ware kindervertelling). Er gaat een liedje over, met o.a. de tekst 'Maar O wee, wat Bitt're Smart...'
De Berevaar zou zijn oorsprong hebben in de sage van een plaatselijke vorst die op zekere winteravond toevallig, zei hij tenminste, langs het huisje van drie jonge vrouwen kwam en ze hoorde snikken dat ze geen eten hadden om het midwinterfeest mee te vieren. Dat wekte zijn medelijden op en hij gooide toen een pakje worstjes door hun raam.**

**Wat eentje van hen een fikse hersenschudding bezorgde, maar waarom zou je een goeie sage bederven?

'Op een schedel wonen is ook niet bepaald logisch, maar toch doe ik dat.'
'En zo'n Klaas Vaak die overal zand in kinderoogjes strooit kan ook nooit bestaan,' zei Suzan, maar haar toon was nogal onzeker. 'Je zou... nooit genoeg zand in één zo'n zakje krijgen.'
'Kan zijn. Kan zijn.'
'Ik moest maar weer eens gaan,' zei Suzan. 'Juffrouw Bipps controleert klokslag middernacht altijd de slaapzalen.'
'Hoeveel van die slaapzalen zijn er?' vroeg de raaf.
'Rond de dertig, dacht ik.'
'Jij gelooft dus wel dat ze die om middernacht *allemaal* controleert en niet in de Berevaar?'
'Toch moest ik maar weer eens gaan,' zei Suzan. 'Uh. Dank je wel.'
'Doe de deur achter je op slot en gooi de sleutel maar door het raam,' zei de raaf.
Toen ze weg was bleef de kamer in stilte achter, afgezien van de knetterend inzakkende kooltjes van het smidsvuur.
Toen zei de schedel: 'Hedendaagse jeugd, nietwaar?'
'Ik geef de schuld aan dat onderwijs,' zei de raaf.
'Een boel kennis is iets gevaarlijks,' zei de schedel. 'Veel gevaarlijker dan maar een beetje. Dat zei ik altijd, toen ik nog leefde.'
'Wanneer was dat eigenlijk?'
'Weet ik niet meer. Ik geloof dat ik aardig onderlegd was. Vast leraar of wijsgeer, iets uit die hoek. En nou lig ik op een werkbank met een vogel die schijt op mijn hoofd.'
'Zeer allegorisch,' zei de raaf.

Niemand had Suzan iets geleerd over de macht van het geloven, of tenminste over de macht van het geloven in een mengsel van een groot toverpotentiaal met een zwaar onstabiele werkelijkheid, zoals dat voorkwam op de Schijfwereld.
Geloof vormt een leeg kuiltje. Er moet iets inrollen om het op te vullen.
Waarmee niet zij gezegd dat geloof de logica ontkent. Zo ligt het bij voorbeeld redelijk voor de hand dat Klaas Vaak maar een klein zakje nodig heeft.
Op de Schijfwereld laat hij dat zand gewoon in het zakje zitten.

Het was bijna middernacht.
Suzan sloop de stal binnen. Ze was er zo eentje die geen raadsel onopgelost kon laten.
In aanwezigheid van Binkie hielden de pony's zich koest. Het paard gloeide op in het donker.
Suzan tilde een zadel van het rek maar bedacht zich. Als ze er

toch afviel had ze niks aan een zadel. En aan teugels had ze even weinig als aan een roer op een kei.
Ze deed de deur van de box open. Uit zichzelf lopen maar weinig paarden achteruit, want wat ze niet kunnen zien bestaat niet. Maar Binkie schuifelde uit zichzelf naar buiten en stapte naar het opstijgbeuntje, waar hij zich omdraaide om haar vol verwachting aan te zien.
Suzan klauterde op zijn rug. Het was net of je op een tafel zat.
'Okee dan,' fluisterde ze. 'Maar denk erom, ik hoef hier niks van te geloven.'
Binkie liet zijn hoofd zakken en hinnikte. Toen draafde hij het erf op, op weg naar het weiland. Bij het hek ging hij over op korte galop, om naar de omheining te koersen.
Suzan deed haar ogen dicht.
Ze voelde de spieren zich spannen onder het fluwelen vel en daar rees het paard omhoog, de omheining over, boven het weiland.
Erachter gloeiden in de zoden nog een paar tellen lang twee vurige hoefafdrukken na.
Bij het over de school vliegen zag ze achter een raam een lichtje flakkeren. Juffrouw Bipps deed haar ronde.
Hier krijgen we narigheid mee, zei Suzan bij zichzelf.
En toen dacht ze: hier zit ik dan op een paard, tientallen meters hoog in de lucht, onderweg naar een raadselachtig oord dat iets heeft van een toverland met pratende dieren en kabouters. Wat kan je dan helemaal nog meer gebeuren...
En trouwens, *is* op een vliegend paard rijden wel tegen de schoolregels? Dat staat vast nergens opgetekend.
Achter haar verdween Quorm en de wereld ontvouwde zich in een patroontje van duisternis en maanlichtzilver. Een blokkenpatroon van akkers en weiden flakkerde in dat maanlicht voorbij, met nu en dan het lichtje van een boerenhoeve. Wolkenflarden zwiepten langs hen heen.
Links in de verte lag het Ramptopgebergte als een kille witte muur. Rechts op de Velgoceaan voerde een lichtend pad naar de maan. Er stond geen wind, noch merkte je bepaald veel van snelheid – louter dat langsflitsende land en de lange, trage schreden van Binkie.
En toen goot er iemand goud over de nacht. Voor haar uit weken de wolken vaneen en daar, breeduit in de diepte, lag Ankh-Meurbork – een stad die meer Onheil behelsde dan zelfs Juffrouw Bipps zich kon indenken.
Fakkellicht tekende een netwerk van straatjes waarin Quorm niet alleen zou zijn verdwaald, maar ook nog buiten westen geslagen en in de rivier gegooid.

Binkie galoppeerde met gemak over de daken. Suzan kon de straatgeluiden horen, zelfs individuele stemmen, maar daarnaast dreunde ook het gebulder van de stad, als een soortement insectenzwerm. Zolderramen zweefden voorbij, elk stralend van kaarslicht.
Het paard liet zich door de rokerige lucht zakken en landde keurig in draf in een steeg die verder leeg was, afgezien van een dichte deur en een uithangbord met een fakkel erboven.
Suzan las:

RIJSTPAVILJOEN

(v/h ROTTIPARADIJS)

Kueken Ingagn - Ret Op: Geen Ingagn Vool Uw!

Het leek of Binkie nu ergens op wachtte.
Suzan had op een exotischer bestemming gerekend.
Rijst, daar wist ze alles van. De rijstschotel op school stond bekend als Rijst met Snotjes. Dat was gelig, met veel kleffe rozijnen en erwtjes.
Binkie hinnikte en stampte met een hoef.
In de deur vloog een luikje open. Suzan kreeg een vluchtige indruk van een gezicht tegen de vurige achtergrondatmosfeer van de keuken.
'Ooojjj, najjjj! *Binkejjj!*'
Het luikje kletste weer dicht.
Klaarblijkelijk stond er nu iets te gebeuren.
Ze staarde naar het aan de muur gespijkerde menu. Het zat vol spelfouten vanzelf, want een menu van het ware uitheemse eethuis dient vol spelfouten te zitten, teneinde de clientèle tot een vals gevoel van meerderwaardigheid te verleiden. Ze vond weinig bekends tussen de namen van de gerechten die onder meer luidden:

Rijst met Groentte 8 ct
Rijst met Zoutzure Zaus en Varkensbal 10 ct
Rijst met Zotzeure Sauz en Visbal Gehak 10 ct
Rijst met Vlees 10 ct
Rijst met Vrees van Bekend Dier 15 ct
Extra Rijst 5 ct
Portsie Kroepoep 4 ct

Hier Opeten Of,
Af Halen

*

Het luikje klapte weer open en er werd een grote bruine zak van zogenaamd maar niet heus waterbestendig papier neergekwakt op het richeltje dat er onderaan naar voren uitstak. Toen werd het luikje weer dichtgesmeten.
Suzan stak er een behoedzame hand naar uit. De geur die uit de zak opsteeg had een thermische-lansachtige hoedanigheid die waarschuwde tegen metalen bestek. Maar haar laatste maal was alweer een tijdje geleden.
Ze bedacht dat ze geen geld bij zich had. Aan de andere kant, niemand had haar daar om gevraagd. Maar de wereld zou naar de bliksem gaan als men zijn verantwoordelijkheden niet meer inzag.
Ze boog zich voorover en klopte aan de deur.
'Pardon... moet ik hier niks voor –?'
Binnen klonk geschreeuw en gekletter, alsof een stuk of vijf lui met elkaar vochten om een plekje onder dezelfde tafel.
'O. Wat vriendelijk. Dank je. Dank je wel,' zei Suzan beleefd.
Binkie ging langzaam weer op weg. Ditmaal zonder die sprong van gebundelde spierkracht – hij draafde voorzichtig de lucht in, alsof hij in het verleden al eens een standje kreeg vanwege morsen.
Vele tientallen meters boven het landschap proefde Suzan van het rijstmaal, om het dan zo beleefd mogelijk weg te gooien.
'Dat was heel... apart' zei ze. 'En dit was alles? Je bracht me helemaal hierheen voor dat afhaaleten?'
De bodem gleed nu sneller voorbij, en langzaam drong tot haar door dat het paard heel wat sneller ging in volle galop, in plaats van in die kalme korte. Even balden de spieren zich samen...
...en toen verschoot de lucht voor haar opeens naar blauw.
Achter haar en ongezien, want het licht stond zich rood van verlegenheid even af te vragen wat er gebeurd was, bleven een stel hoefafdrukken nog een ogenblik naschroeien in de lucht.

Het was een landschap dat in de ruimte hing.
Er stond een compact huisje met een tuin er omheen. Er waren akkers en weiden, en een gebergte in de verte. Terwijl Binkie vertraagde keek Suzan haar ogen uit.
Diepte ontbrak. Terwijl het paard zwenkte om te gaan landen deed het landschap zich voor als louter oppervlak, een dun vormlaagje van... bestaan... aangebracht over het niets.
Ze verwachtte dat het zou scheuren toen het paard neerkwam, maar je hoorde alleen wat gekners van het wegspattende grind.
Suzan steeg behoedzaam af. Die bodem voelde stevig genoeg

onder haar voeten. Ze bukte zich en krabde tussen het grind; eronder zat nog meer grind.
Ze had vernomen dat het Tandenfeetje tanden inzamelde. Denk er eens logisch over na... de enige anderen die stukjes van lijven verzamelden hadden daar een zeer verdacht doel mee, meestal om anderen te benadelen of te overheersen. En dit leek niet het huis van zo'n type.
De Berevaar scheen in een soort gruwelslachthuis in de bergen te wonen, behangen met knak- en bloedworst en akelig bloedrood geverfd.
Dat betekende *stijl.* Een akelige stijl ja, maar toch een soort stijl. Dit oord had geen *enkele* stijl.
De Kwarktaartse-dinsdageend scheen helemaal nergens te wonen. Net zomin als de Bullebak of Klaas Vaak, trouwens.
Ze liep om het huis heen, dat weinig groter was dan een hut. Absoluut. Wie hier woonde had geen enkele smaak.
Ze vond de voordeur. Die was zwart, en de klopper had de vorm van een omega.
Suzan wou hem al pakken maar de deur ging vanzelf open.
En daar strekte de hal zich voor haar uit, veel groter dan het uitwendige huis ooit kon bevatten. Heel in de verte ontwaarde ze een trap, breed genoeg voor de getapdanste finale van een musical.
Er was nog iets mis met het perspectief. Een heel eind verderop stond duidelijk een muur, maar tegelijkertijd leek het of die op maar zo'n vijf meter in de lucht was geschilderd. Het was net alsof afstand hier zeg maar naar keuze was.
Tegen de ene muur stond een grote klok. Het trage tikken ervan vulde de hele mateloze ruimte.
Er is een kamer, dacht ze. *Ik weet nog van een kamer vol gefluister.*
Met grote tussenruimten kwamen er deuren uit op de hal. Of kleine tussenruimten, als je een beetje anders keek.
Ze probeerde naar de dichtstbijzijnde te lopen, maar gaf dat op na de eerste wankele, duizelende stapjes. Op het laatst lukte het om er te komen door te mikken en dan haar ogen dicht te doen.
De deur was *tegelijk* van gewone mensengrootte en immenselijk groot. Er omheen zat een rijk versierd kozijn, in een doodshoofd-met-knekels motiefje.
Ze duwde de deur open.
In *deze* kamer had je een stadje kunnen onderbrengen.
Het gebied halverwege de horizon werd ingenomen door een stukje tapijt, niet veel meer dan een hectare. Het kostte Suzan verscheidene minuten om tot de rand ervan te raken.

Hier was een kamer in de kamer. Er stond een groot, zwaar ogend bureau op een laag podium, met daarachter een lederen draaistoel. Er stond een fors model van de Schijfwereld, op een soort sierstandaard van vier olifanten op de rug van een schildpad. Er hingen verscheidene boekenplanken, met de zware delen zo schots en scheef opgestapeld als lieden doen die het veel te druk hebben om ze ooit eens netjes te rangschikken. Er was zelfs een raam, dat een meter boven de grond in de lucht hing.
Maar muren waren er niet. Tussen de rand van het kleed en de muren van de grotere kamer was niets anders dan vloer, en zelfs die kon je niet echt zo benoemen. Naar steen zag hij niet uit, en van hout was hij beslist ook niet. Als Suzan erover liep maakte dat geen geluid. Het was maar een oppervlak, in de zuiver meetkundige zin.
Het kleed vertoonde een doodshoofd-met-knekels patroon.
Ook was het zwart. Alles hier was zwart, of een grijstoon. Een tintje hier en daar wekte de indruk van zeer donker paars of oceaandiep blauw.
In de verte, bij de muren van de grotere kamer, de metakamer of wat hij ook was, kreeg je een indruk van... nog iets. Iets dat ingewikkelde schaduwen wierp, maar te ver om er duidelijk iets van te zien.
Suzan besteeg het podium.
Er was iets raars met dit hier om haar heen. Natuurlijk, alles was raar met dit hier om haar heen, maar dat was een enorme hoofdraarte die er nu eenmaal bijhoorde. Die kon ze negeren. Maar er was ook raarte van menselijk niveau. Alles hier was net even mis, alsof het gemaakt was door iemand die het doel ervan niet helemaal had begrepen.
Op het overmaatse bureau lag een vloeiblad maar het zat eraan vast, was deel van het bureaublad. De laden waren maar vooruitstekende houtprofielen, niet bestemd om open te doen. Wie dit bureau had gemaakt had ooit wel een bureau gezien, maar de bureauïgheid ervan nooit begrepen.
Er was zelfs een soort bureau-ornament. Het was maar een plak lood, met aan één kant een omlaaghangende draad en een glimmend metalen kogeltje aan het eind daarvan. Als je het kogeltje optilde zwaaide het met een bonk tegen het lood, één keertje maar.
Ze probeerde niet om even in de stoel te zitten. Er zat een diepe kuil in het leer. Iemand had aardig wat tijd verdaan met erin zitten.
Ze keek even naar de ruggen van de boekwerken. Die waren in een taal die ze niet kon lezen.
Ze legde de tocht naar de verre deur weer af, ging de hal in en

probeerde de volgende deur. In haar geest begon een boos vermoeden vorm te krijgen.
Deze deur voerde naar alweer een enorme kamer, maar die stond vol rekken, vanaf de vloer tot aan het plafond in de wolken. Elk schap in de rekken stond weer vol met rijen zandlopers.
Het zand dat uit het verleden de toekomst instroomde vulde de kamer met een brandingachtig geluid, gebundeld uit miljarden kleine geluidjes.
Suzan liep tussen de rekken door. Het was net of ze in een menigte liep.
Haar blik werd aangetrokken door een beweginkje op een naburig schap. In de meeste zandlopers was het vallende zand een doorlopende zilveren streep maar in deze, net toen ze keek, verdween die streep. Het laatste zandkorreltje tuimelde in de onderste glasbol.
De zandloper verdween met een zacht plopje.
Eventjes later dook er op die plek alweer een nieuwe op, met een allerflauwst pingetje. En onder haar ogen begon het zand te stromen...
En het drong tot haar door dat dit zich overal in de kamer voordeed. Oude zandlopers verdwenen en nieuwe namen hun plaats in.
Dit kende ze ook al.
Ze stak haar hand uit en greep een zandloper, beet peinzend op haar lip en begon het geval al ondersteboven te keren...
PIEP!
Ze keerde zich bliksemsnel om. Op het schap achter haar stond de Dood der Ratten. Hij hief een vermanend vingertje.
'Ja, ja, goed,' zei Suzan. Ze zette de zandloper weer op zijn plaats.
PIEP.
'Nee. Ik wil nog wat rondkijken.'
Suzan koerste naar de deur met in haar kielzog op de vloer de trippelende rat.
De derde kamer ontpopte zich als...
...de badkamer.
Suzan aarzelde. Zandlopers *verwachtte* je hier. Een doodshoofd-met-knekel motief, daar rekende je op. Maar je verwachtte geen zeer grote witporseleinen kuip, als een troon op een eigen podium, met reusachtige koperen kranen en – in verbleekt blauwe letters net boven het geval waaraan het stopkettinkje vastzat – de tekst: W.C. Stynx & Zn, Troetelkaterstraat, Ankh-Meurbork.
Je verwachtte geen gummi badeend. Een gele.

Je verwachtte geen zeepje. Het was wel toepasselijk ivoorwit, maar zag eruit of het nooit gebruikt was. Ernaast lag een stuk oranje zeep dat wel degelijk was gebruikt – er was nauwelijks meer dan een flinter van over. Het rook flink naar het gemene spul dat ze op school hadden.
Het bad was wel groot maar menselijk. Er zaten bruinomrande haarscheurtjes om de afvoer en een vlek waar de kraan drupte. Maar verder was haast alles ontworpen door degene die niks van bureauïgheid had gesnapt, en blijkbaar ook al niks van poedelogie.
Deze had een handdoekenrek bedacht waaraan een compleet gymnastenteam had kunnen trainen. De zwarte handdoeken zaten eraan vastgegroeid en voelden heel hard aan. Degene die de badkamer echt *gebruikte* droogde zich waarschijnlijk af aan de blauw-met-witte, erg sleetse handdoek met de initialen H-S Jmb O B B-S, A-M erop.
Er was zelfs een toiletpot, eveneens een prachtig porseleinwerk van W.C. Stynx, met erboven een stortbak met een reliëffries van groene en blauwe bloesems. En net als met bad en zeep kreeg je de indruk dat de kamer door iemand was gebouwd... en dat toen *iemand anders* er kleinigheidjes aan had toegevoegd. Iemand met meer kennis van sanitair, vooral. Iemand anders ook die begreep, echt begreep, dat handdoeken zacht hoorden te zijn en je hoorden droog te maken, en dat zeep tot belletjes in staat moest wezen.
Niets hiervan verwachtte je, tot je het zag. En dan was het alsof je het *weer* zag.
De kale handdoek viel van de rail en wipte over de vloer tot hij opzijgleed en de Dood der Ratten onthulde.
PIEP?
'Vooruit dan maar,' zei Suzan. 'Waar wou je dat ik heenging?'
De rat ging op een holletje naar de open deur en verdween de hal in.
Suzan volgde hem naar alweer een deur. Ze draaide aan alweer een deurknop.
Erachter lag alweer een kamer in een kamer. In het duister lag een miniem plekje verlicht tegelwerk, met daarin het vergezicht van een tafel, een paar stoelen en een keukendressoir –
– en een persoon. Aan de tafel zat een voorovergebogen gedaante. Bij Suzans behoedzame naderen hoorde ze bestek op een bord rammelen.
Er zat een oude vent zijn avondmaal te eten, met veel misbaar. Tussen de binnengevorkte happen door zat hij met volle mond in zichzelf te praten. Een soort zelfwerkende tafelongemanierdheid.

'Smijn schuld tonniet! [spetter] Ik was er van meet af aan tegen maar nee, hoor, hij moest en zou [ballistisch stukje worst bergen van het tafellaken] betrokken raken, ik zei nog, alsof je *niet* al betrokken bent [prik in ongeïdentificeerd voorwerp], o nee, da's niks voor hem [spetter, prik met vork in de lucht], als je eenmaal zo betrokken raakt, zei ik, zeg dan maar es hoe je daar weer afkomt [maak tijdelijk ei-met-ketchup broodje] maar o, nee –'
Suzan liep om het ene kleedje heen. De vent merkte het niet.
De Dood der Ratten klauwde zich langs de tafelpoot omhoog en kwam op een gebakken sneetje brood terecht.
'O, ben jij het.'
PIEP.
De oude kerel keek om zich heen.
'Waar? Waar?'
Suzan stapte het kleed op. De vent stond zo vlug op dat zijn stoel omviel.
'Wie voor de donder ben *jij* nu weer?'
'Wil je alsjeblieft niet zo naar me wijzen met dat scherpe plakje spek?'
'Ik vroeg je wat, jongedame!'
'Ik ben Suzan.' Dit klonk wat ontoereikend. 'Hertogin van Stoo Hielet,' zei ze er maar bij.
Het gerimpelde gezicht van de man rimpelde nog meer bij zijn pogingen om dit te vatten. Toen draaide hij zich van haar af en hij stak zijn handen ten hemel.
'Ja hoor!' jammerde hij tegen al wie het horen wilde. 'Dat is nou echt de druppel, wel ja!'
Hij zwaaide met een vinger tegen de Dood der Ratten, die achteruit week.
'Jij achterbaks knaagdier! Ben je nou helemaal van de ratten besnuffeld?'
PIEP?
De vinger hield opeens weer op met zwaaien. De kerel draaide zich vliegensvlug om.
'Hoe kom jij door die muur gelopen?'
'Pardon?' zei Suzan achteruit stappend. 'Ik wist niet dat er een was.'
'Hoe noem je dit dan, Klatschinese Bluf?' Zijn hand klapte tegen de lucht.
Het herinneringsnijlpaard woelde in zijn slik...
'...Albert...' zei Suzan, 'ja, toch?'
Albert beukte met de palm van zijn hand tegen zijn voorhoofd.
'Erger en erger! Wat heb je haar allemaal verteld?'
'Hij heeft me niks anders verteld dan PIEP en ik weet niet wat

dat betekent,' zei Suzan. 'Maar... hoor eens, er is daar geen muur, alleen maar...'
Albert rukte een la open.
'Kijk maar eens,' zei hij bits. 'Hamer, ja? Spijker, ja? Kijk.'
Hij timmerde de spijker in de lucht, zowat anderhalve meter boven de rand van het tegelgebied. Daar bleef hij steken.
'Muur,' zei Albert.
Suzan stak een weifelend handje uit en raakte de spijker aan. Die voelde wat kleverig, een beetje als statische elektriciteit.
'Nou, dat voelt anders niet als een muur,' bracht ze uit.
PIEP.
Albert liet de hamer op tafel vallen.
Hij was geen kleine vent, besefte Suzan. Nogal lang zelfs, maar hij liep met zo'n scheve bukhouding als gewoonlijk aangetroffen bij laboratoriumknechts met Igorneigingen.
'Ik geef het op,' zei hij, weer vingerzwaaiend maar nu naar Suzan. 'Ik zei nog *zo* dat het slecht zou aflopen. Hij begint zich erin te mengen en voor je het weet moet zo'n bloedje van een kind – waar ben je gebleven?'
Suzan liep naar de tafel terwijl Albert door de lucht tastte in zijn poging om haar te vinden.
Op de tafel stond een kaasplank, en een snuifdoos. En er lag een snoer van worstjes. Nergens verse groente. Juffrouw Bipps bepleitte het mijden van gebakken eetwaar en het eten van ruime hoeveelheden groente voor wat ze aanduidde als Dagelijkse Gezondheid. Veel narigheden schreef ze toe aan het ontbreken van Dagelijkse Gezondheid. Albert leek wel de belichaming van die allemaal, zoals hij daar naar de lucht graaiend door de keuken scharrelde.
Terwijl hij voorbijdanste ging zij in de stoel zitten.
Albert bleef staan en deed een hand over zijn ene oog. Toen draaide hij zich heel voorzichtig om. Het ene zichtbare oog was verwrongen van zwaar ingespannen concentratie.
Hij loensde naar de stoel en zijn oog traande van inspanning.
'Da's lang niet gek,' zei hij zacht. 'Okee dus. Je bent er. De rat en het paard hebben je opgehaald. Stomme beesten. Ze denken dat het wel moest.'
'*Wat* moest?' zei Suzan. 'En ik ben geen br– wat je daar zei.'
Albert staarde haar aan.
'De Meester kon dat ook,' zei hij ten slotte. 'Hoort bij het baantje. Ik neem aan dat je zeker allang had gemerkt dat je dat kon? Niet opvallen als je niet wilde dat ze je zagen?'
PIEP, zei de Dood der Ratten.
'Hè?' zei Albert.
PIEP.

'Hij laat zeggen', zei Albert, 'dat een bloedje van een kind een onschuldig jong kind betekent. Volgens hem heb je me misschien niet goed verstaan.'
Suzan trok haar knieën onder haar kin.
Albert trok nog een stoel bij en ging zitten.
'Hoe oud ben je?'
'Zestien.'
'O, jeetje.' Albert liet zijn ogen rollen. 'Hoe lang ben je al zestien?'
'Sinds ik vijftien was, vanzelf. Ben jij soms stom?'
'Sjonge, jonge, wat vliegt die tijd,' zei Albert. 'Weet je ook waarom je hier bent?'
'Nee... maar', Suzan aarzelde, 'het heeft iets te maken met... het is zoiets als... ik zie dingen die anderen niet zien en ik kwam iemand tegen die maar een verhaaltje is en ik *weet* dat ik hier eerder geweest ben... en met al die doodshoofden en knekels overal op...'
Alberts slungelige, gierachtige gestalte torende boven haar uit.
'Wil je soms een kopje chocola?' vroeg hij.
Dat was heel wat anders dan de chocola op school, die veel weghad van heet bruin water. Op Alberts chocola dreef vettigheid; als je de kop op zijn kop hield duurde het nogal voor er iets uitviel.
'Jouw mamma en pappa', zei Albert toen ze een chocolasnor had waarvoor ze nog veel te jong was, 'hebben die je ooit... iets uitgelegd?'
'Dat heeft Juffrouw Kruys gedaan, met Biologie,' zei Suzan. 'Ze vertelde het fout,' besloot ze.
'Ik bedoel over je opa,' zei Albert.
'Ik weet nog dingen', zei Suzan, 'maar ik weet ze pas als ik ze zie. Die badkamer bijvoorbeeld. En jij.'
'Volgens je mamma en pappa kon je het maar beter vergeten,' zei Albert. 'Poe! Het zit in je botten! Ze waren er al bang voor en nou is het gebeurd! Je hebt *geërfd*.'
'O, daar weet ik ook alles van,' zei Suzan. 'Dat gaat allemaal over muizen en erwten en zo.'
Albert keek haar zonder begrip aan.
'Hoor eens, ik zal proberen het tactvol te zeggen,' zei hij.
Suzan keek hem beleefd aan.
'Jouw opa is de Dood,' zei Albert. 'Weet je wel? Dat geraamte in die zwarte jurk? Jij reed op zijn paard en dit is zijn huis. Maar zie je, hij is... weg. Om te kunnen nadenken, of zoiets. Wat volgens mij gebeurt, is dat jij hierheen wordt gezogen. Zit in je botten. Je bent nu oud genoeg. Er is zo'n gat en dat denkt dat jij de goeie vorm hebt. Ik vind het al even weinig leuk als jij.'

‘De Dood,’ zei Suzan gelaten. ‘Nou, ik moet zeggen dat ik al mijn verdenkingen had. Net als die Berevaar en Klaas Vaak en dat Tandenfeetje?’
‘Ja.’
PIEP.
‘En je denkt zeker dat ik dat geloof?’ zei Suzan terwijl ze haar verpletterendste minachting in stelling bracht.
Albert keek terug met de blik van iemand die in zijn leven al genoeg heeft verpletterd.
‘Het laat mij Naaflands wat jij gelooft, jongedame,’ zei hij.
‘Bedoel je echt die lange gedaante met zo’n zeis en zo?’
‘Ja.’
‘Hoor eens, Albert’, zei Suzan op de toon die je bezigt tegen onnozelen, ‘ook al was er zo’n “Dood”, en het is ronduit belachelijk om zo’n loutere natuurfunctie te antropomorfiseren, dan nog kan niemand daar *iets* van erven. Ik weet alles van erfelijkheid. Dat heeft van doen met rood haar en zo. Dat krijg je van andere mensen. Niet van... sagen en legenden. Uh.’
De Dood der Ratten was neergestreken op de kaasplank waar hij zijn zeisje gebruikte om een homp af te hakken. Albert leunde achterover.
‘Ik weet nog van toen je hierheen werd gebracht,’ zei hij. ‘Hij bleef maar vragen, zie je. Hij was nieuwsgierig. Hij houdt van kinderen. Ziet ze eigenlijk wel vaak, maar... niet zo dat hij ze leert kennen, als je voelt wat ik bedoel. Jouw mamma en pappa wilden niet, maar ze lieten zich bepraten en brachten je op een dag helemaal hier voor het eten, louter om hem koest te krijgen. Ze wilden liever niet want ze waren bang dat jij het eng zou vinden en alles bij elkaar zou krijsen. Maar *jij*... jij krijste niet. Je lachte. Je vader kreeg daar pas goed de kriebels van. Ze hebben je nog een paar keer gebracht als hij erom vroeg, maar toen werden ze bang voor wat er gebeuren kon en sindsdien hield je pa zijn poot stijf en daarmee basta. Hij was zowat de enige die tegen de Meester opdurfde, jouw pappa. Je moet toen zowat vier geweest zijn, dacht ik.’
Suzan voelde peinzend aan haar gezicht en beroerde de bleke streepjes op haar wang.
‘De Meester zei dat ze jou een opvoeding gaven’, zei hij smalend, ‘volgens moderne metoden. Logica. En denken dat ouwe dingen mal zijn. Kweetnie... ik neem aan dat ze je wilden weghouden van... ideeën zoals hier...’
‘Ik mocht een ritje maken op het paard,’ zei Suzan zonder naar hem te luisteren. ’Ik mocht in bad, in de grote badkamer.’
‘Overal zeepsop,’ zei Albert. Zijn gezicht verwrong tot iets dat wel een lachje leek. ‘Ik kon de Meester hier heel horen lachen.

En hij maakte ook nog een schommel voor je. Nou ja, dat probeerde hij. Niks geen toverij of zo. Zo maar met zijn handen.'
Suzan zat met haar ontwakende herinneringen, die zich gapend ontvouwden in haar hoofd.
'Nu weet ik het weer, dat van die badkamer,' zei ze. 'Het komt allemaal bij me terug.'
'Annee, het is nooit weggeweest. Het was gewoon weggeplakt achter behang.'
'Met die waterleiding en zo was hij nergens. Wat betekent H-S Jmb O B B-S, A-M eigenlijk?'
'Hervormd-Stichtelijke Jongemannenbond van Onze Bloedgod Bel-Sjamharoth, in Ankh-Meurbork,' zei Albert. 'Daar logeer ik als ik weer eens ergens voor naar beneden moet. Zeep en zulke dingen.'
'Maar je bent toch geen... jongeman,' zei Suzan voor ze zich kon inhouden.
'Niemand heeft bezwaar,' snibde hij. En Suzan bedacht dat dat vast wel zo was. Er zat een soort pezige kracht in Albert, alsof zijn hele lijf één knokkel was.
'Hij kan vrijwel alles maken', zei ze half in zichzelf, 'maar sommige dingen snapt hij gewoon niet, zoals waterleiding en sanitair.'
'Precies. We moesten een loodgieter uit Ankh-Meurbork laten komen, ha nou, die zei misschien zou het donderdag over een week net lukken, en dat moet je nou net niet tegen de Meester zeggen,' zei Albert. 'Ik heb zo'n kerel nog nooit zo snel zien werken. En toen liet de Meester het hem gewoon vergeten. Hij kan iedereen laten vergeten, behalve –' Albert zweeg en fronste zijn voorhoofd.
'Het is blijkbaar niet anders,' zei hij. 'Blijkbaar heb jij een *recht*. Je zult wel moe zijn. Je mag hier blijven slapen. Kamers zat.'
'Nee, ik moet terug! Er komt grote heibel van als ik 's morgens niet op school ben.'
'Hier heb je geen andere Tijd dan die je zelf meebrengt. Het een gebeurt gewoon na het ander. Binkie brengt je wel precies terug naar het ogenblik dat je vertrok, als je wilt. Maar je moest hier eerst maar even onderbreken.'
'Jij zei dat er een gat was en dat ik erin gezogen werd. Ik weet niet wat dat betekent.'
'Slaap nou maar eerst, daar knap je wel van op,' zei Albert.

Er was hier geen echte dag of nacht. Daar had Albert eerst nog moeite mee gehad. Je had hier louter het heldere landschap en daarboven een zwarte hemel met sterren. Van dag en nacht had de Dood nooit de slag te pakken gekregen. Als er mensen in het huis verbleven hield het meestal een dag aan van 26 uur. Want aan zichzelf overgelaten nemen mensen een langer dagritme aan dan de 24-uursdag, zodat je ze als een heleboel klokjes bij zonsondergang weer gelijk kunt zetten. Tijd moeten mensen zich laten welgevallen, maar dagen zijn zeg maar naar ieders eigen keuze.

Albert ging naar bed wanneer hij er toevallig aan dacht.

Nu was hij opgebleven om bij één brandende kaars voor zich uit te staren.

'Ze wist nog van de badkamer,' mompelde hij. 'En ze heeft weet van zaken die ze niet kan hebben gezien. Verteld kan het haar niet zijn. Ze heeft zijn herinneringen. Ze heeft *geërfd*.'

PIEP, zei de Dood der Ratten. Op zo'n avond zat hij vaak bij de haard.

'De vorige keer dat hij hem smeerde hield iedereen op met doodgaan,' zei Albert. 'Maar deze keer zijn ze niet opgehouden. En het paard is naar haar toe gegaan. Het gat wordt door *haar* gevuld.'

Albert staarde boos in het donker. Als hij opgewonden raakte zag je dat aan een soort onstuitbare kauw- en zuigactiviteit, alsof hij een vergeten maaltijdfragmentje aan de krochten van een kies probeerde te onttrekken. Nu maakte hij een kabaal als de stankbocht van een kapperswastafel.

Hij kon zich niet herinneren dat hij ooit jong was geweest. Dat moest duizenden jaren geleden zijn voorgevallen. Hij was negenenzeventig, maar in het huis van de Dood was Tijd een aan hergebruik onderhevige hulpbron.

Hij besefte ergens wel dat jeugd maar een lastige kwestie was, vooral tegen het eind. Je had al dat gedoe met pukkels en stukjes van je lijf die hun eigen zin deden. En dan de uitvoerende tak van de sterfelijkheid te moeten draaien was echt een extra probleem erbij.

Maar het kwam erop neer, het kwam er nu eenmaal faliekant, onafwendbaar en gruwelijk op neer, dat *iemand* het moest doen. Want, en dat is al eerder gezegd, de Dood had meer een algemene werking dan eentje per geval, net als bij een monarchie.

Als je onderdaan bent van zo'n monarchie dan word je geregeerd door de monarch. Aldoor. Slapend of wakend. Wat jij – of die vorst – toevallig ook uitspookt.

Het hoort bij de algemene voorwaarden van de toestand. De Koningin hoeft niet per se helemaal naar jouw huis te gaan, een stoel te kapen plus de afstandsbediening van de TV, en het dan echt op een bevelen te zetten van hoe uitgedroogd ze wel is en dat een kopje thee er wel in zou gaan. Nee, het gaat allemaal vanzelf, net als zwaartekracht. Alleen moet er wel, anders dan

met zwaartekracht, iemand aan het hoofd staan. Niet dat die zo nodig zo veel hoeft uit te voeren. Zo iemand moet er gewoon zijn. Hoeft maar te *bestaan*.
'Zij?' zei Albert.
PIEP.
'Ze zal het wel gauw begeven,' zei Albert. 'Vast wel. Je kunt niet tegelijk sterfelijk en onsterfelijk zijn, dat scheurt je doormidden. Ik krijg bijna nog medelijden met haar.'
PIEP, vond ook de Dood der Ratten.
'En dat is nog niet het ergste,' zei Albert. 'Wacht maar tot haar geheugen *echt* op gang komt.'
PIEP.
'Hoor eens goed,' zei Albert. 'Ga jij hem *meteen* maar zoeken.'

Suzan werd wakker en had geen idee hoe laat het was.
Er stond wel een klok bij het bed, want de Dood wist dat er in slaapkamers klokken hoorden. Hij vertoonde schedels, knekels en een omega, en lopen deed hij niet. Nergens in huis had je lopende klokken, behalve die ene speciale in de hal. Elke andere raakte in een depressie en gaf het op, of de veer liep in één keer voorgoed af.
Haar kamer zag eruit of er gisteren iemand uit was vertrokken. Er lagen haarborstels op de kaptafel, plus wat cosmetische ditjes en datjes. Achter tegen de deur hing zelfs een kamerjas. Op de zak ervan stond een konijntje. Dat had een stuk gezelliger gewerkt als het geen geraamtelijk konijntje was geweest.
Ze ondernam een grabbeltocht door de laatjes. Dit moest haar moeders kamer zijn geweest. De kleur *rose* zat overal. Mits met mate toegepast had Suzan niets tegen die kleur, maar nu dus even niet; ze deed haar oude schooluniform weer aan.
Het voornaamste was, besloot ze, dat ze kalm bleef. Er was altijd overal een logische verklaring voor, ook al moest je die verzinnen.
PIOEF.
De Dood der Ratten belandde op de kaptafel en zijn klauwtjes grabbelden naar houvast. Hij haalde het piepkleine zeisje weer uit zijn bek.
'Ik geloof', zei Suzan diplomatiek, 'dat ik nu wel weer naar huis wil, alsjeblieft.'
Het ratje knikte en nam een sprong.
Het landde op de rand van het *rose* kleed en holde trippelend weg over de donkere vloer daarvoorbij.
Toen Suzan van het kleed stapte bleef de rat staan om goedkeurend om te kijken. Alweer kreeg ze het gevoel dat ze geslaagd was voor een soort test.

Ze volgde het beestje de hal in en vandaar naar de rokerige grot van de keuken. Albert stond over het fornuis gebogen.
'Goeiemorgen,' zei hij, meer uit gewoonte dan om een bepaald tijdstip aan te geven. 'Wilde je gebakken broodjes bij je worstjes? Daarna heb ik ook nog havermout.'
Suzan bekeek de rommel die in de enorme koekenpan lag te knetteren. Geen aanblik om te verwerken op een lege maag, al kon die er wel het gevolg van zijn. Albert kon zorgen dat een ei wenste dat het nimmer gelegd was.
'Heb je dan geen muesli?' zei ze.
'Is dat dan een soort worstje?' vroeg Albert wantrouwig.
'Dat is noten met graankorrels.'
'Zit er wel vet in?'
'Dacht ik niet.'
'Hoe kun je het dan bakken?'
'Je bakt het helemaal niet.'
'En *dat* noem je een ontbijt?'
'Je hoeft iets niet te bakken voor een ontbijt,' zei Suzan. 'Ga nou na, je had het zelf over havermout en dat bak je toch ook niet –'
'O nee?'
'Een gekookt eitje dan?'
'Poe, koken is maar niks, daarmee krijg je nooit alle ziektekiemen dood.'
'KOOK EEN EITJE VOOR ME, ALBERT.'
Terwijl de nagalm heen en weer kaatste en wegstierf vroeg Suzan zich af waar die stem opeens vandaan kwam.
Alberts paplepel rinkelde op de tegels.
'Alsjeblieft?' vroeg Suzan.
'Je had de stem,' zei Albert.
'Laat dat ei maar,' zei Suzan. Haar kaak deed nog zeer van die stem. Zelf zat ze er nog meer over in dan Albert. Het was tenslotte haar mond. 'Ik wil naar huis!'
'Je bent thuis,' zei Albert.
'Dit hier? Hier woon ik niet!'
'O nee? Wat voor inscriptie staat er op de grote klok?'
'"Te Laat",' zei Suzan prompt.
'Waar staan de bijenkorven?'
'In de boomgaard.'
'Hoeveel borden hebben we?'
'Zeven –' Suzan deed haar mond stijf dicht.
'Zie je wel? Iets van je woont hier wel,' zei Albert.
'Hoor eens... Albert', zei Suzan om te zien of het ditmaal wel lukte met redelijkheid, 'misschien is er wel... iemand... zeg maar... de baas van dit alles, maar ik ben eigenlijk niks bijzonders... ik bedoel...'

'O nee? Hoe komt het dan dat het paard jou kent?'
'Jawel, maar ik ben toch *echt* maar een doodgewoon meisje –'
'Doodgewone meisjes krijgen geen *My Little Binkie* set voor hun derde verjaardag!' snauwde Albert. 'Je vader pakte hem af. Daar was de Meester erg door gekwetst. Hij deed *zo* zijn best.'
'Ik bedoel, ik ben gewoon maar een kind!'
'Hoor even, een gewoon kind krijgt een xylofoontje. Dat vraagt haar opa niet gewoon even zijn vest uit te doen!'
'Maar ik kan er toch niks aan doen! Dat is toch niet mijn schuld! Het is niet eerlijk!'
'Is het heus? Ach, waarom zei je dat dan niet eerder?' zei Albert wrang. 'Dat legt pas gewicht in de schaal, zeg. Als ik jou was ging ik gauw even naar buiten tegen het heelal zeggen dat het niet eerlijk is. Dan zegt het vast wel o, pardon, spijt me dat je er last van had, je bent er weer af.'
'Je doet sarcastisch! Zo mag jij niet tegen me praten! Jij moet gewoon je werk doen!'
'Precies! Net als jij. Dus ik zou maar beginnen, als ik jou was. Die rat helpt je wel. Hij doet vooral ratten, maar het principe blijft hetzelfde.'
Suzans mond was opengevallen.
'Ik ga naar buiten,' zei ze bits.
'Ik hou je niet tegen.'
Via de achterdeur stormde Suzan naar buiten, de enorme uitgestrektheid van de buitenkamer door, langs de slijpsteen op het erf en de tuin in.
'Poe,' zei ze.
Als iemand Suzan had verteld dat de Dood er een huis op nahield had ze die voor gek of erger, voor stom versleten. Maar als ze het zich had moeten voorstellen zou ze met passend zwart krijt een soort hoog oprijzend en zwaar bekanteeld romantisch landhuis hebben getekend. Het had doen denken aan duisternis en andere dingen met een D, zoals doem en dreiging. Er hadden duizenden ramen in gezeten. Her en der had ze hoekjes lucht opgevuld met vleermuizen. Indrukwekkend, dat zou het wezen.
Geen hutje. En zeker niet één met een wat ordinair tuintje. En ook zonder mat voor de deur met 'Welkom' erop.
Suzan had onneembare muren van gezond verstand. Die begonnen te smelten als zout voor de regen, en daar werd ze *woedend* van.
Opa Lijzak, dat klopte wel, op zijn zo arme keuterboerderijtje dat zelfs de mussen er moesten knielen om te eten. Dat was een aardige ouwe vent geweest, voor zover ze zich kon herinneren;

wel wat schaapachtig, nu ze er zo aan dacht, vooral als haar vader erbij was.
Haar moeder had Suzan verteld dat *haar* vader...
Nu ze *daar* zo bij stilstond, ze wist niet zeker wat haar moeder had verteld. Ouders waren heel handig met het je van alles niet vertellen, zelfs als ze een boel woorden bezigden. Ze hield er gewoon de indruk aan over dat hij niet beschikbaar was.
Nu werd juist de indruk gewekt dat hij erom bekend stond alom en altijd beschikbaar te zijn.
Het was net als wanneer een familielid gewoon maar een vak deed.
Een god, ja... een god zou nog kunnen. Odiel baronesse van Fluym, in de vijfde klas, schepte aan een stuk door op dat haar betovergrootmoeder ooit verleid was door de god Oochytoe in de gedaante van een vaas madeliefjes, wat haar kennelijk tot zoiets van één zestiende godin maakte. Ze zei dat haar moeder dat handig vond bij een tafeltje bemachtigen in een restaurant. Zeggen dat je directe familie was van de Dood zou wel niet dezelfde werking hebben. Daarmee kon je vast zelfs geen plekje naast de keuken loskrijgen.
Als het allemaal maar een soort droom was leek ze weinig gevaar te lopen om wakker te worden. Bovendien, in zulke dingen geloofde ze niet. Dromen waren anders dan dit hier.
Vanaf het erf voor de stal voerde een pad lang de moestuin om vandaar lichtjes af te dalen naar een boomgaard met zwartgebladerde bomen. Er hingen glimmend zwarte appels aan. Wat apart stonden een paar witte bijenkorven.
En ze wist dat ze alles al eerder had gezien.
Er stond een appelboom die heel, heel anders dan de andere was.
Terwijl ze die stond aan te gapen stortte de herinnering zich over haar uit.
Ze wist nog dat ze toen net oud genoeg was om te zien hoe stom dit in logisch opzicht was, en onderwijl stond hij daar maar, gespannen afwachtend wat ze zou gaan doen...
Oude zekerheden verdampten en maakten plaats voor nieuwe.
Nu *begreep* ze van wie ze de kleindochter was.

In de Gelijmde Trom moest je van oudsher wezen voor, tja, de klassieke kroegspelletjes, zoals domino, darts en Lui In De Rug Steken En Al Hun Geld Afpakken. De nieuwe eigenaar had besloten naar een hoger marktsegment op te klimmen. Een andere richting was niet beschikbaar.
Het begon met het Quizapparaat, een wateraangedreven gedrocht van drie ton gebaseerd op een onlangs ontdekt ontwerp

van Leonard van Quorm. Dat had slecht uitgepakt. Kaptein Biet van de Wacht, die achter zijn openhartig lachende toet een geest als een naald verborg, had stiekem de vragenlijst verruild met nieuwe vragen zoals: *Was jij in de buert van Warvels Diamantpakhuys op den Aevont fan de vyfteinde?* en: *Wei deed Voorige week als Derde Man mee met de Kraeck bij Berekrakers Stookery?* en al drie klanten ingerekend voor men het doorhad.
De eigenaar had een nieuwe machine beloofd, binnenkort. De Bibliothecaris, een van de stamgasten, had alvast duiten gespaard.
Aan één kant van de bar was een klein toneelpodium. De uitbater had al een tussendemiddagse stripper geprobeerd, maar niet meer dan eens. Eén blik op die grote orang oetan daar op de eerste rij, met zijn brede onschuldige grijns, zijn grote zak vol duiten en zijn forse banaan, en het arme kind nam de benen. Alweer een amusementsgilde dat de Trom op zijn zwarte lijst zette.
De nieuwe herbergier heette Hibiscus Terpolm. Aan hem lag het niet. Hij wilde echt iets geinigs maken van de Trom, zei hij. Nog even, en hij had een paar gestreepte parasols buitengezet.
Zijn blik daalde naar Govd.
'Met zijn drieën maar, jullie?' zei hij.
'Ja.'
'Toen ik akkoord ging met vijf daalders zei je anders dat je een grote band had.'
'Malm, zeg meneer even gedag.'
'Lieve help, dat *is* een grote band.' Terpolm deinsde achteruit. 'Ik dacht zelf', zei hij, 'gewoon wat nummertjes die iedereen kent? Gewoon om wat sfeer te krijgen.'
'Sfeer,' zei Buddie terwijl hij de Trom rond keek. Dat woord was hem bekend. Maar in dit soort gelegenheid dwaalde het maar eenzaam rond. Op dit vroege avonduur waren er nog maar drie of vier klanten. Die hadden geen aandacht voor het podium.
De muur achter dat podium had kennelijk al heel wat te verduren gehad. Hij staarde ernaar terwijl Malm geduldig zijn keien opstapelde.
'Ach, gewoon maar wat fruit en ouwe eieren,' zei Govd. 'Men wordt zeker nogal onstuimig. Maak je daar maar niet druk over.'
'Ik maak me daar ook niet druk over,' zei Buddie.
'Zo mag ik het horen.'
'Ik maak me meer druk over de bijllsporen en de pijllgaten. Maar Govd, we hebben niet eens gerepeteerd! Niet zoalls het moet!'

'Nou, je kunt toch op je gitaar spelen?'
'Nou ja, dat zall ook well...'
Hij had hem geprobeerd. Hij speelde makkelijk, ja. Het was eerlijk gezegd haast onmogelijk er slecht op te spelen. Het leek niet uit te maken hoe hij die snaren aanraakte – steeds galmden ze het deuntje dat hem voor de geest zweefde. Het was de concrete versie van het soort instrument waarover je droomde als je nog maar net speelde – het soort waarop je spelen kunt zonder het te hoeven leren. Hij wist nog van toen hij voor het eerst een harp aanraakte en aan de snaren tokkelde, en dus vast als een huis rekende op die huppelende tonen die de ouwe kerels eraan ontlokten. Maar het werd een dissonant. Maar deze hier, dit was het instrument waarvan hij gedroomd had...
'We doen alleen nummers die iedereen kent,' zei de dwerg. '"Een Tovenaar Zijn Staf" en "Kaatje Ging Eens Water Halen". Zulke dingen. Ze houden van liedjes waarbij ze mee kunnen giechelen.'
Buddie keek naar de toog. Die raakte intussen wat meer bezet. Maar zijn aandacht werd getrokken door een grote orang oetan, die zijn stoel tot midden voor het podium had gesleept en een zak vol fruit bij zich had.
'Govd, er zit een mensaap naar ons te kijken.'
'En?' zei Govd die net een boodschappennetje uitrolde.
'Maar het is een *mensaap*.'
'Dit is Ankh-Meurbork. Zo gaat dat hier.' Govd zette zijn helm af en haalde er iets uit te voorschijn.
'Wat moet je met die netjes?' vroeg Buddie.
'Fruit is fruit. Zuinigheid kent geen tijd. Als ze eieren gooien, probeer ze dan wel te vangen.'
Buddie haakte de riem van de gitaar over zijn schouder. Hij had nog geprobeerd het tegen de dwerg te zeggen, maar hoe bracht je dat: op deze speel je te makkelijk?
Hij hoopte maar dat er een god van de muzikanten was.
Die is er. Er zijn er vele, eentje voor haast elke muziekvorm. *Haast* elke muziekvorm. Maar de enige die vanavond op het rooster stond om over Buddie te waken was Joop, god van de clubmusici, die niet al te veel kon opletten want hij had nog drie andere optredens te doen.
'Zijn we zover?' zei Malm terwijl hij zijn hamers greep.
De anderen knikten.
'Dan geven we ze nu "Een Tovenaar Zijn Staf",' zei Govd. 'Die weet altijd wel het ijs te breken.'
'Okee,' zei de trol. Hij telde op zijn vingers. 'Een, twee... een, twee, veel, een *boel*.'
Zeven tellen later werd de eerste appel gegooid. Die werd opge-

vangen door Govd, zonder dat hij één noot miste. Maar de eerste banaan zeilde in een venijnige bocht en boorde zich in zijn oor.
'Doorspelen!' siste hij.
Buddie gehoorzaamde en ontweek onderwijl een salvo sinaasappelen.
Op de voorste rij deed de mensaap zijn zak open om er een zeer ferme meloen uit te halen.
'Zie je nog ergens peren?' vroeg Govd, die even een adempauze hield. 'Ben ik gek op, op peren.'
'Ik zie wel een vent met een werpbijl!'
'Is het een dure, denk je?'
Naast Malms hoofd trilde zich een pijl in de muur.

Het was drie uur in de ochtend. Sergeant Dendarm en Korporaal Bollebos kwamen tot het besluit dat iedereen die eventueel nog van plan was om Ankh-Meurbork te overvallen dat zeker niet nu zou doen. En in het wachthuis lokte een lekker haardvuur.
'We konden een briefje ophangen,' zei Bobo onder het op zijn vingers blazen. 'Weet je wel? Zo van: "Kom morgen nog eens langs"?'
Hij keek op. Een enkel paard kwam onder de poortboog door gestapt. Een wit paard, met een in somber zwart geklede ruiter. Een 'Halt, wie rijdt daar?' kwam niet bij ze op. De nachtwacht doorliep het stratennet op vreemde uren en had zich eraan gewend om dingen te zien die normale stervelingen ontgaan.
Sergeant Dendarm tikte eerbiedig tegen zijn helm.
'Navend, edele heer,' zei hij.
'UH... GOEDENAVOND.'
De wachters keken het paard na tot het uit het gezicht was.
'Er gaat dus weer een stakker voor de bijl,' zei Sergeant Dendarm.
'Hart voor zijn werk, dat moet je toch toegeven,' zei Bobo. 'Bij nacht en ontij onderweg. Altijd voor iedereen tijd.'
'Zeker wel.'
De wachters tuurden in het fluwelen duister. Iets niet helemaal in de haak, dacht Sergeant Dendarm.
'Hoe heet hij van zijn voornaam?' vroeg Bobo.
Ze tuurden nog maar eens wat. Toen zei Sergeant Dendarm, die er nog steeds niet helemaal uit was: 'Hoe bedoel je, hoe heet hij van zijn voornaam?'
'Nou, hoe heet hij van zijn voornaam?'
'Hij is de Dood,' zei de sergeant. 'De *Dood*. Dat is zijn hele naam. Ik bedoel... wat bedoel je nou? Bedoel je soms iets als... *Herman* Dood?'

'Nou, waarom niet?'
'Maar hij is toch gewoon de Dood?'
'Nee, dat is louter zijn baantje. Hoe noemen zijn vrienden hem?'
'Wat bedoel je, *vrienden*?'
'Goed, goed. Jij je zin.'
'Laten we een hete rum gaan opzoeken.'
'Ik vind meer dat hij eruit ziet als een Leo.'
De stem schoot Sergeant Dendarm weer te binnen. Dat was het. Heel eventjes was er...
'Ik word zeker oud,' zei hij. 'Heel eventjes vond ik dat hij klonk als een Suzan.'

'Ik geloof dat ze me zagen,' fluisterde Suzan terwijl het paard een hoek omsloeg.
De Dood der Ratten stak zijn kopje uit haar zak.
PIEP.
'Ik denk dat we die raaf nog nodig krijgen,' zei Suzan. 'Want zie je, ik... versta je geloof ik wel, ik weet alleen niet wat je zegt...'
Binkie hield stil voor een groot huis, wat achteraf van de rooilijn. Het was een lichtelijk pretentieus domicilie met meer gevels en spanjoletten dan waar het recht op had, en dit bewees de oorsprong ervan: zo'n huis als een rijke koopman zich laat bouwen als hij op de eerzame toer gaat en de buit ergens aan moet besteden.
'Het zit me niet lekker,' zei Suzan. 'Het lukt van zijn *leven* niet. Ik ben een mens. Ik moet naar de W.C. en van die dingen. Ik kan toch niet zomaar bij mensen binnenstappen om ze dood te maken!'
PIEP.
'Goed, geen doodmaken dan. Maar netjes is het niet, hoe je er ook tegenaan kijkt.'
Op een bordje aan de deur stond: Leveranciers achterom.
'Val ik onder –'
PIEP!
Anders zou Suzan er nooit over gepiekerd hebben om het te vragen. Ze had zichzelf altijd als iemand gezien die door de voordeuren van dit leven ging.
De Dood der Ratten trippelde over het straatje en *door* de deur.
'Hela, wacht even! *Ik* kan toch niet –'
Suzan bekeek het houtwerk. Ze kon *wel*. Natuurlijk wel. En nog meer herinneringen kristalliseerden voor haar ogen. Het was immers maar hout. In een paar honderd jaar was het weggerot. Gemeten naar de eeuwigheid bestond het eigenlijk nau-

welijks. Gemiddeld over de levensduur van het veelal beschouwd gold dat voor de meeste dingen.
Ze stapte naar voren. De zware eiken deur bood evenveel weerstand als een schaduw.

Treurende verwanten dromden rond het bed waarin ergens tussen de kussens een gerimpelde grijsaard lag. Aan het voeteneind lag, zonder enige aandacht voor het gezamenlijke geween, een grote, zeer dikke oranje kater.
PIEP.
Suzan keek naar de zandloper. De laatste korreltjes tuimelden door de vernauwing.
Met overdreven behoedzaamheid sloop de Dood der Ratten om de slapende kater heen om deze een fikse schop te geven. Het dier werd wakker, draaide zich om, legde in doodsangst zijn oren plat en sprong van het dekbed.
De Dood der Ratten giechelde gemeen.
GCH, GCH, GCH.
Een van de treurders, een vent met een spichtig gezicht, keek op. Hij gluurde naar de slapende gestalte.
'Dat was het,' zei hij. 'Die is er geweest.'
'Ik was al bang dat het ons de hele dag ging kosten,' zei de vrouw naast hem terwijl ze opstond. 'Zag je die ouwe rotkater net even bewegen? Dieren voelen dat, hè. Die hebben dat zesde zintuig.'
GCH, GCH, GCH.
'Nou, kom op dan, ik weet dat je hier ergens uithangt,' zei het lijk. Het kwam overeind.
Suzan was vertrouwd met het idee van geesten. Maar zo had ze die zich niet voorgesteld. Ze had zich haar geesten toch al nooit levendig voorgesteld, maar vergeleken met die grijsaard die daar in bed zat waren het helemaal maar bleke karikaturen. Hij zag er tastbaar genoeg uit, al hing er een blauwe gloed om hem heen.
'Honderd en zeven jaar, hè?' lachte hij krassend. 'Ik heb je vast wel even in de rats laten zitten. Waar zit je?'
'Uh, HIER,' zei Suzan.
'Van de vrouwelijke kunne?' zei de grijsaard. 'Tjonge, jonge, jonge.'
Hij gleed van zijn bed, zijn spookachtig nachthemd een en al fladder, en werd opeens tegengehouden alsof hij het eind van een ketting bereikte. Dat was ook min of meer het geval; een dunne lijn van blauw licht kluisterde hem nog aan zijn voormalige behuizing.
De Dood der Ratten stond op het kussen op en neer te springen en maakte dringende zwaaigebaren met zijn zeisje.

'O, pardon,' zei Suzan en ze hakte toe. De blauwe lijn knapte met een hoog, kristallen tinkeltje.
Om hen heen, soms ook door hen heen, liepen de rouwenden. Dat rouwen scheen intussen gestaakt, nu de grijsaard dood was. De man met de spichtige snoet tastte onder de matras.
'Moet je ze zien,' zei de grijsaard vuil. 'Arme ouwe opa, snik, snik, wat zullen we hem missen, zo eentje zullen we nooit meer krijgen, waar heb die gabber zijn testament gelaten? Die daar, dat is mijn jongste zoon. Nou ja, als je een kaart elke Berewaaksavond een zoon mag noemen. Zie je zijn vrouw? Een lach als een golf op een emmer vuil sop. En zij is niet eens de ergste. Familie? Van mij mag je ze houden. Ik ben alleen blijven leven om ze te stangen.'
Er ging een stel op onderzoek onder het bed. Vandaar klonk humoristisch porseleingerinkel. De grijsaard bootste hun capriolen na en maakte gebaren achter hun rug.
'Geen schijn van kans!' verkneukelde hij zich. 'Hè, hè, hè! Het ligt in de kattenmand! Ik heb al mijn geld nagelaten aan de kat!'
Suzan keek eens rond. Vanachter de wastafel hield de kater iedereen bezorgd in het oog.
Suzan voelde zich geroepen om hier iets op te zeggen.
'Dat was dan heel... aardig van je...' zei ze.
'Poe! Dat mormel! Dertien jaar slapen en schijten en wachten tot de volgende maaltijd eraan komt? Nog nooit van zijn vadsige leven een half uurtje beweging genomen. Nou ja, tot ze dat testament vinden. Dan wordt hij de rijkste snelste kat van de wereld –'
Zijn stem verflauwde. De eigenaar ervan ook.
'Wat een akelige ouwe kerel,' zei Suzan.
Ze keek omlaag, naar waar de Dood der Ratten gezichten probeerde te trekken tegen de kater.
'Wat gaat er met hem gebeuren?'
PIEP.
'O.' Achter ze kieperde een voormalige wener een lade leeg op de grond. De kat begon te beven.
Suzan stapte via de muur naar buiten.

Achter Binkie krulden de wolken zich tot een soort kielzog.
'Nou, dat was niet *al* te beroerd. Ik bedoel, zonder bloed of zo. En hij was heel oud en niet erg aardig.'
'Dan is het okee, vind je?' De raaf landde op haar schouder.
'Wat moet jij hier?'
'Die Rattendood hier zei dat ik mee mocht liften. Ik heb een afspraak.'

PIEP.

De Dood der Ratten stak zijn neus uit de zadeltas.

'Zijn we ook al een taxibedrijf?' zei Suzan kil.

De rat haalde zijn schouderbladen op en duwde haar een levensloper in de hand.

Suzan las de in het glas gegrifte naam.

'Wulf Wulfsensensenson? Klinkt mij nogal Naaflands.'

PIEP.

De Dood der Ratten klauterde in Binkies manen en posteerde zich tussen de paardenoren, met in de rijwind flapperend manteltje.

Binkie draafde laag over een slagveld. Het was geen zware oorlog, louter een schermutseling tussen stammen. Duidelijke legers zag je ook niet – de strijdenden leken wel twee groepen individuele deelnemers, waarvan enkele te paard, die toevallig aan dezelfde kant stonden. Iedereen had zich gekleed in dezelfde bontsoorten en spannende lederwaren en Suzan stond voor een raadsel hoe men vriend van vijand kon onderscheiden. Iedereen leek wel maar wat te schreeuwen en in het wilde weg met enorme zwaarden en strijdbijlen te zwaaien. Aan de andere kant werd iedereen die je wist te raken *onmiddellijk* je vijand, dus waarschijnlijk kwam het op de duur toch wel in orde. Hoofdzaak was dat er mensen stierven en daden van ongelooflijk dom heldendom werden verricht.

PIEP.

De Dood der Ratten wees dringend naar beneden.

'Jee... omlaag.'

Binkie kwam neer op een laag heuveltje.

'Uh... mooi,' zei Suzan. Ze trok de zeis uit zijn foedraal. Het zeisblad kwam meteen tot leven.

Het was geen kunst om de zielen van de doden te ontdekken. Ze kwamen gearmd van het slagveld, vriend en tot heden vijand dooreen, lachend en struikelend, recht op haar af.

Suzan steeg af. En concentreerde zich.

'Uh', zei ze, 'IS ER NOG IEMAND DOODGEMAAKT DIE WULF HEET?'

Achter haar verborg de Dood der Ratten zijn schedeltje in zijn klauwtjes.

'Uh. HALLO?'

Niemand lette op haar. De krijgers marcheerden voorbij. Ze vormden een rij aan de rand van het slagveld en leken ergens op te wachten.

Ze hoefde... ze... ze niet allemaal te doen. Albert had het proberen uit te leggen, maar er had zich ook meteen een herinnering aangediend. Ze hoefde alleen *sommigen* te doen, afhankelijk

van het moment of van het historisch belang, en dat hield in dat alle anderen vanzelf gingen; zij hoefde de zaak alleen maar op gang te houden.
'Je moet je wat gezaghebbender opstellen,' zei de raaf, die op een kei was gaan zitten. 'Dat is nou net de narigheid met vrouwen in hogere functies. Te weinig autoritair.'
'Waarom wilde jij hierheen?' vroeg ze.
'Dit is toch een slagveld?' zei de raaf geduldig. 'Dan hoor je daarna de raven te krijgen.' Zijn gladgelagerde oogjes wentelden in zijn kopje. 'Aas boven alles, moet je maar denken.'
'Bedoel je soms dat iedereen wordt opgegeten?'
'Hoort bij de wonderen der natuur,' zei de raaf.
'Wat akelig,' zei Suzan. Er kringelden al zwarte vogels aan de hemel.
'Welnee,' zei de raaf. 'Dood paard is goud waard, zeg maar.'
De ene kant, als je die zo mocht noemen, vluchtte nu van het slagveld met de anderen op hun hielen.
De vogels begonnen neer te strijken op wat, besefte Suzan vol afschuw, voor hen zachte eitjes waren. Weke brokjes onder een gebarsten dop.
'Ga jij nu maar gauw die knul van je zoeken,' zei de raaf. 'Anders mist hij straks zijn ritje nog.'
'Wat voor ritje?'
De oogjes wentelden weer.
'Nooit mythologie gehad, dan?' zei hij.
'Nee. Juffrouw Bipps zegt dat het maar verzonnen vertelsels zijn zonder veel literaire inhoud.'
'Ach. Lieve deugd. Nee, dat kunnen we niet hebben, hè? Nou, ja. Je zult het wel merken. Ik moet opschieten.' De raaf sprong de lucht in. 'Ik probeer doorgaans een plekje aan het hoofd te bemachtigen.'
'Maar wat moet ik –'
En toen begon er iemand te zingen. De stem veegde uit de hemel omlaag als een windvlaag. Het was een tamelijk fraaie mezzosopraan –
'Hoi-dela-ho! Hoi! Hoi-dela-ho! Hoi!'
En daarna kwam, gezeten op een haast net zo fraai paard als Binkie, een vrouw. Geen enkele twijfel. Een heleboel vrouw. Ze was net zoveel vrouw als je bij elkaar kunt doen zonder twee vrouwen te krijgen. Ze had een maliënkolder aan, met een glinsterend borstenpantser van maat 46 cup D, en een gehoornde helm op.
De verzamelde doden juichten toen het paard omlaaggaloppeerde voor de landing. Erachter doken nog zes zingende paardenvrouwen neer uit de lucht.

'Zo gaat het toch altijd?' zei de raaf, terwijl hij wegwiekte. 'Uren sta je te wachten zonder er eentje te zien, en dan krijg je er zeven tegelijk.'
Verbijsterd keek Suzan toe hoe elke ruiter een dode krijger oppakte en er weer mee de lucht in galoppeerde. Op een paar honderd meter hoog verdwenen ze abrupt om dan haast meteen weer te verschijnen voor een verse passagier. Weldra was er een drukke pendeldienst aan de gang.
Na een minuutje of twee liet een van de vrouwen haar paard naar Suzan draven, waarbij ze een rol perkament uit haar borstpantser trok.
'Heiho! Hier staat Wulf,' zei ze met die kordate stem waarmee lieden te paard eenvoudige voetgangers aanspreken. 'Wulf de Gelukkige..?'
'Uh. Ik weet niet – IK BEDOEL, IK WEET NIET WELKE DAT IS,' zei Suzan hulpeloos.
De gehelmde vrouw bukte zich. Ze had iets bekends.
'Ben jij een nieuwe?'
'Ja. Ik bedoel JA.'
'Nou, sta daar dan niet te staan als een korset. Doe me een lol, meid, en ga hem gauw even halen.'
Suzan keek verwilderd om zich heen, maar zag hem eindelijk. Zo ver was hij niet. Een nogal jonge vent, in een contour van flakkerend bleek blauw, tekende zich af tussen de gevallenen.
Suzan haastte zich erheen, zeis in de aanslag. Een dunne blauwe lijn verbond de krijger met zijn voormalige lijf.
PIEP! schreeuwde de Dood der Ratten terwijl hij onder het op en neer springen driftig gebaarde.
'Linker hand met duim naar boven, rechterpols wat gebogen, en geef hem van jetje!' riep de gehoornde vrouw.
Suzan liet de zeis zwiepen. De lijn brak.
'Wat is er gebeurd?' zei Wulf. Hij keek omlaag. 'Dat ben ik zeker, daar op de grond?' zei hij. Hij draaide zich langzaam om. 'En *daar*. En *daar*. En...'
Hij keek naar de gehoornde vrouwspersoon en klaarde op.
'Bij Grote Oochytoe!' zei hij. 'Dus het is waar? De Walkuren gaan me naar de zaal van Oochytoe brengen om eeuwig te schransen en te drinken?'
'Ik weet, ik bedoel, IK WEET VAN NIKS,' zei Suzan.
De Walkure bukte zich en sleurde de krijger dwars over haar zadel.
'Hou jij je nou maar koest, brave knul,' zei ze.
Ze tuurde even peinzend naar Suzan.
'Ben jij soms een sopraan?' vroeg ze.
'Pardon?'

'Kun jij misschien zingen, kind? We zitten namelijk verlegen om nog een sopraan. Je stikt tegenwoordig in de mezzosopranen.'
'Ik ben niet zo muzikaal, helaas.'
'Ach, nou ja. Het was maar een idee. Kom, ik ga weer.' Ze wierp haar hoofd in haar nek. Het machtig borstpantser zwoegde. 'Hoi-dela-ho! Hoi!'
Het paard steigerde en galoppeerde de lucht in. Nog voor het de wolken bereikte slonk het tot een glinsterend speldenprikje dat knipogend doofde.
'Wat', zei Suzan, 'moest dat nou allemaal voorstellen?'
Er klonk vleugelgeritsel. De raaf streek neer op het hoofd van de zojuist verscheiden Wulf.
'Nou, deze gozers geloven dat je na in een slag te zijn omgekomen door een stel grote mollige wijven met horens wordt meegenomen naar een soortement reusachtige eetzaal waar je je de rest van de eeuwigheid als een gek mag volvreten,' zei de raaf. Hij boerde beschaafd. 'Verdomd achterlijk idee, eigenlijk.'
'Maar het gebeurde net toch!'
'Evengoed een maf idee.' De raaf liet zijn blik over het zwaar getroffen slagveld gaan, intussen leeg op de lijken en de zwermen van zijn mederaven na. 'Echt zonde,' voegde hij eraan toe. 'Ik bedoel, kijk nou toch. Doodzonde.'
'Ja!'
'Ik bedoel, ik barst zowat en er zijn er nog honderden onaangeroerd. Ik zal maar eens kijken of ik een zakje voor de meeneem kan versieren.'
'Maar dat zijn lijken!'
'Precies!'
'Hoe kunnen jullie dat *eten*?'
'Niks aan de hand,' zei de raaf die achteruit deinsde. 'Er is zat voor iedereen.'
'Maar dat is walgelijk!'
'Ik heb ze niet dood gemaakt,' zei hij.
Suzan gaf het op.
'Ze leek sterk op IJzeren Lenie,' zei ze terwijl ze naar het geduldige paard terugliepen. 'Onze gymjuf. Klonk ook hetzelfde.' Ze stelde zich voor hoe die Walkuren jubelend langs de hemel donderden. *Niet kloten, geef die krijger een beurt, verlepte Katrijnen...*
'Convergente evolutie,' zei de raaf. 'Heb je vaak. Ik las eens dat de gewone octopus een oog heeft dat vrijwel precies hetzelfde is als een menseno– kras!'
'Jij ging zoiets zeggen van: afgezien dan van de smaak, hè?'
'Kam geem bobemt bij be op,' zei de raaf onverstaanbaar.
'Zeker weten?'

'Adzebieb, daadje be smabel dos?'
Suzan deed haar hand open.
'Afschuwelijk is dit,' zei ze. 'Dus dit was wat hij deed? Met niks voor het kiezen?'
PIEP.
'Maar als ze het nou niet verdienen om dood te gaan?'
PIEP.
De Dood der Ratten slaagde er zowaar in om aan te geven dat ze in dat geval hun beklag konden doen bij het heelal om aan te voeren dat hun dood onverdiend was. Zodat het weer een zaak van het heelal was om te zeggen: o, nee? och, dat zit dan wel goed, ga maar weer door met leven. Het gebaar was opmerkelijk veelomvattend.
'Dus... mijn opa was de Dood, en hij liet de natuur gewoon zijn gang gaan? Terwijl hij had kunnen ingrijpen? Ten goede? Dat is *achterlijk*.'
De Dood der Ratten schudde zijn schedeltje.
'Ik bedoel, die Wulf, stond die aan de goeie kant?'
'Lastig te zeggen,' zei de raaf. 'Hij was een Waasoeng. De andere kant, dat waren Bergonders. Het begon kennelijk allemaal met een Bergonder die een paar honderd jaar terug aan de haal ging met een Waasoengse. Of misschien ook andersom. Nou, de andere kant overviel hun dorp. En toen gingen die *anderen* naar het *andere* dorp en toen had je alweer een slachting. Daarna bleef er, zeg maar, wat kwaad bloed hangen.'
'Vooruit dan maar,' zei Suzan. 'Wie volgt?'
PIEP.
De Dood der Ratten liet zich neerkomen op het zadel. Hij boog zich voorover en zeulde moeizaam een volgende levensloper uit de tas. Suzan las het opschrift.
Er stond: 'Imp y Celyn (zeg maar Buddie).'
'Ik *ken* die naam,' zei ze.
PIEP.
'Ik ken die ergens van,' zei Suzan. 'Het is belangrijk. Hij is... belangrijk.'

De maan hing als een enorme steenbol boven de woestijn van Klatsch.
De woestijn was weinig soeps, vergeleken bij die indrukwekkende maan erboven.
Het was een deel van een hele woestijngordel, telkens heter en droger, die zich om de Gele Nef en de Verdorde Oceaan slingerde. En niemand had er ooit veel over gedacht als er niet net van die lui als meneer Kliet van het Muzikantengilde aan het kaarten maken waren geslagen, met door dit deel van de woestijn

zo'n onschuldig stippellijntje dat de grens beduidde tussen Klatsch en Zaqbedad.
Tot die tijd hadden de Te'ergs, een verzameling plezierig krijgslustige nomadenstammen, vrank en vrij door de woestijn gezworven. Nu die lijn er was waren ze soms Klatschieke Te'ergs en dan weer Zaqbedadse Te'ergs, met alle rechten die toekwamen aan burgers van beide staten, met name het recht om zoveel belasting te betalen als er uit hen te persen viel en om opgeroepen te worden voor oorlogen tegen lui waar ze nooit van gehoord hadden. Als gevolg van de stippellijn (1) raakte Klatsch nu in oorlog met Zaqbedad en de Te'ergs, (2) was Zaqbedad in oorlog met de Te'ergs en Klatsch, en (3) waren de Te'ergs in oorlog met iedereen, elkaar inbegrepen, en hadden ze de grootste lol omdat het Te'ergse woord voor 'vreemdeling' hetzelfde is als dat voor 'doelwit'.
Het fort was een van de erfstukken van de stippellijn.
Nu stond het als een donkere rechthoek op het hete zilveren zand. Eraan ontstegen wat men zou moeten omschrijven als de in- en uithalen van een accordeon, want er scheen iemand een wijsje te willen spelen die telkens al na enkele maten in de problemen kwam en opnieuw begon.
Er klopte iemand aan de deur.
Na een tijdje klonk er aan de andere kant wat geschuif en er ging een luikje open.
'Ja, ellendi?'
IS DIT HET KLATSCHIEKE VREEMDELINGENLEGIOEN?
Het gezicht van de man aan de andere kant van de deur raakte bedremmeld.
'O', zei hij, 'daar zeg je wat. Wacht effies.' Het luikje ging dicht. Achter de deur ontspon zich een fluisterdiscussie. Het luikje ging open.
'Ja, naar het schijnt zijn wij het... het... wat was het ook weer? Okee, ik heb het.. Klatschieke Vreemdelingenlegioen. Ja. Wat had je gehad willen hebben?'
IK WIL ME AANMELDEN.
'Aanmelden? Waarvoor?'
HET KLATSCHIEKE VREEMDELINGENLEGIOEN.
'Waar zit dat?'
Er werd weer wat gefluisterd.
'O. Juist. Sorry, hoor. Ja. Zijn wij dus.'
De poort zwaaide open. De bezoeker schreed naar binnen. Een legionair met een korporaalsstreep op zijn arm liep op hem af.
'Je moet je melden bij...' zijn ogen werden wat glazig, '...je weet wel... grote vent, zo'n gouden streep... lag me net nog voor in mijn mond...'

SERGEANT?
'Precies,' zei de korporaal opgelucht. 'Hoe heet je, soldaat?'
UH...
'Je hoeft het eigenlijk niet te zeggen, hoor. Dat is nou net waar het bij het... het...'
KLATSCHIEKE VREEMDELINGENLEGIOEN?
'...om draait. Je meldt je aan om... om... met je geest, weet je wel, als je je niet... wat er gebeurd is...'
TE VERGETEN?
'Precies. Ik ben...' De man kreeg een verdwaasde uitdrukking. 'Ogenblikje, wil je?'
Hij keek naar zijn mouw. 'Korporaal...' zei hij. Hij aarzelde en keek zorgelijk. Toen schoot hem iets te binnen en hij trok aan de boord van zijn jasje en verdraaide zijn hals tot hij net, met flink veel moeite, kon gluren op het aldus geopenbaarde labeltje.
'Korporaal... Medium? Kan dat kloppen?'
DACHT IK NIET, NEE.
'Korporaal... Alleen Met De Hand Wassen?'
WAARSCHIJNLIJK NIET.
'Korporaal... Katoen?'
DAT ZOU KUNNEN.
'Mooi. Nou dan, welkom bij het... uh...'
KLATSCHIEKE VREEMDELINGENLEGIOEN...
'Precies. De soldij bedraagt drie daalders per week en al het zand dat je op kunt. Ik hoop dat je het lust.'
DUS ZAND HERINNER JE JE WEL.
'Zand vergeet je nooit, neem dat maar van me aan,' zei de korporaal wrang.
IK VERGEET HET NOOIT.
'Hoe zei je dat je heette?'
De vreemdeling zweeg.
'Niet dat het uitmaakt,' zei Korporaal Katoen. 'In het...'
KLATSCHIEKE VREEMDELINGENLEGIOEN?
'...precies... geven we je een *nieuwe* naam. Je begint met een schone lei.'
Hij wenkte een andere man.
'Legionair..?'
'Legionair... uh... ungh... uh... Maat 47, Korporaal.'
'Mooi. Neem deze... vent mee en bezorg hem een...' hij knipte geërgerd met zijn vingers, '...je weet wel... dinges... kleren, iedereen heeft er eentje aan... zandkleurig –'
UNIFORM?
De korporaal knipperde met zijn ogen. Om de een of andere onverklaarbare reden bleef de term 'botten' zich opdringen aan

de smeltende, uitvloeiende kliederboel die zijn bewustzijn was.
'Precies,' zei hij. 'Uh. Een contractverband van twintig jaar is het, dat gelegionair. Ik hoop dat je daar mans genoeg voor bent.'
IK KRIJG ER METEEN AL ZIN IN, zei de Dood.

'Ik neem aan dat het mij wettig geoorloofd is om een gelegenheid met vergunning te betreden?' vroeg Suzan net toen Ankh-Meurbork weer aan de horizon opdook.
PIEP.
De stad gleed weer onder hen door. Waar de straten en pleinen wat breder waren kon ze afzonderlijke gedaantes onderscheiden. Poe, dacht ze... ze moesten eens weten dat ik hierboven vloog! En ondanks alles moest ze zich wel boven iedereen verheven voelen. Al waar die lui daar beneden aan hoefden te denken waren maar, och, platvloerse dingen. Alledaagse zaken. Het was net als op een mierennest neerkijken.
Ze had altijd al geweten dat ze anders was. Met meer *besef* van de wereld, terwijl het zonneklaar was dat de meesten erin rondliepen met hun ogen dicht en hun brein in de sudderstand. Ergens was het een troost om te weten dat ze anders *was*. Het gevoel zat om haar heen geslagen als een overjas.
Binkie landde op een vettige kade. Aan de ene kant sabbelde de rivier aan de houten steigerpalen.
Suzan liet zich van het paard glijden, haakte de zeis los en stapte de Gelijmde Trom binnen.
Daar was alles in rep en roer. De klandizie van de Trom neigde tot een democratische benadering van agressie. Ze hadden graag dat ieder zijn deel ervan kreeg. Dus waren er, ook al meende het publiek eensgezind dat het een beroerd muzikantentrio was en derhalve een passend doelwit, diverse gevechten uitgebroken omdat sommigen getroffen waren door slecht gerichte projectielen of al de hele dag niet gevochten hadden of gewoon bij de uitgang probeerden te komen.
Suzan had geen enkele moeite met het opsporen van Imp y Celyn. Hij stond vooraan op het podium, met een van doodsangst vertrokken gezicht. Achter hem stond een trol waarachter zich weer een dwerg probeerde te verstoppen.
Ze keek even naar de zandloper. Nog maar een paar tellen...
Eigenlijk was hij best aantrekkelijk, op zo'n donkere-krullenkopmanier. Ze dacht: het is haast net of hij een elf is.
En of ik hem ken.
Met Wulf had ze medelijden gehad, maar die lag tenminste nog op een slagveld. Deze Imp-zeg-maar-Buddie stond op een toneel. Daar rekende je er niet op om dood te gaan.

Hier sta ik dan met een zeis en een zandloper te wachten tot iemand doodgaat. Hij is niet veel ouder dan ik en ik mag er eigenlijk niks tegen doen. Dat is waanzin. En ik weet zeker dat ik hem... eerder gezien heb...

Nu probeerde niemand in de Trom *echt* om muzikanten dood te maken. Men wierp bijlen en schoot kruisbogen af op een goedgeluimde, welwillende manier. Niemand richtte echt, ook al was men daartoe in staat. Het was veel lolliger iemand te zien bukken.

Een grote vent met een rode baard grijnsde naar Malm en koos een klein werpbijltje uit zijn bandelier. Bijlen naar trollen gooien gaf niet. Daar ketsten ze toch maar af.

Suzan zag het al aankomen. Hij zou afketsen en dan Buddie raken. Niemands schuld, dus eigenlijk. Er gebeurden wel ergere dingen. In Ankh-Meurbork zelfs telkens, en vaak doorlopend.

Die vent heeft niet eens de opzet *om hem dood te maken. Wat een slordige toestand. Zo hoort het toch niet te gaan. Iemand moet er iets tegen doen.*

Ze stak al een hand uit om de bijlsteel te grijpen.

PIEP!

'Hou je kop!'

Wauauaumm.

Buddie stond erbij als een discuswerper en het akkoord vulde de lawaaiige ruimte.

Het galmde het uit als een ijzeren staaf die om middernacht op de vloer van de bibliotheek dondert.

Uit de hoeken van het vertrek weerkaatsten de echo's. Elk volgeladen met zijn eigen harmonieën.

Het was net zo'n geluidsexplosie als de ontploffing van een Berewaaksavondse vuurpijl, waarvan elke neerdalende vonk weer ontploft...

Buddie's vingers streelden de snaren en sloegen nog drie akkoorden. De bijlwerper liet zijn bijltje zakken.

Dit was muziek die niet louter ontsnapt was maar onderweg gelijk een bank had beroofd. Het was muziek met opgerolde mouwen en het bovenste knoopje los, die grijnzend zijn hoed lichtte onder het jatten van het tafelzilver.

Het was muziek die via je bekken naar je voeten schoot zonder even gedag te zeggen bij Baas Brein.

De trol pakte zijn hamers, keek even sloom naar zijn keien, en begon toen een ritme te slaan.

De dwerg haalde even diep adem en ontlokte een donkere, dreunende toon aan zijn hoorn.

Her en der begon men met zijn vingers mee te trommelen op de tafelrand. De orang zat erbij met een enorme grijns van vervoe-

ring, alsof hij een banaan dwars had ingeslikt.
Suzan keek weer naar de met Imp y Celyn gemerkte zandloper.
Het bovenglas was nu volledig ontdaan van zand maar er flikkerde nog iets blauws.
Ze voelde hoe piepkleine speldenprikklauwtjes haar rug beklauterden en houvast zochten op haar schouder.
De Dood der Ratten keek naar de zandloper.
PIEP, zei hij zachtjes.
Suzan was nog steeds niet zo best in Rats maar 'o jee' kon ze er toch met gemak uithalen.
Buddie's vingers dansten langs de snaren maar het geluid ervan was geen familie meer van de tonen van harp of luit. De gitaar krijste als een engel die er net achterkomt dat hij aan de verkeerde kant staat. Vonkjes glinsterden op de snaren.
Buddie zelf had zijn ogen dicht en klemde het instrument tegen zijn borst, als een soldaat met zijn speer in draaghouding. Het viel nauwelijks uit te maken wie of wat eigenlijk waarop speelde.
En de muziek bleef er maar uitstromen.
Het haar van de Bibliothecaris stond op zijn hele lijf overeind. De puntjes ervan knetterden.
Je kreeg er de neiging van om muren om te trappen en bij gebrek aan een touw via een trap van vuur op het dak te klimmen. Je kreeg zin om alle schakelaars om te zetten en alle hendels over te halen en je vingers in het stopcontact van het heelal te steken om te zien wat er dan gebeurde. Je kreeg zin om de wanden van je slaapkamer zwart te verven en vol te hangen met posters die je dan *affiesjes* noemde.
Intussen begonnen diverse spieren van de Bibliothecaris op de maat te stuiptrekken terwijl de muziek via zijn lijf naar aarde wegvloeide.
In de hoek zat een groepje tovenaars. Met open mond zagen ze de vertoning aan.
En het ritme schreed voort, knetterde van geest naar geest, knipte zijn vingers en krulde zijn lippen.
Levende muziek. Tonen met een ziel. Rotsmuziek, bonkmuziek, ontketend...

Eindelijk vrij! Hij sprong over van hoofd naar hoofd, naar binnen knetterend via de oren en dan rechtdoor naar het onderbrein. Sommigen waren vatbaarder dan anderen... stonden dichter bij het ritme...

Het was een uur later.
De Bibliothecaris knokkeldebeende en zwaaide zich door de

nachtmotregen, zijn hoofd barstensvol muziek.
Hij kwam neer op het gazon van de Gesloten Universiteit en holde de Grote Zaal in, wild met zijn armen zwaaiend om zijn evenwicht te bewaren.
Hij hield in.
Maanlicht sijpelde door de grote ramen naar binnen en scheen op wat de Aartskanselier altijd aanduidde als 'ons machtig pijpgebeuren', wat de rest van de staf altijd deed blozen.
Een hele wand was inderdaad gevuld met rijen en rijen orgelpijpen, die in de schemer wel wat van pilaren hadden, of misschien meer van stalagmieten in een monsterachtige oergrot. Daartussen ging het kanseltje van de organist haast verloren, ondanks de drie reusachtige klavieren met hun honderden registerstoppen voor de speciale geluidseffecten.
Vaak werd het niet gebruikt, afgezien van af en toe bij die openbare gelegenheid van hun Toverbal.*
Maar de Bibliothecaris die geestdriftig de blaasbalg trapte en nu en dan opgewonden oekjes liet horen, had het idee dat er heel wat meer uit viel te halen.
Een mannetjesorang oetan in volle wasdom lijkt dan wel wat op een minzame stapel ouwe kleden maar heeft ook een kracht in zich waarmee een mens van overeenkomstig gewicht heel wat tapijten had kunnen verorberen. De Bibliothecaris hield pas op met orgeltrappen toen de hefbomen te heet werden om aan te raken en de drukkasten fluitende scheten lieten langs hun klinknagels.
Toen hees hij zich op het organistenbankje.
Het hele bouwsel gonsde zachtjes van de geweldige ingehouden druk.
De Bibliothecaris haakte zijn vingers in elkaar en liet zijn knokkels knakken, iets wat heel indrukwekkend is als je zoveel knokkels hebt als een orang oetan.
Hij hief zijn handen.
Hij aarzelde.
Hij liet zijn handen weer zakken en trok de stoppen uit van de Vox Humana, de Vox Dei en de Vox Diabolica.
Het orgelgekreun kreeg een nieuwe, dringende klank.
Hij hief zijn handen.

*Gewoonlijk hadden tovenaars geen bal. Daar ging zelfs een straatliedje over. Maar wel vierden ze jaarlijks hun Toverbal, een onbeperkt toegankelijk dansfeest, dat tot de hoogtepunten behoorde van de sociale agenda van Ankh-Meurbork. Met name de Bibliothecaris zag daar altijd naar uit, en hij besteedde er een *verbluffende* hoeveelheid haarcrème aan.

Hij aarzelde.
Hij liet zijn handen zakken en trok de hele rest van de stoppen uit, daarbij inbegrepen de twaalf met een '?' erop en de twee met de verbleekte opschriften in diverse talen die waarschuwden dat ze onder geen beding en in geen geval ooit mochten worden aangeraakt.
Hij hief zijn handen.
Hij hief tevens zijn voeten en plaatste die boven enkele van de meer onheilspellende pedalen.
Hij deed zijn ogen dicht.
Even zat hij nog stil in bespiegelend zwijgen, de testpiloot van het sterrenschip Melodie, klaar om de spits af te bijten.
Hij liet zijn hoofd volstromen met de klokkende herinnering van de muziek, en daarna zijn armen en zijn vingers.
Zijn handen daalden neer.

'Wat *deden* we nou? Wat *deden* we?' vroeg Buddie. De opwinding liep in barrevoetse ren op en neer langs zijn ruggengraat.
Ze zaten in het benauwde kamertje achter de bar.
Govd zette zijn helm af en veegde de binnenkant ervan droog.
'Geloof het of niet, maar dat was vier slagen de maat in tweekwarts, met de melodie als lijn en het basritme nèt voor de melodie uit.'
'Wazzegje nou?' zei Malm. 'Wabbetekenen al die woorden?'
'Ben je nou een musicus of niet?' zei Govd. 'Wat dacht je dat je deed?'
'Ik sla derop met mijn hamers,' zei Malm, de natuurtalentdrummer.
'Maar dat stuk waarin je...' zei Buddie, 'je weet well... in het midden... weet je well, *beng-bam beng-bam bengbengBAM*... hoe wist je nou hoe je dat doen moest?'
'Dawwas gewoon het stukkie daddaar hoorde,' zei Malm.
Buddie keek naar de gitaar. Hij had hem op tafel gelegd. De gitaar speelde zachtjes nog wat in zichzelf na, als een snorrende poes.
'Dat is geen normaall instrument,' zei hij met een waarschuwend vingertje. 'Ik stond er allleen maar, en hij begon gewoon vanzellf te speellen!'
'Vast van een tovenaar geweest, net wat ik zei,' zei Govd.
'Annee,' zei Malm. 'Nonnooit een muzikale tovenaar tegengekomen. Muziek en toverkracht ganen niet samen.'
Ze keken ernaar.
Buddie had nog nooit van een instrument gehoord dat uit zichzelf speelde, behalve dan de legendarische harp van Ouwe Mewyffie, die ging zingen als er gevaar dreigde. En dat was des-

tijds in de tijd dat er draken waren. Zingende harpen pasten bij draken. In een stad met gilden en zo vielen ze wat uit de toon.
De deur zwaaide open.
'Dat was... verbijsterend, jongens,' zei Hibiscus Terpolm. 'Nog nooit zoiets gehoord! Kunnen jullie morgenavond weer? Hier heb je vijf daalders.'
Govd telde de munten na.
'We deden anders vier toegiften,' zei hij nors.
'Dien gerust een klacht in bij het Gilde,' zei Hibiscus.
Het trio keek naar het geld. Het zag er heel indrukwekkend uit voor lui die vierentwintig uur geleden voor het laatst aten. Gildetarief was het niet. Maar ja, het was een lange vierentwintig uur geweest.
'Als je morgen weer komt', zei Hibiscus, 'maak ik er... zes daalders van, nou, wat zeg je?'
'Wouw, zeg,' zei Govd.

Mustrum Ridiekel schoot overeind in zijn bed, want dat bed werd zelf zachtjes over de vloer getrild.
Dus het was er eindelijk van gekomen!
Ze hadden het op hem gemunt.
De traditie om aan de Universiteit te promoveren door in de voetstappen van een overledene te treden, somtijds nadat men zich eerst had vergewist van de dood van de voetstapper, was de laatste tijd gestaakt. Dit kwam goeddeels door Ridiekel zelf, die fors was en zijn conditie goed bijhield en die zoals drie nachtelijke Aartskanseladspiranten ondervonden hadden, ook een zeer goed gehoor had. Dezen waren respectievelijk aan hun enkels uit het raam gehangen, bewusteloos geslagen met een schep, en afgescheept met een op drie plaatsen gebroken arm. Bovendien, men wist dat Ridiekel sliep met twee geladen kruisbogen naast zijn bed. Hij was niet zonder hart en zou je waarschijnlijk niet in alle*twee* je oren schieten.
Dergelijke overwegingen waren bevorderlijk voor een wat geduldiger slag tovenaars. Vroeg of laat gaat iedereen dood. Ze wachtten wel af.
Ridiekel ging alles even na en oordeelde dat zijn eerste indruk een vergissing was.
Naar het scheen was er geen moordzuchtige toverij in het geding. Er was alleen maar geluid, dat de kamer tot in de verste hoeken doordrong.
Ridiekel schoof in zijn sloffen en ging de gang op, waar andere stafleden al stuurloos dooreen liepen en elkaar gapend vroegen wat er verdomme toch loos was. Vanaf het plafond daalde er een gestage kalkregen op hen neer.

'Wie maakt al die herrie?' schreeuwde Ridiekel. Er klonk een stom koor van onhoorbare antwoorden en er werden veel schouders opgehaald.
'Nou, dan zoek *ik* het wel uit,' gromde de Aartskanselier, en hij zette koers naar de trap met de anderen in zijn kielzog.
Hij liep zonder zijn ellebogen of knieën erg te buigen, het kenmerk van een oprecht maar onbuigzaam man in een slecht humeur.

De hele weg van de Gelijmde Trom zei het trio niks. Ze zeiden niks tot helemaal aan Priempjes' snackbar. Terwijl ze in de rij stonden zeiden ze niks, en toen zeiden ze alleen: 'Okee... ja... dus dat wordt een Knaagdier-speciaal met extra salamander, weinig pepersaus, een Hete Klatschinees met extra salami en een Vierlaagse Afzetting, zonder uraniet.'
Ze gingen onderwijl alvast zitten. De gitaar speelde een viernoots riffje. Ze probeerden er niet aan te denken. Ze probeerden aan iets anders te denken.
'Iddenk ik game naam veranderen,' zei Malm ten slotte. 'Ibbedoel... Malm? Geen goeie naam inne muziekerij.'
'Waar ga je hem in veranderen?' vroeg Govd.
'Ik dach... niet lachen... ik dach... Klif?' zei Malm.
'*Klif?*'
'Goeie trollennaam. Erg keiig. Erg rotserig. Niks mis mee,' zei Klif, voorheen Malm, gepikeerd.
'Och... tja... maar, ik weet niet, ik bedoel... nou, ja... Klif? Ik zie iemand met een naam als *Klif* het in deze branche niet lang volhouden.'
'Anders wel beter dan Govd.'
'Ik blijf bij Govd,' zei Govd. 'En Buddie, blijf jij bij Buddie of wordt het Impie?'
Buddie zat naar zijn gitaar te kijken. Het deugt niet, dacht hij. Ik kwam er nauwelijks aan. Ik deed alleen... En ik ben zo moe... Ik...
'Het is Imp *y*; maar ik weet nog niet,' zei hij triest. 'Ik weet niet of Imp well de juiste naam is voor... deze muziek.' Zijn stem stierf weg. Hij gaapte.
'Buddie?' vroeg Govd na een tijdje.
'Hmm?' zei Buddie. En hij had daar het gevoel gehad dat iemand hem beloerde. Dat was natuurlijk halfgaar. Je kon niet tegen iemand zeggen: 'Ik stond op het toneel en ik dacht dat er iemand naar me keek.' Zo iemand zou zeggen: 'Gut zeg. *Dat* is pas occult, dat is...'
'Buddie?' vroeg Govd, 'waarom zit je zo met je vingers te knippen?'

Buddie keek omlaag.
'Deed ik dat?'
'Ja.'
'Ik zat alllleen te denken. Mijn achternaam... deugt ook all niet voor deze muziek.'
'Wat betekent hij dan in echte taal?' zei Govd.
'Nou, heel de famiellie heet *y Celyn*,' zei Buddie, zonder op de belediging van zijn oeroude taal te letten. 'Dat betekent "van der Hullst". Meer dan hullst will er in Llawelos niet groeien, snap je. Verder rot alllles gewoon weg.'
'Ik haddet anders nooit gezegd', zei Klif, 'maar van iemand die *Imp* heet zou je zeggen dattet een *elf* is.'
'Nee, dat betekent gewoon "knopje",' zei Buddie.
'Knopje van der Hulst?' zei Govd. 'Vind ik nog erger dan Klif. Dan maar Buddie.'
'Ja... dat klinkt haast wel goed,' zei Buddie.
Govd haalde een handvol munten uit zijn zak.
'We hebben nog ruim vier daalders over,' zei hij. 'En ik weet ook al wat we ermee moeten.'
'We horen het te sparen voor de Gildecontributie,' zei de definitieve Buddie.
Govd staarde in de niet al te verte.
'Nee,' zei hij. 'We hebben de juiste toon nog niet. Ik bedoel, het was erg goed, erg... *nieuw*', en hij keek Buddie-geen-Imp-meer strak aan, 'maar er ontbreekt nog iets...'
De dwerg keek Buddie-nooit-meer-Imp nogmaals doordringend aan.
'Weet jij wel dat je helemaal zit te schokken?' zei hij. 'Je wipt op je stoel heen en weer alsof je een broekvol mieren hebt.'
'Ik kan er niks tegen doen,' zei Buddie. Hij wilde gaan slapen, maar er stuiterde een ritme rond in zijn hoofd.
'Ik zag het ook al,' zei Klif. 'Toewwe hierheen liepen stuiterde je gewoon.' Hij keek onder de tafel. 'En je zit mejje voet te tikken.'
'En je knipt aan één stuk door met je vingers,' zei Govd.
'Ik moet maar aan die muziek blijven denken,' zei Buddy. 'Je hebt gelijk. We moeten...' hij tikte met zijn vingers op tafel, '...een geluid van... *ping peng pengele PANG Pang...*'
'Bedoel je zo'n plank met toetsen?' vroeg Govd.
'Is dat het?'
'Daar aan de overkant in de Opera hebben ze net zo'n nieuwe pianoforte,' zei Govd.
'Jewel, maar zuks is niks voor ons soort muziek,' zei Klif. 'Zuks is meer voor die dikke kerels in poeierpruiken.'
'Volgens mij', zei Govd terwijl hij Buddie weer scheef aankeek,

'als we dat ding maar in de buurt leggen van Knop– van Buddie, wordt het gauw genoeg iets voor ons soort muziek. Dus ga die maar halen.'
'Ik hoorde ergens dattie wel vierhonderd daalders was,' zei Klif. 'Zoveel tanden heb niemand.'
'Ik had het niet over *kopen*,' zei Govd. 'Leen hem gewoon maar een tijdje.'
'Da's stelen.' zei Klif.
'Welnee, helemaal niet,' zei de dwerg. 'Ze mogen hem terug als we ermee klaar zijn.'
'O, dan is het best dus.'
Buddie was geen drummer of trol en zag de technische onvolkomenheid van Govds redenering wel. En een paar weken terug had hij het gezegd ook. Maar toen was hij nog een oppassende jonge steenkringganger uit het dalenland, die nooit vloekte en bij elk druïdenoffer op de harp speelde.
Nu moest en zou hij die piano hebben. Het geluid ervan klopte *bijna*.
Hij knipte met zijn vingers op de maat van zijn gedachten.
'Maar we hebben niemand om derop te spelen,' zei Klif.
'Jij zorgt voor de piano,' zei Govd. 'Ik zorg wel voor de pianist.'
En al die tijd gleed hun blik telkens naar de gitaar.

De tovenaars rukten als één tovenaar op naar het orgel. De lucht er omheen trilde alsof hij oververhit was.
'Wat een hels kabaal!' schreeuwde de Lector Recentelijke Runen.
'Och, kweenie!' krijste de Hoofddekaan. 'Nogal aanstekelijk!'
Tussen de orgelpijpen knetterden blauwe vonken. De Bibliothecaris viel nog net in het rammelende bouwsel te onderscheiden.
'Wie orgeltrapt er?' brulde de Bovenstalmeester.
Ridiekel keek naar de zijkant. De hefbomen schenen vanzelf op en neer te gaan.
'Dit wil ik niet hebben', mompelde hij, 'niet in *mijn* universiteit, verdomme. 't Is nog erger dan *studenten*.'
En hij hief zijn kruisboog en vuurde, pardoes naar de grote luchtkast en de blaasbalg.
Er klonk een langgerekt gejammer in A grote terts, en toen ontplofte het orgel.
De geschiedenis van de aansluitende seconden werd bijeengeraapt in een discussie in de Ongezelschapszaal waar de tovenaars zich kort daarna vervoegden voor een stevige borrel of, waar het de Administrateur betrof, voor een glaasje warme melk.

De Lector Recentelijke Runen durfde zweren dat de pijp van het 64 voets Gravissima register ten hemel steeg op een zuil van vuur.
De Leerstoel voor Onbepaalde Studiën en de Bovenstalmeester zeiden dat ze de Bibliothecaris ondersteboven aantroffen in een van de fonteinen op het Saeterplein buiten de Universiteit, en dat hij daar in zichzelf 'oek oek' lag te doen en te grijnzen.
De Administrateur meldde dat hij een tiental blote jongedames op en neer had zien dansen op zijn bed, maar de Administrateur zei anders ook altijd zulke dingen, vooral als hij veel binnen gebleven was.
De Hoofddekaan zei helemaal niets.
Zijn ogen stonden glazig.
Vonkjes spetterden door zijn haar.
Hij stond zich af te vragen of hij zijn slaapkamer zwart zou mogen verven.
...en het bonken ging door...

Buddie's levensloper stond midden op het reusachtige bureau. De Dood der Ratten liep er zachtjes in zichzelf piepend omheen.
Suzan zat er ook naar te kijken. Er viel niet aan te twijfelen dat al het zand onderin zat. Maar iets anders had de bovenhelft gevuld en stroomde door de vernauwing. Het was bleekblauw en kolkte heftig dooreen, als opgewonden rook.
'Heb je ooit zoiets eerder gezien?' vroeg ze.
PIEP.
'Ik ook niet.'
Suzan stond op. De schaduwen op de omringende wanden leken, nu ze eraan gewend was, van *dingen* te zijn – geen machinerieën precies, maar ook niet precies van meubilair. Op het gazon voor het internaat stond altijd een planetariumuurwerk. Die vormen daar deden eraan denken, al zou ze niet kunnen zeggen welke duistere banen van welke sterren er werden vertoond. Het leken wel projecties van dingen die zelfs voor deze vreemde dimensie *te* vreemd waren.
Ze had zijn leven willen redden, en dat *deugde*. Ze wist dat. Zodra ze zijn naam had gezien had ze... nou, die was belangrijk. Ze had een deel van de herinneringen van de Dood geërfd. Zij kon de jongen nooit hebben ontmoet, maar *hij* had dat misschien wel. Het voelde aan of die naam en dat gezicht zich zo diep in haar geest hadden gevestigd dat de rest van haar gedachten alleen nog maar daar omheen draaien kon.
Iets anders had hem net even eerder gered.
Ze hield de levensloper weer tegen haar oor.

Ze merkte opeens dat ze tikte met haar voet.
En besefte dat de verre schaduwen in beweging kwamen.
Ze holde de vloer over, de echte vloer, die voorbij de grenzen van het kleed lag.
De schaduwen hadden wel iets van hoe wiskunde zou zijn als die tastbaar werd. Er zaten enorme krommes in van... iets. Wijzers als van een klok, maar meer dan boomlang, zwaaiden traag door de lucht.
De Dood der Ratten klom op haar schouder.
'Jij weet zeker ook niet wat er aan de hand is?'
PIEP.
Suzan knikte. Ratten gingen netjes dood wanneer dat moest, nam ze aan. Die probeerden niet vals te spelen of uit de doden op te staan. Iets als rattenzombies bestond er niet. Ratten wisten wanneer ze moesten opgeven.
Ze keek nog eens naar de zandloper. Die knul – en ze hanteerde die term zoals meisjes doen bij jongens die een paar jaar ouder zijn – die knul had op zijn gitaar of wat het was een akkoord gespeeld, en de geschiedenis was verbogen geraakt. Of had een sprongetje gemaakt, of zoiets.
Behalve zij was er nog iets dat hem niet dood wilde.

Het was twee uur in de ochtend en het regende.
Veldwachter Gneisbaard van de Ankh-Meurborkse Stadswacht stond de Opera te bewaken. Deze opvatting van de politietaak had hij overgenomen van Sergeant Dendarm. Als je middenin een regenachtige nacht helemaal in je uppie bent, ga dan gauw iets groots bewaken met overhangende gevelranden. Dendarm had dit beleid jaren toegepast met als gevolg dat geen van de grotere bezienswaardigheden ooit was ontvreemd.*
Verder was het tot nu toe een kalme nacht. Zowat een uur geleden was er een orgelpijp van negentien meter uit de lucht komen vallen. Gneisbaard was nadergeslenterd om de krater te bezichtigen, maar hij was er niet zo zeker van of dit wel een *misdadige* actie betrof. Trouwens, het kon best wezen dat men zo aan zijn orgelpijpen kwam.
De laatste vijf minuutjes hoorde hij ook telkens gedempt gebonk en nu en dan wat getingel van binnenuit de Opera. Dit had hij genoteerd. Hij wilde geen oen lijken. Gneisbaard was nog nooit in de Opera geweest. Hij wist niet hoe die normaal klonk om twee uur 's nachts.
De voordeur ging open en aarzelend kwam er een grote,

*Nou ja, afgezien dan van één keer de Gesloten Universiteit, maar dat was maar studentenjool.

vreemd gevormde platte kist naar buiten. Deze bewoog zich op een rare manier voort – een paar stappen voorwaarts, een paar passen achteruit. Bovendien praatte hij in zichzelf.
Gneisbaard keek wat lager. Nu zag hij... hij hield even in... op zijn minst zeven poten in diverse maten, waarvan er vier ook voeten hadden.
Hij wandelde naar de kist en sloeg eens tegen de zijkant.
'Hedaar, dat gaat zomaar niet. Wat... moet dat hier?' deed hij zijn best om de juiste formules op te zeggen.
De kist stond stil.
Toen zei hij: 'Wij zijn een piano.'
Gneisbaard stond hier even bij stil. Wat een piano was wist hij niet precies.
'Piano, die kan bewegen?' vroeg hij.
'Er zitten... wij hebben poten,' zei de piano.
Dat moest Gneisbaard toegeven.
'Maar het zijn wel middernacht,' zei hij.
'Ook piano's moeten wel eens vrijaf krijgen,' zei de piano.
Gneisbaard krabde zich op zijn kop. Hiermee was het wel rond.
'Nou... vooruit dan,' zei hij.
Hij keek toe hoe de piano schokkend en wiebelend afdaalde langs de marmeren trap en om de hoek verdween.
Onderwijl bleef hij in zichzelf praten:
'Hoelang dacht je dat we nog hebben?'
'Todde brug redden we het wel. Die daar niet slim genoeg voor drummer.'
'Maar hij is toch van de politie?'
'Nou en?'
'Zeg Klif?'
'Joep?'
'Misschien worden we wel betrapt.'
'Die daar houdt ons niet tegen. We hebben een missie van Govd.'
'Op die manier.'
De vleugel stommelde weer een tijdje door de plassen en stelde zich toen de vraag:
'Zeg Buddie?'
'Joep?'
'Hoe kwam ik daar nou aan?'
'Waaraan?'
'Datte we een *missie*... je weet wel... van Govd hebben?'
'Nouou... die dwerg zei tegen ons, ga die piano halen, dat is een missie, en hij heet Govd, dus –'
'Jewel. Jewel. Tuurlijk... maar... hij *had* ons kunnen tegenhou-

den, zo'n missie van een dwerg is toch niks bijzonders –'
'Misschien was je wel gewoon wat moe.'
'Dat zallet wezen,' zei de piano opgelucht.
'En trouwens, dit *is* een missie van Govd.'
'Joep.'

Govd zat op zijn pensionkamer naar de gitaar te kijken.
Die was opgehouden met spelen toen Buddie wegging, al dacht hij met zijn oor vlakbij de snaren toch nog wel een heel zacht zoemen te horen.
Nu stak hij heel behoedzaam zijn hand uit om het instrument aan t–
Het plotse hapgeluid beschrijven als een dissonant zou onderdreven zijn. Het geluid grauwde, er zaten klauwen aan.
Govd schoof achteruit. Juist. Juist. Het was Buddie's instrument. Een instrument dat jarenlang werd bespeeld door dezelfde persoon raakte daar wel eens drastisch aan aangepast, zij het naar Govds ervaring niet zover dat het iemand anders beet. Buddie had het nog niet eens een dag, maar misschien bleef het principe hetzelfde.
Er was een oude dwergensage over de roemruchte Hoorn van Vroggel, die uit zichzelf blies bij naderend gevaar en tevens, om het een of ander, in de buurt van mierikswortelsaus.
En er was toch zelfs zo'n Ankh-Meurborkse sage, over die oude trommel ergens in het Paleis of zo, die zichzelf sloeg als er een vijandelijke vloot de Ankh opvoer? Die sage was de laatste eeuwen in vergetelheid geraakt, ten dele omdat dit het Tijdperk der Rede was en ook omdat geen vijandelijke vloot meer de Ankh opkon zonder dat er een met scheppen bewapende ploeg vooropliep.
En dan had je dat trollenverhaal over stenen die in vorstnachten...
Waar het om *ging* was dat betoverde instrumenten meer dan eens opdoken.
Govd stak zijn hand nog eens uit.
DUNK-Edunk-edunk-dunk.
'Okee, okee...'
Dat oude muziekwinkeltje lag immers direct naast de Gesloten Universiteit en de toverkracht bleef weglekken, hoe vaak die tovenaars ook beweerden dat al die pratende ratten en wandelende bomen maar statistische uitschieters waren. Maar dit hier voelde *anders* aan dan toverij. Het voelde veel ouder aan. Het voelde net als muziek.
Govd vroeg zich af of hij Impie – nee, Buddie moest overhalen om hem naar het winkeltje terug te brengen, en om een echte

gitaar zien te krijgen...
Maar aan de andere kant, zes daalders waren zes daalders. Op zijn minst.
Er bonkte iets op de deur.
'Wie is dat?' riep Govd opkijkend.
Het zwijgen buiten duurde lang genoeg dat hij ernaar kon raden. Hij besloot een handje te helpen.
'Klif?' zei hij.
'Joep. Kep een piano hier.'
'Breng maar naar binnen.'
'Moesten der wel de poten en het deksel en nog wat stukkies afbreken, maar verder issie okee.'
'Breng dan maar naar binnen.'
'Deur is te smal.'
Buddie die net achter de trol de trap opkwam hoorde het gekraak van houtwerk.
'Probeer nog eens.'
'Piest persas.'
Om de deuropening zat een pianovormig gat. Govd stond ernaast, met zijn bijl. Buddie aanschouwde al het puin op de overloop.
'Wat doe je verdomme nou?' zei hij. 'Dat is wel iemands muur, hoor!'
'Nou en? Het is ook iemands piano.'
'Jawel, maar je kunt toch niet zomaar gaten in de muur –'
'Wat is er nou belangrijker? Zomaar een muur of het goeie geluid?' zei Govd.
Buddie aarzelde. Ergens dacht hij: dat is belachelijk, het is maar *muziek*. Ergens anders dacht hij, met nogal meer nadruk: dat is belachelijk, het is maar een muur. Overal zei hij: 'O. Ja, als je het zo stelt... maar hoe zit het met die pianist?'
'Ik zei toch, ik weet er wel een te vinden,' zei Govd.
Ergens in een heel klein hoekje stond hij er toch van te kijken: heb ik me een gat gehakt, in mijn eigen muur! Heeft me *dagen* gekost om dat behang er netjes op te spijkeren.

Albert was in de stal, met een schep en een kruiwagen.
'Ging het een beetje?' vroeg hij toen Suzans schaduw opdook boven het onderdeurtje.
'Uh... ja... zal wel...'
'Blij dat te horen,' zei Albert zonder op te kijken. De schep bonsde in de kruiwagen.
'Alleen... is er wat gebeurd dat wel niet gewoon zal wezen...'
'Spijt me dat te horen.'
Albert pakte de kruiwagen en kruide hem naar de tuin.

Suzan wist wel wat ze hoorde te doen. Ze hoorde zich te verontschuldigen, en dan zou blijken dat Albert een hart van goud had, en dan zouden ze toch nog vrienden zijn, en hij zou haar helpen en van alles vertellen en –
En dan was zij dus zo'n stomme griet die het niet aankon.
Nee.
Ze ging weer naar de stal, waar Binkie net de inhoud van een emmer keurde.
Het Quorms Jongedamesinternaat was een voorstander van logisch denken en vertrouwen op eigen kracht. Om die reden hadden haar ouders haar erheen gestuurd.
Ze werkten vanuit de veronderstelling dat ze er het veiligst aan deden haar van de wollige randjes van de wereld te isoleren. Zoals de zaken ervoor stonden was dit net als iemand niks bijbrengen over zelfverdediging om te voorkomen dat hij ooit werd aangevallen.

De Gesloten Universiteit was gewend aan excentriek gedrag van de docenten. Mensen ontlenen hun ideeën over wat het inhoudt om een gewoon mens te *zijn* immers aan het voortdurend raadplegen van het gedrag van hun medemensen, en als die mensen medetovenaars zijn kan de spiraal louter nog neerwaarts kringelen. De Bibliothecaris was een orang oetan, en niemand zag daar iets raars in. De Docent Esoterische Studiën bracht zoveel tijd door in wat de Administrateur aanduidde als 'het kleinste kamertje'* dat men hem kortweg ging aanduiden als De Privaatdocent, zelfs in officiële stukken. De Administrateur zelf was dermate malende dat men hem in elk normaal gezelschap zou hebben aangezien voor een windpark bij zeer zware storm. De Hoofddekaan was al zeventien jaar bezig met een verhandeling over *Het Gebruik van de Lettergreep 'ENK' in Levitatiebezweringen uit de Vroege Haspelperiode.* De Aartskanselier, die met regelmaat de portrettengalerij boven de

*Het kleinste kamertje ter Gesloten Universiteit is feitelijk een bezemkast op de vierde verdieping. Maar hij bedoelde dus het toilet. De Docent had de theorie dat alle waarlijk goede boeken in elk willekeurig gebouw – tenminste, alle echt lollige** – vanzelf afzakken naar een stapel in het privaat maar dat niemand ooit tijd heeft ze allemaal te lezen, *of zelfs maar weet hoe ze daar terechtkwamen.* Zijn onderzoek ter zake leidde tot verregaande opgeblazenheid en een fikse rij voor de deur, iedere ochtend.

**D.w.z. die met plaatjes over koetjes en hondjes. En onderschriften zoals: 'Zodra hij de eend zag, wist Elmer dat het een rotdag zou worden.'

Grote Zaal gebruikte als een kruisboogschietbaan en per ongeluk al tweemaal de Administrateur geraakt had, vond dat de hele wetenschappelijke staf zo gek was als een looien deur, wat zo'n looien deur ook wezen mocht. 'Niet genoeg in de frisse lucht,' zei hij vaak. 'Te veel binnenzitten. Gaat je brein van rotten.' Nog vaker zei hij: 'Bukken!'

Niemand onder hen, uitgezonderd Ridiekel en de Bibliothecaris, stond graag vroeg op. Als zich al een ontbijt voordeed, deed het zich halverwege de ochtend voor. Rijen tovenaars flankeerden dan het buffet, lichtten de grote zilveren deksels van de dekschalen en krompen ineen bij elk gekletter. Ridiekel hield van een groot en vet ontbijt, vooral als het gepaard ging met van die wat glazige worstjes met die groene vlekjes waarvan je maar hoopt dat het een soort kruiden zijn. Omdat het een privilege van de Aartskanselier was om het menu uit te kiezen, waren vooral tovenaars met een overgevoelige maag opgehouden met ontbijten, om het dan de verdere dag louter te doen met middagmaal, theetijd, avondmaal en souper en hapjes ertussendoor.
Dus waren er deze ochtend niet zo veel in de Grote Zaal. Trouwens, het was er wat tochtig. Ergens op het dak waren werklieden bezig.
Ridiekel legde zijn vork neer.
'Okee, wie doet dat?' zei hij. 'Voor de draad ermee, kerel.'
'Doet wat, Aartskanselier?' vroeg de Bovenstalmeester.
'Er zit iemand met zijn voet te tikken.'
De tovenaars keken de tafel langs. De Hoofddekaan zat verzaligd voor zich uit te staren.
'Hoofddekaan?' zei de Bovenstalmeester.
De linkerhand van de Hoofddekaan hing niet ver van zijn mond. De andere maakte ritmische strijkbewegingen ergens ter hoogte van zijn nieren.
'Geen idee wat hij denkt dat hij aan het doen is', zei Ridiekel, 'maar mij komt het voor als bar onhygiënisch.'
'Ik denk dat hij op een onzichtbare banjo speelt, Aartskanselier,' zei de Lector Recentelijke Runen.
'Nou, stil is hij tenminste wel,' zei Ridiekel. Hij keek naar het gat in het dak waardoor onwennig daglicht doordrong in de zaal. 'Heeft iemand de Bibliothecaris nog gezien?'
De orang oetan had het druk.
Hij had zich verschanst in een van de bibliotheekkelders, die hij momenteel gebruikte als algemene werkplaats en zieke-boekenboeg. Er stonden diverse persen en guillotines, een werkbank vol blikken met akelige substanties waaruit hij een eigen bind-

lijm brouwde en al die andere saaie cosmetica van de Muze der Letterkunde.
Hij had een boek meegebracht. Zelfs hij had er uren over gedaan om het te vinden.

De Bibliotheek bevatte niet louter toverboeken, die dus met kettingen aan hun planken zitten en uiterst gevaarlijk zijn. Er stonden ook doodgewone boeken, met alledaagse inkt gedrukt op ordinair papier. Men zou zich vergissen als men dacht dat die niet ook gevaarlijk waren, louter omdat het lezen ervan niet meteen tot ten hemel stijgend vuurwerk leidde. Het lezen ervan had soms het veel gevaarlijker kunstje tot gevolg van inwendig vuurwerk dat naar het hoofd van de lezer steeg.
Een voorbeeld: het voor hem opengeslagen grote boekdeel bevatte enkele van de verzamelde tekeningen van Leonard van Quorm, begaafd kunstenaar en erkend genie, met een dermate verstrooide geest dat de stukjes ervan konden opduiken aan de grenzen van het veelal.
Leonards boeken stonden vol tekeningen – van poesjes, van de manier waarop water stroomt, en van de vrouwen van vooraanstaande Ankh-Meurborkse kooplui van wie de portretten hem tot broodwinning dienden. Maar Leonard was een genie en zeer gevoelig voor de wonderen van deze wereld, dus stonden de marges vol kriebelige krabbeltjes van wat hem op dat moment bezighield – enorme machines op waterkracht voor het op de hoofden van vijanden doen omvallen van stadsmuren, nieuwe belegeringswerktuigtypen voor het over de vijand pompen van brandende olie, buskruitvuurpijlen die brandende fosfor regenden op de vijand, en andere voortbrengselen van het Tijdperk der Rede.
En er was nog wat geweest. De Bibliothecaris had het ooit al eens eerder in het voorbijgaan opgemerkt, en het was hem wat raadselachtig voorgekomen. Het leek er niet bij te horen.*
Zijn harige hand doorbladerde het boek. Aha... daar was het...
Ja. O ja, *JA.*
...het sprak hem aan in de taal van het Bonkend ritme...

De Aartskanselier ging eens lekker zitten achter zijn tafelbiljart. Dat officiële bureau had hij allang weggegooid. Aan zo'n tafelbiljart had je heel wat meer. Er viel nooit wat over de rand, rondom zaten van die handige zakjes om spulletjes in te doen, en als hij zich verveelde kon hij zijn paperassen eraf scheppen

*En het deed de vijand *helemaal* niks.

en wat kunststoten proberen.* Daarna nam hij nooit de moeite zijn paperassen er weer op te scheppen. Naar zijn ervaring werd wat echt belangrijk was nooit op papier gezet, want intussen had iedereen het dan al te druk met schreeuwen.
Hij nam zijn pen op en begon te schrijven.
Hij was zijn memoires aan het opstellen. Hij had net de titel af, die luidde: *Langs de Ankh met Boog, Hengel en Staf met een Knop aan het Eind.*
'Maar weinigen beseffen', schreef hij, 'dat de Ankh een rivier is met een grote en gevarieerde visſenbevolking –'**
Hij smeet zijn pen neer en stormde door de gang naar het kantoortje van de Hoofddekaan.
'Wat is dat nou verdomme?' schreeuwde hij.
De Hoofddekaan schrok op.
'Dat is, dat is een gitaar, Aartskanselier,' zei de Hoofddekaan die ijlings terugweek voor de naderende Ridiekel. 'Net gekocht.'
'Dat *zie* ik, dat *hoor* ik, maar wat zat je dan te *doen*?'
'Ik oefende me in, uh, rifs,' zei de Hoofddekaan. Afwerend zwaaide hij Ridiekel een slecht afgedrukte houtsnede onder zijn neus.
De Aartskanselier greep het papier.
'"Bart Weekdoms Gitaar-ABC",' las hij. '"Spelenderwijs naar de Top in Drie Simpele Lesſen en Achttien Moeilijke Lesſen". En? Ik heb niks tegen gitaren, plezante wijsjes, jonge maagdekens ter zeewaarts op ene zoete meimorgen enzovoorts, maar dat was toch geen *spelen*. Dat was louter *herrie*. Jeetje man, wat moest dat nou *voorstellen*?'
'Een lik in een pentatoonladder in E met de majeur septiem als overgang?' waagde de Hoofddekaan.
De Aartskanselier tuurde op de opengeslagen bladzij.

*Hij was wel een tovenaar. Bij een tovenaar zijn die kunststoten niet zomaar van die vier-keer-in-de-rondte gevalletjes. Zijn beste was één keer van het kussen, één keer tegen een zeemeeuw, één keer tegen het achterhoofd van de Administrateur terwijl die *vorige week dinsdag* hiernaast door de gang liep (kwestie van wat temporeel effect daar) en een lastige keer stuiten van het plafond. Het was op een haartje na net niet gelukt om de bal in het zakkie te krijgen, maar evenzogoed was het een heel fraai stootkunstje geweest.

**En dat was zo. De natuur past zich aan vrijwel alles aan. Er *waren* vissen geëvolueerd om in die rivier te leven. Ze zagen eruit als een kruising tussen een weekschildkrab en een industriële stofzuiger, neigden ertoe om in schoon water te ontploffen, en wat je als aas moest gebruiken zullen we maar niet zeggen, maar het waren *vissen* en een sportvisser als Ridiekel kan het nooit wat schelen hoe de hengelprooi smaakt.

'Maar *hier* staat toch "Les Een: Elfjesgetrippel"?' zei hij.
'Uh, uh, uh, ik werd wat ongeduldig,' zei de Hoofddekaan.
'Vroeger was je nooit muzikaal, Hoofddekaan,' zei Ridiekel. 'Dat was nou net een van je sterke punten. Waar komt die interesse opeens vandaan – *wat* heb je daar aan je voeten?'
De Hoofddekaan keek omlaag.
'Ik dacht al dat je wat langer was,' zei Ridiekel. 'Loop je op een stel plankjes?'
'Dat zijn gewoon dikke zolen,' zei de Hoofddekaan. 'Gewoon... gewoon iets dat de dwergen hebben bedacht, neem ik aan... kweenie... vond ze in mijn kast liggen... volgens Modo de tuinman zijn het bordeelsluipers, van suède met crêpezolen.'
'Jeminee, als Modo dat van z'n wedde kan doen moesten we hem maar eens wat minder betalen.'
'Nee... het is een soort van leer...' zei de Hoofddekaan triest.
'Uh... neem me niet kwalijk, Aartskanselier...'
Het was de Administrateur, in de deuropening. Achter hem stond een grote vent met een rood gezicht, dat boven zijn schouder uitstak.
'Ja, wat nu weer, Administrateur?'
'Uh, deze meneer hier heeft een –'
'Het gaat over die aap van je,' zei de man.
Ridiekel klaarde zichtbaar op.
'Ja, zeg het maar?'
'Naar het schijnt, uh, heeft hij wat wielen gesto– *verwijderd* van het rijtuig van deze meneer,' zei de Administrateur, die aan de neerslachtige kant van zijn gemoedscyclus verkeerde.
'Je weet zeker dat het de Bibliothecaris was?' vroeg de Aartskanselier.
'Dik, met rood haar, zegt aldoor "oek"?'
'Dat is hem. O, jee. Waarom zou hij dat nu gedaan hebben?' zei Ridiekel. 'Nou ja, je weet hoe dat ligt... met gorilla's van tweehonderd kilo is het kwaad kerseneten.'
'Maar met een aap van tweehonderd kilo is het verdomme mooi wielen teruggeven,' zei de man onbewogen. 'Als ik mijn wielen niet terugkrijg komt er heibel van.'
'Heibel?' vroeg Ridiekel.
'Jawel. En denk maar niet dat je mij bang krijgt. Van tovenaars ben ik niet bang. Iedereen weet dat er een regel is dat je tegen burgers geen toverij mag gebruiken.' De man stak zijn gezicht tot vlakbij dat van Ridiekel en hief een vuist.
Ridiekel knipte met zijn vingers. Een luchtvlaag vulde een plotse holte en er klonk gekwaak.
'Ik heb dat altijd meer als een richtlijn gezien,' zei hij kalmpjes. 'Zeg Administrateur, zet die kikker even in het bloemperk en

geef hem tien daalders zodra hij weer de oude wordt. Tien daalders, dat klopt toch wel ongeveer?'
'Kwaak,' zei de kikker vlug.
'Mooi. En *nu* wil ik wel eens van iemand horen wat er aan de hand is.'
Van beneden klonken gooi- en smijtgeluiden.
'Hoe komt het toch dat ik denk', zei Ridiekel tegen wie het maar wilde horen, 'dat dit niet het antwoord zal zijn?'
De bedienden hadden zich beziggehouden met het tafeldekken. Dat duurde doorgaans wel even. Omdat tovenaars hun maaltijden ernstig opvatten en er een flinke smeerboel van maakten, ondergingen de tafels een voortdurende toestand van dekken, schoonmaken en aanzitten. Alleen al het uitleggen van het bestek vergde veel tijd. Elke tovenaar vereiste negen messen, dertien vorken, twaalf lepels en een stamper, nog afgezien van al de wijnglazen.
Tovenaars verschenen vaak ruim voor tijd op het volgende maal. Ja, ze waren dikwijls tijdig genoeg voor een tweede portie van het vorige.
Op dit ogenblik zat er zo'n tovenaar.
'Is dat niet Recentelijke Runen?' vroeg Ridiekel.
In elke hand had hij een mes. Ook had hij de zout-, peper- en mosterdpotten voor zich staan. Plus het cakemandje. En een paar deksels van schalen. En allemaal bewerkte hij die krachtig met zijn messen.
'Waarom doet hij dat nou?' zei Ridiekel. 'En Hoofddekaan, hou jij nu even op met dat getik van je voeten?'
'Het is zo aanstekelijk,' zei de Hoofddekaan.
'Het is *besmettelijk*,' zei Ridiekel.
De Lector Recentelijke Runen had rimpels van concentratie. Vorken vlogen rinkelend over het tafelblad. Een lepel kreeg een schampschot, tolde door de lucht en raakte de Administrateur tegen zijn oor.
'Waar denkt hij verdomme dat hij mee bezig is?'
'Hé, dat deed zeer!'
De tovenaars dromden bijeen om de Lector Recentelijke Runen. Hij had er totaal geen aandacht voor. Het zweet droop uit zijn baard.
'Nu heeft hij de juskom gebroken,' zei Ridiekel.
'Dat blijft *uren* zeer doen.'
'Ha, ja, hij is zo sterk als mosterd,' zei de Hoofddekaan.
'Dat zou ik met een korreltje zout nemen,' zei de Bovenstalmeester.
Ridiekel richtte zich op. Hij stak een hand omhoog.
'En dan wil er nu vanzelf iemand iets gaan zeggen als "Hij heeft

wel een peper in zijn reet",' zei hij. 'Of "Er is geen kruid tegen gewassen" en anders zitten jullie wel allemaal naar iets leuks te zoeken met azijn erin. Laat me alleen wel even weten wat het verschil is tussen dit stel hoogleraren en een zooitje kippenbreinige halvegaren.'
'Hahaha,' zei de Administrateur zenuwachtig, terwijl hij nog steeds over zijn oor wreef.
'Dat was *geen* retorische vraag.' Ridiekel griste de messen uit handen van de Lector. De vent ging nog even door met in de lucht slaan en leek toen opeens wakker te worden.
'O, hallo, Aartskanselier. Moeilijkheden?'
'Wat deed je daar?'
De Lector keek voor zich op tafel.
'Hij zat syncopen te slaan,' zei de Hoofddekaan.
'Deed ik helemaal niet!'
Ridiekel rimpelde zijn voorhoofd. Hij was een dikhuidig, onbuigzaam mens met de tact van een moker en gevoel voor humor van hetzelfde, maar dom was hij niet. En hij wist dat tovenaars net weerhanen waren, of van die kanaries die mijnwerkers meenamen om gasbellen op te sporen. Vanwege hun aard waren ze afgestemd op een occulte golflengte. Zodra ergens iets *vreemds* voorviel, overkwam dit vooral tovenaars. Zij draaiden zogezegd hun neus naar die wind. Of vielen ervoor van hun stokje.
'Hoe komt iedereen opeens zo muzikaal?' zei hij. 'In de brede zin van dat woord, vanzelf.' Hij liet zijn oog over het verzamelde tovenaarsdom gaan. En toen naar de grond.
'Maar dat zijn allemaal weddesluipers met bordeelkrepzolen!'
De tovenaars keken licht verrast naar hun voeten.
'Nee maar, ik dacht al dat ik wat langer was,' zei de Bovenstalmeester. 'Ik schreef het nog wel toe aan mijn selderiestelendieet.'*

'Fatsoenlijk schoeisel voor tovenaars zijn hetzij puntschoenen, hetzij degelijke wandelschoenen,' zei Ridiekel. 'Als iemands schoeisel sluipenderwijs krepeert, is dat niet in de haak.'
'Dat is crêpe,' zei de Hoofddekaan. 'Er zitten allemaal van die pukkelige –'
Ridiekel zuchtte en blies. '*Als je schoenen zomaar vanzelf veranderen* –' gromde hij.

*De Bovenstalmeester had een theorie dat je van *lange* spijzen – sperziebonen, selderie, rabarber – zelf langer werd, vanwege het vermaarde Leerstuk der Tekenen. Het staat buiten kijf dat hij er lichter van werd.

'Mag je voetstoots aannemen dat het toverij is waar de schoen wringt?'
'Haha, da's een goeie, Bovenstalmeester,' zei de Hoofddekaan.
'Ik wil weten wat er loos is', zei Ridiekel afgemeten, 'en als jullie niet allemaal je kop houden komt er narigheid.'
Hij tastte in de zakken van zijn toverjas en haalde na een paar mislukte pogingen een vestzakthaumometer te voorschijn. Hij hield hem omhoog. Nu heerste er altijd veel achtergrondtoverkracht op de Universiteit, maar het naaldje stond op 'Normaal'. Gemiddeld, tenminste. Het tikte om die stand heen en weer als een metronoom.
Ridiekel keerde hem zo dat iedereen het kon zien.
'Wat is dat?' zei hij.
'Vierkwartsmaat?' opperde de Hoofddekaan.
'Muziek is geen toverij,' zei Ridiekel. 'Doe niet zo achterlijk. Muziek is gewoon getokkel en getrommel en –'
Hij zweeg.
'Is er iemand met iets dat hij me hoort te vertellen?'
De tovenaars schuifelden met hun blauw-suède voeten.
'Nou', zei de Bovenstalmeester, 'het is *wel* zo dat ik, uh, sommigen van ons gisteravond toevallig langs de Gelijmde Trom –'
'Bonafide Reizigers,' zei de Lector Recentelijke Runen. 'Het is geoorloofd dat Bonafide Reizigers op Ieder Willekeurig Uur van Dag of Nacht een Drankje nuttigen in een Gelegenheid met Vergunning. Stadsverordening, weet je wel.'
'Waar ging jullie reis dan heen?' vroeg Ridiekel streng.
'De Druiventros.'
'Maar die is er vlak naast.'
'Jawel, maar we waren... moe.'
'Goed, goed,' zei Ridiekel op de toon van iemand die weet dat als hij nog meer aan het draadje trekt de hele trui zal uithalen. 'Was de Bibliothecaris soms bij jullie?'
'Jazeker.'
'Ga door.'
'Nou, er was van die muziek –'
'Van dat galmende getokkel,' zei de Bovenstalmeester.
'Met het basritme nèt voor de melodie uit,' zei de Hoofddekaan.
'Die was...'
'...zeg maar...'
'...die was zo'n beetje...'
'...meeslepend, je gaat je helemaal prikkerig voelen,' zei de Hoofddekaan. 'Tussen haakjes trouwens, heeft iemand soms nog zwarte verf? Ik heb overal gezocht.'
'Meeslepend,' mompelde Ridiekel. 'O jeetje. Weer *zo*eentje dus.

Er lekt weer rommel ons heelal binnen, hè? Invloeden van Buiten, hè? Weet je nog wat er gebeurde toen meneer Hang zijn afhaalviscafé opende op de plek van de ouwe tempel in de Dagonstraat? En daarna hadden we die rollende prenten. *Daar* was ik van het begin af aan tegen. En die ijzerdraaddingetjes op wieltjes. Er zitten meer gaten in dit heelal dan in een Quormer kaas. Nou, ten –'

'Lankhrse kaas,' zei de Bovenstalmeester gedienstig. 'Die heeft van die gaten. Quormer is die kaas met pitjes.'

Ridiekel keek hem kil aan.

'En eigenlijk *voelde* het niet aan als toverij,' zei de Hoofddekaan. Hij slaakte een zucht. Hij was tweeënzeventig. Die muziek had hem *wel* even het gevoel gegeven weer zeventien te zijn. Hij herinnerde zich niks van dat zeventien zijn: het was hem zeker overkomen toen hij het erg druk had. Maar de muziek had hem het gevoel gegeven zoals hij zich voorstelde dat het voelde als je zeventien was, een *meeslepend* gevoel namelijk: of je voortdurend werd meegesleurd in een gloeiend visnet. Hij wilde het nog eens horen.

'Ik geloof dat het er vanavond weer is,' waagde hij. 'Kunnen we eventueel even gaan luisteren. Om er meer over aan de weet te komen, voor het geval het een gevaar voor de samenleving is,' besloot hij deugdzaam.

'Precies, Hoofddekaan,' zei de Lector Recentelijke Runen. 'Gewoon onze burgerplicht. Wij zijn de eerste bovennatuurlijke verdedigingslinie van deze stad. Stel dat er griezelige gedrochten uit de lucht komen vallen?'

'Ja, wat dan?' zei de Leerstoel voor Onbepaalde Studiën.

'Nou, dan zijn wij er bij.'

'O ja? En is dat dan gunstig?'

Ridiekel staarde kwaad naar zijn tovenaars. Twee ervan stonden stiekem met hun voeten te tikken. En verscheidenen leken wel heel zachtjes te schokken. De Administrateur schokte natuurlijk altijd al zachtjes, maar zo was hij nu eenmaal.

Net kanaries, dacht hij. Of bliksemafleiders.

'Vooruit dan maar,' zei hij met tegenzin. 'Dan gaan we. Maar we mogen geen aandacht trekken.'

'Nee, natuurlijk niet, Aartskanselier.'

'En iedereen moet zijn eigen verteringen betalen.'

'Ach.'

Korporaal Katoen (zou kunnen) salueerde tegenover de sergeant van het fort, die zich probeerde te scheren.

'Die nieuwe rekruut, Sergeant,' zei hij. 'Hij wil geen bevelen opvolgen.'

De Sergeant knikte, en keek toen verbluft naar iets in zijn hand.
'Scheermes, Sergeant,' zei de korporaal gedienstig. 'Hij zegt aldoor van die dingen als HET IS NOG NIET ZOVER.'
'Heb je het al geprobeerd met hem tot aan zijn nek in het zand begraven? Dat werkt toch meestal wel.'
'Dat is wat... uh... dinges... naar voor mensen... net had ik het nog...' De korporaal knipte met zijn vingers. 'Dinges. Wreed. Dat was het. Tegenwoordig geven we ze... de Kuil... niet meer.'
'We zijn anders wel het...' de sergeant spiekte even op zijn linkerhand, waarop een aantal regeltjes stonden geschreven, 'Vreemdelingenlegioen.'
'Jawel, Sergeant. Precies, Sergeant. Maar hij zit daar maar te zitten. Met dat magere lijf. We noemen hem Beau Nestaak.'
De sergeant tuurde verdwaasd in de spiegel.
'Dat is je gezicht, Sergeant,' zei de korporaal.

Suzan bekeek zichzelf kritisch.
Suzan... eigenlijk niet zo'n goede naam, hè? Niet echt een *slechte* naam, zoals die arme Sulfide uit de vierde klas, of Aarona, zo'n naam die zegt: 'O jee, alweer geen jongetje.' Maar hij was zo *saai*. Suzan. Suus. Die brave Suus. Het was een naam die broodjes klaarmaakte, in lastige tijden zijn hoofd bij elkaar hield en altijd zo goed op andermans kinderen paste.
Het was een naam die geen koningin of godin ooit ergens voerde.
En met de spelling ervan kon je ook al niet veel uithalen. Je kon er Suzy van maken, en dat klonk dan alsof je voor je brood op tafels danste. Je kon er een S in zetten en een paar Nnen en nog een A, maar dan leek het nog steeds een naam met aangebouwde uitbreidingen. Hij was al net zo beroerd als Sara, een naam die schreeuwde om een H-transplantatie.
Nou ja, aan haar uiterlijk kon ze tenminste wel wat doen.
Die mantel, hè. Die was dan wel traditie maar... *zij* was niet zo traditioneel. Alternatieven waren haar schooluniform of een van de *rose* creaties van haar moeder. De hobbezak van het Quorms Jongedamesinternaat was een fiere jurk en, in elk geval naar Juffrouw Bipps' idee, een duurzame afweer tegen vleselijke verlokkingen... maar ontbeerde toch een zekere praal als kostuum voor de Laatste Werkelijkheid. En aan *rose* viel al helemaal niet te denken.
Voor het eerst in de geschiedenis van het heelal was er een Dood die dubde wat ze moest aantrekken.
'Wacht even,' zei ze tegen haar spiegelbeeld. '*Hier*... kan ik toch dingen scheppen?'
Ze stak haar hand uit en dacht: kopje. Er verscheen een kopje.

Langs de rand liep een schedel-met-knekelsmotiefje.
'Ach,' zei Suzan. 'Een roosjesmotief gaat zeker niet? Zal wel niet passen bij de sfeer, neem ik aan.'
Ze zette het kopje op haar kaptafel en tikte ertegen. Het liet een aardig massief *pienk* horen.
'Goed dan', zei ze, 'ik wil in elk geval niks klefs of aanstellerigs. Geen mal zwart kant of wat die idioten dragen die stiekem gedichten schrijven en zich uitdossen als vampiers terwijl ze nota bene vegetariërs zijn.'
Voorstellingen van kleren zweefden door haar verbeelding. Het was duidelijk dat alleen zwart in aanmerking kwam, en ze besloot tot iets praktisch zonder frutsels. Ze hield haar hoofd kritisch schuin.
'Och, misschien toch wat meer kant,' zei ze. 'En... wie weet ook meer van... zo'n lijfje.'
Ze knikte naar haar spiegelbeeld. Het was inderdaad een jurk zoals geen Suzan ooit zou dragen, al vreesde ze dat ze een onuitroeibare Suzannigheid bezat die hem mettertijd zou verzadigen.
'Maar goed dat jij erbij bent', zei ze, 'anders zou ik knettergek worden. Haha.'
Toen ging ze op zoek naar haar op– de Dood.
Er was een plek waar hij wel *moest* zijn.

Govd stapte muisstil de Universiteitsbibliotheek binnen. Dwergen hadden ontzag voor geleerdheid, mits het hun zelf maar niet overkwam.
Hij trok een passerende jonge tovenaar aan zijn mantel.
'Er is toch een aap die hier de chef is?' zei hij. 'Grote, dikke harige aap met handen als klavieren?'
De tovenaar, zo'n stopverfkleurige doctoraalstudent, keek op Govd neer met de geringschatting die zekere lui voor dwergen in petto hebben.
Erg lollig was studeren aan de Gesloten Universiteit bepaald niet. Je moest je pleziertjes zoeken waar je ze maar kon vinden. Hij grijnsde een grote, brede, onschuldige grijns.
'Welzeker,' zei hij. 'Ik geloof dat hij momenteel net in de kelder zit, in zijn werkkamer. Maar let goed op hoe je hem aanspreekt.'
'O ja?' zei Govd.
'Jawel, zeg vooral eerst: "Moet je een pinda, meneer Aapje?",' zei de toverstudent. Hij wenkte een paar collega's. 'Zo is het toch? Hij moet vooral *meneer* Aapje zeggen.'
'Zo is het maar net,' zei een student. 'En als je er helemaal zeker van wilt zijn dat je hem gunstig stemt moet je er ook nog

bij onder je armen krabben. Dat stelt hem op zijn gemak.'
'En van oe-oe-oe doen,' zei een derde student. 'Daar houdt hij van.'
'Nou, bedankt hoor,' zei Govd. 'En hoe ga ik nu verder?'
'We wijzen je wel de weg,' zei de eerste student.
'Wat aardig van jullie.'
'Weinig moeite, hoor. We zijn je graag van dienst.'
De drie tovenaars brachten Govd een trap af en een tunnel in. Hier en daar sijpelde wat licht omlaag door een groene glasplaat in de vloer van de bovengelegen verdieping. Herhaaldelijk hoorde Govd achter zich giechelen.
De Bibliothecaris zat op de grond in de lange, hoge kelder. Voor hem lagen uiteenlopende artikelen uitgestald; er lag een wagenwiel, allerlei brokjes been en hout, en diverse buizen, staven en eindjes ijzerdraad die ergens het idee deden postvatten dat her en der in de stad mensen zich het hoofd braken over kapotte pompen en gaten in hekken. De Bibliothecaris zat op het uiteinde van een stuk buis te kauwen, met een gespannen blik op de rommelhoop.
'Dat is hem,' zei een van de tovenaars met een por in Govds rug.
De dwerg kwam voetje voor voetje naderbij. Achter hem klonk weer een gedempte uitbarsting van gegiechel.
Hij tikte de Bibliothecaris op zijn schouder.
'Pardon –'
'Oek?'
'Die gozers daar noemden je daarnet een aapje,' zei Govd met een duim in de richting van de deur. 'Als ik jou was zou ik dat niet pikken.'
Er klonk een knersend metaalgeluid, direct gevolgd door stampen en stompen in de gang van tovenaars die elkaar op de vlucht onder de voet liepen.
De Bibliothecaris had de buis zonder kennelijke moeite in een U-bocht gebogen.
Govd ging even naar de deur om erachter te kijken. Er lag een punthoed op de plavuizen, platgetrapt en wel.
'Dat was geinig,' zei hij. 'Als ik zomaar gevraagd had waar de Bibliothecaris uithing hadden ze gewoon "lazer op, dwerg" gezegd. Je moet je pappenheimers wel kennen, in dit werk.'
Hij liep terug en ging naast de Bibliothecaris zitten. De mensaap maakte nog een kleiner bochtje in de buis.
'Wat ben je aan het maken?' vroeg Govd.
'Oeoek-oeoek-OEOEK!'
'Mijn neef Modo is hier tuinman,' zei Govd. 'Die zegt dat jij een kanjer bent met klavieren.' Hij staarde naar die handen die

maar doorgingen met het pijpverbuigen. Wat waren ze *groot*. En dan vanzelf nog vier ook. 'En ergens had hij in elk geval al gelijk,' voegde hij eraan toe.
De mensaap raapte een stuk wrakhout op en proefde ervan.
'Wij dachten dat je misschien de pianoforte zou willen spelen, vanavond in de Trom,' zei Govd. 'Dat wil zeggen, ik en Klif en Buddie.'
De Bibliothecaris rolde een bruin oog naar hem toe, maar raapte toen een stuk hout op om te doen of hij er akkoorden op sloeg.
'Oek?'
'Precies,' zei Govd. 'Die jongen met die gitaar.'
'Ieiek.'
De Bibliothecaris maakte een achterwaartse salto.
'Oeoek*oeoek*-oeke-oeke-OEOEKE-OEK!'
'Ik zie dat je al helemaal in de stemming bent,' zei Govd.

Suzan zadelde het paard en steeg op.
Voorbij de tuin van de Dood lagen korenvelden, hun gouden glans de enige kleur in het landschap. De Dood had dan weinig terechtgebracht van het gras (zwart) en de appelbomen (glimmend zwart op zwart), maar alle kleurdiepte die hij elders had weggelaten had hij in de akkers gestopt. Ze wuifden golvend zoals in de wind, alleen was er helemaal geen wind.
Suzan had geen flauw idee waarom hij het had gedaan.
Er was wel een pad. Het liep haast een kilometer door de velden en verdween dan zomaar. Net of iemand nu en dan tot zover was gelopen om dan gewoon wat om zich heen te kijken.
Binkie volgde het pad en stond aan het eind ervan stil. Toen draaide hij zich om, waarbij hij nog geen enkel aartje beroerde.
'Ik weet niet hoe je dat doet', fluisterde Suzan, 'maar je moet het kunnen en je *weet* waar ik heen wil.'
Het was net alsof het paard knikte. Albert had gezegd dat Binkie een echt paard van vlees en bloed was, maar misschien kon je nu eenmaal niet honderden jaren door de Dood worden bereden zonder er iets van op te steken. Hij zag eruit of hij van zichzelf ook al aardig slim was geweest.
Binkie begon te draven en ging toen van korte naar volle galop.
En toen flakkerde de hemel even, een keertje maar.
Suzan had wel iets meer verwacht. Flitsende sterren, een of andere uitbarsting van regenboogkleuren... niet dat ene flakkertje. Het leek een wat al te terloopse manier om haast zeventien jaar af te leggen.
De korenvelden waren weg, maar verder was de tuin vrijwel hetzelfde. Daar had je die vreemd gesnoeide heester en de vijver

met geraamtevisjes. Her en der stonden, duwend aan lollige kruiwagentjes en met zeisjes over de schouder, wat in een stervelingstuin de tuinkabouters zouden zijn maar hier vrolijke geraamtetjes in zwarte manteltjes waren. Het een en ander veranderde doorgaans liever niet.
De stal was wel een beetje anders. Om te beginnen stond Binkie erin.
Hij hinnikte zachtjes toen Suzan hem een lege box naast zichzelf binnenvoerde.
'Jullie kennen elkaar vast wel,' zei ze. Ze had nooit verwacht dat het zou lukken, maar het kon toch eigenlijk niet anders? Tijd was toch iets dat alleen anderen overkwam?
Ze glipte het huis binnen.

NEE. MEN KAN MIJ NIETS VERZOEKEN. MEN KAN MIJ NIET DWINGEN. IK DOE SLECHTS DAT WAARVAN IK WEET DAT HET JUIST IS...
Achter de schappen vol levenslopers sloop Suzan verder. Niemand merkte haar op. Als je de Dood ergens ziet vechten, let je niet op schaduwen op de achtergrond.
Men had haar hier nooit iets van verteld. Dat doen ouders nooit. Je vader mag dan de knecht van de Dood zijn en je moeder de geadopteerde dochter van de Dood, maar dat zijn maar kleine lettertjes als ze Ouders worden. Ouders zijn nooit jong geweest. Toen wachtten ze alleen maar op het Ouders worden.
Suzan bereikte het eind van de schappen.
De Dood stak boven haar vader uit... ze verbeterde zich, boven de jongen uit die ooit haar vader zou *worden.*
Drie rode striemen gloeiden op zijn wang waar de Dood hem geslagen had. Suzan voelde met haar hand aan de bleke strepen op haar eigen gezicht.
Maar zo werkt erfelijkheid toch niet.
Tenminste... de gewone soort...
Haar moeder... het meisje dat ooit haar moeder zou *worden*... stond met haar rug tegen een zuil gedrukt. Ze was er met de jaren zowaar op vooruit gegaan, dacht Suzan. Haar smaak in kleren in elk geval zeker. Ze schudde zich inwendig door elkaar. Modekritiek? *Nu?*
De Dood stond over Hein gebogen, in de ene hand een zwaard en in de andere Heins eigen levensloper.
JE WEET NIET HOEZEER DIT ME SPIJT, zei hij.
'*Ik* misschien wel,' zei Hein.
De Dood keek op, pardoes in Suzans gezicht. Zijn oogkassen flitsten eventjes blauw op. Suzan probeerde zich in de schaduw weg te drukken.
Hij keek weer even naar Hein, toen naar IJzebel en toen weer

naar Suzan, en toen weer naar Hein. En schoot in de lach.
En keerde de levensloper om.
En knipte met zijn vingers.
Hein verdween, met een plofje van in elkaar ploffende lucht. IJzebel en alle anderen verdwenen ook.
Het was opeens doodstil.
De Dood zette heel voorzichtig de zandloper op de tafel en staarde een tijdje naar het plafond. Toen zei hij:
ALBERT?
Albert dook op vanachter een pilaar.
ZOU JE ZO VRIENDELIJK WILLEN ZIJN EEN KOPJE THEE TE ZETTEN?
'Ja, Meester. Hèhèhè, je hebt hem mooi op zijn nummer gezet –'
DANK JE.
Albert sukkelde weg in de richting van de keuken.
Opnieuw heerste er wat in een kamer vol levenslopers het dichtst bij stilte kwam.
KOM NU MAAR TE VOORSCHIJN.
Dat deed Suzan, en ze stelde zich op voor de Laatste Werkelijkheid.
De Dood was meer dan twee meter lang. Hij leek nog langer. Suzan had vage herinneringen aan een gedaante die haar op zijn schouders door de enorme donkere kamers droeg, maar in haar geheugen was het een mensengedaante geweest – knokig, maar menselijk op een manier die ze vast niet zou kunnen definiëren.
Dit is mijn *opa*.
Dat wordt hij, tenminste. Is hij. Was hij.
Maar... dan had je dat geval aan de appelboom. Haar geest zwaaide daar telkens weer heen. Je keek tegen deze gedaante op, en dan dacht je aan de boom. Het was haast onmogelijk om beide beelden in één geest te houden.
NEE MAAR, KIJK EENS AAN. JE HEBT HEEL WAT VAN JE MOEDER, zei de Dood, EN VAN JE VADER.
'Hoe wist je wie ik ben?' zei Suzan.
MIJN GEHEUGEN IS UNIEK.
'Hoe kun je je mij nou herinneren? Ik ben nog niet eens verwekt!'
IK ZEG TOCH, UNIEK. JIJ HEET –
'Suzan, maar...'
SUZAN? zei de Dood bitter. ZE WILDEN ER DUS ALLES AAN DOEN, HÈ?
Hij ging in zijn stoel zitten, maakte een tent van zijn vingerkootjes en keek haar over de nok ervan aan.
Zij keek terug; staren kon zij ook.

ZEG EENS, zei de Dood na een tijdje, WAS IK... WORD IK... *BEN* IK EEN GOEDE GROOTVADER?
Suzan beet peinzend op haar lip.
'Als ik het zeg, krijgen we dan geen paradox?'
WIJ NIET.
'Nou... je hebt wel knokige knieën.'
De Dood staarde haar aan.
KNOKIGE KNIEËN?
'Neem me niet kwalijk.'
JE KWAM HELEMAAL HIERHEEN OM DAT TE ZEGGEN?
'Je bent... waar ik vandaan kom... verdwenen. Ik moet de Plicht waarnemen. Albert is reuzebezorgd. Ik ben gekomen om... het uit te zoeken. Ik wist niet dat mijn vader voor je werkte.'
HIJ WAS ER HEEL SLECHT IN.
'Wat heb je met hem gedaan?'
ZE ZIJN VOORLOPIG VEILIG. IK BEN BLIJ DAT HET VOORBIJ IS. AL DIE MENSEN OM ME HEEN, MIJN OORDEELSVERMOGEN RAAKTE ERDOOR VAN SLAG. AHA, ALBERT...
Daar was Albert weer aan de rand van het kleed, met een theeblad.
HAAL NOG MAAR EEN KOPJE, ALSTJEBLIEFT.
Albert keek rond maar zag Suzan totaal over het hoofd. Als je onzichtbaar kon zijn voor Juffrouw Bipps was iedereen verder een makkie.
'Zoals je wilt, Meester.'
DUS IK, zei de Dood toen Albert weg was, BEN VERDWENEN. EN JIJ GELOOFT DAT JE HET FAMILIEBEDRIJF HEBT GEËRFD. *JIJ*?
'Ik wilde dat niet! Dat paard en die rat doken gewoon op!'
RAT?
'Uh, ik denk dat dat iets is dat nog gebeuren moet.'
O JA, IK WEET HET WEER. HMM. EEN MENS DIE MIJN TAAK DOET? TECHNISCH MAG DAT, NATUURLIJK, MAAR WAAROM?
'Ik denk dat Albert er meer van weet, maar hij ontwijkt het onderwerp.'
Daar was Albert weer, met nog een kop en schotel. Hij kwakte ze nadrukkelijk op het bureau van de Dood, met het air van iemand waarvan teveel werd gevergd.
'En is dat alles, Meester?' zei hij.
DANK JE, ALBERT. JA.
Albert ging weer, langzamer dan anders. Hij bleef maar over zijn schouder kijken.
'Hij verandert niet, hè?' zei Suzan. 'Nou ja, dat heb je vanzelf met dit oord –'
WAT VIND JE VAN KATTEN?

'Pardon?'

KATTEN. HOU JE DAARVAN?

'Och, ze...' Suzan aarzelde, 'zijn niet beroerd. Maar een kat is ook maar een kat.'

CHOCOLA, zei de Dood. HOU JE VAN CHOCOLA?

'Ik vind wel dat je er soms genoeg van kunt krijgen,' zei Suzan.

JE BENT IN ELK GEVAL ANDERS DAN IJZEBEL.

Suzan knikte. Het lievelingsgerecht van haar moeder heette destijds De Grote Chocoladedood.

EN JE GEHEUGEN? HEB JE EEN GOED GEHEUGEN?

'O, ja. Ik... weet nog van alles. Over hoe het is om de Dood te zijn. Over hoe het allemaal hoort te gaan. Hoor eens, je zei daarnet dat je het *weer wist* van die rat, en het is nog niet eens geb–'

De Dood stond op en beende naar zijn Schijfwereldmodel.

MORFISCHE RESONANTIE, zei hij zonder Suzan aan te kijken. VERDOMME. MENSEN HEBBEN DAAR GEEN *FLAUW* BENUL VAN. BOVEN- EN ONDERTONEN VAN DE ZIEL. ER IS ZOVEEL DAT DAARVAN AFHANGT.

Suzan haalde de levensloper van Buddie voor de dag. Blauwe rook stroomde nog steeds door de nauwte.

'Kun je me hiermee helpen?' vroeg ze.

De Dood keerde zich vliegensvlug om.

IK HAD JE MOEDER NOOIT MOETEN ADOPTEREN.

'Waarom deed je het toch?'

De Dood haalde zijn schouderbladen op.

WAT HEB JE DAAR?

Hij pakte Buddie's levensloper aan en hield hem omhoog.

ACH. INTERESSANT.

'Weet je wat het betekent, opa?'

IK BEN HET NIET EERDER TEGENGEKOMEN, MAAR IK NEEM AAN DAT HET MOGELIJK IS. ONDER BEPAALDE OMSTANDIGHEDEN. HET BETEKENT... ZEG MAAR.. DAT HIJ RITME IN ZIJN ZIEL – *OPA*?

'Ach welnee. Dat kan toch niet. Dat is maar beeldspraak. En wat is er mis met opa?'

GROOTVADER KAN IK NOG WEL HEBBEN. OPA? HAAST NET ZO ERG ALS GROVA, VIND IK. IN ELK GEVAL, IK DACHT DAT JIJ IN DE LOGICA GELOOFDE. IETS BEELDSPRAAK NOEMEN HOUDT NOG NIET IN DAT HET ONWAAR IS.

De Dood gebaarde vaag met de zandloper.

EEN VOORBEELD, zei hij. ER ZIJN *VEEL* DINGEN BETER DAN TIEN VOGELS IN DE LUCHT. DAT VAN DIE VOGEL IN DE HAND HEB IK NOOIT BEGREPEN. LAAT HEM LOS EN JE HEBT WEL ELF VO–

De Dood stokte.

DAAR DOE IK HET *ALWEER*! WAT KAN HET MIJ SCHELEN WAT DIE STOMME UITDRUKKING BETEKENT? OF HOE JE MIJ NOEMT? VAN

GEEN BELANG! JE MET MENSEN INLATEN VERTROEBELT HET DENKEN. NEEM DAT MAAR VAN ME AAN. HOU JE ERBUITEN.
'Maar ik ben zelf een mens.'
IK ZEI TOCH NIET DAT HET MAKKELIJK ZOU WORDEN? DENK ER NIET BIJ NA. GA NIET *VOELEN*.
'O, en een mooie die het zegt!' zei Suzan heftig.
IK HEB ME MISSCHIEN DE LAATSTE TIJD ZO NU EN DAN EEN VLEUGJE MEDEGEVOEL VEROORLOOFD, zei de Dood, MAAR IK KAN ERMEE STOPPEN WANNEER IK MAAR WIL.
Hij stak de zandloper weer omhoog.
HET IS EEN BELANGWEKKEND FEIT DAT DIE NAAR ZIJN EIGEN AARD ONSTERFELIJKE MUZIEK SOMS HET LEVEN WEET TE VERLENGEN VAN WIE ER INTIEM BIJ BETROKKEN IS, zei hij. IK HEB GEMERKT DAT VOORAL BEROEMDE COMPONISTEN HET BIJZONDER LANG UITHOUDEN. ZO DOOF ALS EEN KWARTEL, DE MEESTEN, ALS IK ZE KOM OPHALEN. IK NEEM AAN DAT EEN OF ANDERE GOD DAT ERGENS HEEL GRAPPIG VINDT. De Dood wist hier verachtelijk bij te kijken. ECHT HUN SOORT GRAP.*

Hij zette de zandloper neer en sloeg het glas aan met een vingerkootje.
Het ging van *waaaauauaummmmiiii-tsjidde-tsjidde-tsjidde.*
HIJ HEEFT GEEN LEVEN. HIJ HEEFT MUZIEK.
'Heeft de muziek hem in bezit genomen?'
ZO ZOU JE HET KUNNEN ZEGGEN.
'Zodat zijn leven wordt verlengd?'
LEVEN KAN WORDEN UITGEBREID. BIJ MENSEN KOMT DAT NU EN DAN VOOR. NIET VAAK. DOORGAANS TRAGISCH, OP EEN THEATRAAL SOORT MANIER. MAAR DIT IS NIET ZOMAAR EEN MENS. DIT IS MUZIEK.
'Hij speelde iets, op een soort gitaarachtig snaarinstrument –'
De Dood draaide zich om.
IS HET HEUS? KIJK EENS AAN...
'Is dat dan van belang?'
HET IS... BELANGWEKKEND.
'Is het iets dat ik hoor te weten?'
HET IS NIETS BELANGRIJKS. EEN BROKJE MYTHOLOGISCH PUIN. DE KWESTIE ZAL ZICHZELF WEL OPLOSSEN, DAAR KUN JE VAN OPAAN.
'Hoe bedoel je, zichzelf oplossen?'
HIJ ZAL WAARSCHIJNLIJK OVER EEN PAAR DAGEN DOOD ZIJN.
Suzan staarde naar de levensloper.

*En eentje die de mist in gaat, vanzelf. Doofheid weerhoudt componisten er niet van om muziek te horen. Wel van het horen van het gekuch.

'Maar dat is vreselijk!'
HEB JE DAN SOMS VERKERING OF ZO MET DAT JONGMENS?
'Wat? Welnee! Ik heb hem nog maar één keer gezien!'
NOOIT ZIJN BLIK GEKRUIST AAN DE OVERKANT VAN EEN DRUK VERTREK OF ZOIETS?
'Nee! natuurlijk niet.'
WAT KAN HET JOU DAN SCHELEN?
'Omdat hij me aan – omdat hij een mens is, daarom,' zei Suzan tot haar eigen verrassing. 'Ik zie niet in waarom er zo met mensen moet worden gehannest,' vulde ze onbeholpen aan. 'Dat is alles. Ach, ik weet ook niet.'
Hij boog zich nog eens voorover tot zijn gezicht op gelijke hoogte was met dat van haar.
MAAR DE MEESTE MENSEN ZIJN NOGAL DOM EN VERSPILLEN HUN LEVEN. HEB JE DAT NIET GEZIEN? HEB JE NIET VAN JE PAARD NAAR EEN STAD IN DE DIEPTE GEKEKEN EN GEDACHT HOE DIE LIJKT OP EEN MIERENHOOP, VOL BLINDE WEZENTJES DIE DENKEN DAT HUN ALLEDAAGSE WERELDJE ECHT IS? JE ZIET DIE VERLICHTE RAMEN EN JE WILT DUS GELOVEN DAT ER ZICH HEEL WAT INTERESSANTE VERHALEN ACHTER AFSPELEN, MAAR JE *WEET* DAT DAAR ALLEEN MAAR SAAIE, SAAIE ZIELEN ZITTEN, LOUTER VOEDSELVERTEERDERS DIE HUN INSTINCTEN VOOR EMOTIES HOUDEN EN HUN NIETIGE LEVENTJES VOOR MEER WAARD DAN EEN ZUCHTJE WIND.
De blauwe gloed was bodemloos. Het was net of die gloed haar eigen gedachten uit haar geest wegzoog.
'Nee', fluisterde Suzan, 'nee, zo heb ik er nooit over gedacht.'
De Dood stond opeens op en keerde zich van haar af. JE ZULT NOG WEL MERKEN DAT HET HELPT, zei hij.
'Maar het is allemaal maar *wanorde*,' zei Suzan. 'Zoals mensen sterven, dat heeft toch geen zin? Er is geen gerechtigheid!'
POE.
'*Jij* grijpt ook in,' hield ze vol. 'Daarnet redde je nog mijn vader.'
DAT WAS DWAAS VAN ME. MET HET LOT VAN EEN INDIVIDU VERANDER JE DE HELE WERELD. IK HERINNER ME DAT. JIJ HOORT DAT OOK TE DOEN.
De Dood stond nog steeds met zijn rug naar haar toe.
'Ik zie niet in waarom wij de wereld niet mogen veranderen als hij daar beter door wordt,' zei Suzan.
POE.
'Ben je dan te *bang* om de wereld te veranderen?'
De Dood draaide zich om. Suzan deinsde achteruit, louter door zijn uitdrukking.
Hij kwam langzaam op haar af. Toen hij sprak, siste zijn stem.
DAT ZEG JIJ TEGEN MIJ? JIJ STAAT DAAR IN JE MOOIE JURKJE EN ZEGT

DAT TEGEN MIJ? JIJ? JIJ BAZELT MAAR RAAK OVER DE WERELD VERANDEREN? ZOU JE OOK DE MOED KUNNEN OPBRENGEN OM HEM TE AANVAARDEN? TE WETEN WAT ER *GEDAAN MOET WORDEN* EN DAT DUS DOEN, KOSTE WAT HET KOST? IS ER WAAR DAN OOK TER WERELD EEN ENKEL MENS DIE WEET WAT *PLICHT* BETEKENT?
Zijn handen gingen krampachtig open en dicht.
IK ZEI DAT JE JE MOEST HERINNEREN... VOOR ONS IS DE TIJD GEWOON MAAR EEN PLEK. GEWOON VOOR ONS UITGESPREID. ER IS WAT ER IS, EN WAT ER ZAL ZIJN. ALS JE DAT VERANDERT DRAAG JIJ DE VERANTWOORDELIJKHEID VOOR DIE VERANDERING. EN DIE IS TE ZWAAR OM TE DRAGEN.
'Dat is maar een smoesje!'
Suzan staarde naar de lange gestalte. En ze draaide zich om en stampte de kamer uit.
SUZAN?
Halverwege de vloer bleef ze staan, zonder zich om te draaien.
'Ja?'
ECHT... KNOKIGE KNIEËN?
'Ja!'

Het was vast de allereerste pianohoes ooit, en dan ook nog gemaakt van een kleed. Klif zwaaide alles met gemak over zijn schouder en tilde met de andere hand zijn keienzak op.
'Is hij zwaar?' vroeg Buddie.
Klif woog de piano even peinzend op één hand.
'Een beetje,' zei hij. De vloerdelen onder hem kraakten. 'Hadden we al die stukkies er wel uit moeten halen?'
'Hij werkt echt wel,' zei Govd. 'Net als bij... een rijtuig. Hoe meer stukjes je eraf haalt, hoe harder hij gaat. Vooruit, kom.'
Ze gingen op pad. Buddie probeerde zo weinig mogelijk op te vallen voor iemand die in gezelschap is van een dwerg met een grote hoorn, een mensaap, en een trol met een zak vol piano.
'Zo'n rijtuig zou'k wel willen,' zei Klif onderweg naar de Trom. 'Groot zwart rijtuig, met van die halderieke toestanden.'
'Halderiek?' zei Buddie. Zijn Llawelosuitspraak met die dikke L was al een tijd verdwenen.
'Schilden en zo.'
'O. Heraldiek.'
'En zo.'
'Wat zou jij kopen als je een stapel goud had, Govd?' vroeg Buddie. In zijn hoes zong de gitaar zachtjes mee met zijn stem.
Govd aarzelde. Hij wilde zeggen dat bij een dwerg die een stapel goud had alles juist draaide om, nou ja, het hebben van die stapel goud. Dat hoefde verder niks anders te doen dan zo verguld te zijn als goud maar wezen kon.

'Geen idee,' zei hij. 'Nooit gedacht dat ik een stapel goud zou hebben. En jij dan?'
'Ik heb gezworen dat ik de beroemdste musicus van de wereld zou worden.'
'Zulk zweren, da's nogal riskant,' zei Klif.
'Oeoek.'
'Maar elke muzikant wil dat toch?' zei Buddy.
'Naar mijn ervaring', zei Govd, 'is wat elke kunstenaar wil, *echt* wil, gewoon dat hij betaald wordt.'
'En beroemd,' zei Buddie.
'Beroemd is maar zozo,' zei Govd. 'Tegelijk beroemd en levend zijn valt niet mee. Ik wil gewoon elke dag muziek maken en dan iemand horen zeggen: "Bedankt, prachtig hoor, hier is wat geld, morgen weer, afgesproken?"'
'En verder niks?'
'Het is anders heel wat. Ik hoor mensen graag zeggen: "We hebben een goeie hoornblazer nodig, haal even Govd Govdsen!"'
'Klinkt nogal saai,' zei Buddie.
'Ik mag saai wel. Gaat lang mee.'
Ze kwamen bij de zijdeur van de Trom en betraden een schemerig vertrek dat rook naar ratten en tweedehands bier. Uit de verte klonk het geroezemoes van stemmen in de bar.
'Klinkt of er heel wat mensen zijn,' zei Govd.
Hibiscus kwam drukdoenerig binnen. 'Alles klaar, jongens?' zei hij.
'Wacht effies,' zei Klif. 'We hebben het nog niet over ons geld gehad.'
'Ik heb zes daalders gezegd,' zei Hibiscus. 'Wat had je dan gedacht? Jullie zijn niet van het Gilde, en het gildetarief is acht daalders.'
'Nee, acht daalders zouden wij nooit vragen,' zei Govd.
'Precies!'
'We doen het wel voor zestien.'
'Zestien? Dat kun je niet maken! Dat is haast dubbel het gildetarief!'
'Maar er is wel een hoop volk komen opdagen,' zei Govd. 'Je kunt vandaag vast een hele hoop bier verhuren. Naar huis willen we ook wel.'
'Laten we erover praten,' zei Hibiscus. Hij sloeg een arm om Govds hoofd en troonde hem mee naar een hoek van de kamer.
Buddie zag hoe de Bibliothecaris de piano inspecteerde. Hij had nog nooit een musicus zien beginnen door eerst te proberen zijn instrument op te eten. Toen deed de mensaap de klep omhoog om het klavier eens te bekijken. Hij probeerde een paar van de toetsen, kennelijk om ze te proeven.

Govd kwam handenwrijvend weer aangelopen.
'*Dat* kan hij in zijn zak steken,' zei hij. 'Ha!'
'Voor hoeveel?' vroeg Klif.
'Wel zes!' zei Govd.
Er heerste enige stilte.
'Ja sorry', zei Buddie, 'we zaten op de "-tien" te wachten.'
'Ik moest wel even op mijn poot spelen,' zei Govd. 'Hij zakte zelfs even tot twee daalders.'

Er zijn godsdiensten die zeggen dat het heelal aan de gang is gezet met een woord, een liedje, een dans, of een stukje muziek. De Luistermonniken van de Ramtoppen hebben hun gehoor zo verfijnd dat ze de waarde van een speelkaart kunnen bepalen door ernaar te luisteren, en hebben het zich tot taak gesteld om door nauwgezet luisteren naar de kleinste geluidjes van het heelal, uit de fossiele nagalm de allereerste geluiden te reconstrueren.
En wel hoor, zeggen ze, aan het begin van alles klonk inderdaad een allervreemdst geluid.
Maar de scherpste oren (die dus het meest winnen bij pokeren), die naar de bevroren echo's in ammonieten en amber luisteren, bezweren ons dat ze zelfs nietige geruchtjes van daar nog vóór kunnen bespeuren.
Het klonk, zeggen ze, alsof er iemand telde van Een, Twee, Drie, Vier.
En de allerbeste, die naar basalt luisterde, zei dat hij daarin heel vaag getallen kon horen die daar nog aan vooraf gingen.
En toen ze hem vroegen welke dat waren zei hij: 'Het klinkt als Een, Twee.'
Niemand vroeg ooit wat er naderhand met zo'n eventueel geluid dat het heelal tot leven bracht was gebeurd. Het is mythologie. Dan stel je zulke vragen niet.
Aan de andere kant geloofde Ridiekel weer dat alles bij toeval ontstaan was, of neem nou de Hoofddekaan, die geloofde dat het om de kift was.
Gevorderde tovenaars nuttigden doorgaans geen drank in de Trom, of het moest buiten diensturen zijn. Ze beseften dat ze hier vanavond aanwezig waren in een soort slecht te omschrijven officiële rol en zaten nogal stijfjes achter hun glazen.
Om hen heen lag een kring van lege zetels, maar erg groot was die niet want de Trom was zowaar afgeladen, vanavond.
'Wat een ambiance hier,' zei Ridiekel met een blik in het rond. 'Ach, ik zie dat ze weer Echt Witbier tappen. Doe mij dan maar een bel Malle Wijvekens, alsjeblieft.'
De tovenaars zagen hoe hij zijn glas leegdronk. Ankh-Meur-

borks bier heeft een geheel eigen smaak; dat zit hem in het water. Sommigen zeggen dat het net ossenstaartsoep is, maar dat klopt niet. Die is koeler.
Ridiekel smakte van welbehagen.
'Ha, in Ankh-Meurbork weten we tenminste waarmee je goed bier moet maken,' zei hij.
De tovenaars knikten. Dat wisten ze inderdaad. Daarom dronken ze dan ook gin en tonic.
Ridiekel keek eens rond. Gewoonlijk was er rond deze tijd wel ergens een handgemeen aan de gang, of ten minste een kalm steekpartijtje. Maar nu heerste er alleen wat geroezemoes en iedereen lette op het toneeltje aan de overkant, waar vooral helemaal niks gebeurde. In theorie hing er een gordijn voor; dat was maar een oud laken, en van daarachter klonk een reeks bonzen en dreunen.
De tovenaars zaten er tamelijk dichtbij. Tovenaars zitten nogal eens op de betere plaatsen. Ridiekel meende wat gefluister op te vangen, en schaduwen die over het laken bewogen.
'Hij vroeg hoe noemen we ons?'
'Klif, Buddie, Govd en de Bibliothecaris. Wistie toch al?'
'Nee, we moeten een naam voor ons allemaal samen.'
'Bennen ze dan op de bon?'
'Nou, zeg zoiets als de Vrolijke Minstreels.'
'Oeoek!'
'Govd en zijn Govdetten?'
'O ja? En Klif en zijn Kliffetten dan?'
'Oeoek oek Oeoek-oek?'
'Nee, we moeten een ander soort naam. Meer als de muziek.'
'Wat dacht je van *Goud*? Prima dwergennaam.'
'Nee. Anders.'
'*Zilver* dan.'
'Oek!'
'Ik geloof niet dat we ons naar een of ander zwaar metaal moeten noemen, Govd.'
'Waarom zo bijzonder doen? We zijn gewoon lui in een muziekbandje.'
'Namen zijn belangrijk.'
'Die gitaar is bijzonder. Wat vind je van "De Band met Buddie's Gitaar"?'
'Oeoek.'
'Iets korters.'
'Uh...'
Het heelal hield zijn adem in.
'De Bonkband dan?'
'*Die* bevalt me wel. Kort en een beetje vies, net als ik.'

‘Oeoek.’
‘Dan moeten we ook een naam hebben voor de muziek.’
‘Die komt vast nog wel bij ons op.’
Ridiekel verplaatste zijn aandacht naar het publiek.
Aan de andere kant van de gelagkamer stond Snij’k-In-Eigen-Vlees Snikkel, Ankh-Meurborks meest met vlag en wimpel gezakte zakenman. Hij probeerde net iemand een zogenaamd worstebroodje te slijten, een teken van het onlangs instorten van een geheid winstgevend akkefietje. Snikkel verkocht zijn warme worstjes uitsluitend als laatste redmiddel.*

Hij wuifde gratis naar Ridiekel.
De volgende tafel werd bezet door Slijm Deegvis, een van de ledenwervers van het Muzikantengilde, met enkele medewerkers die niet meer kennis van muziek hadden dan hoeveel slagwerk de menselijke schedel verdroeg. Zijn vastbesloten uitdrukking wekte de indruk dat hij hier niet voor zijn gezondheid was, al kon je uit de vuile tronies van de Gilde-agenten opmaken dat hij hier wel was voor andermans gezondheid, namelijk om die op te heffen.
Ridiekel klaarde wat op. De avond zou misschien toch nog interessanter worden dan hij had gedacht.
Er stond nog een tafeltje vlakbij het podium. Het was hem bijna ontgaan, maar toen gleed zijn blik er uit zichzelf naar toe.
Er zat een jonge vrouw aan, helemaal in haar eentje. Uiteraard was het niet ongewoon om in de Trom jonge vrouwen aan te treffen. Zelfs jonge vrouwen zonder begeleiding. Die waren daar doorgaans om begeleiding op te doen.
Het rare was dat er ondanks de overal volgepropte banken om haar heen zoveel lege ruimte was. Op een magere manier was ze best aantrekkelijk, vond Ridiekel. Er was toch zo’n kwajongenswoord voor? Dobberroes of zo. Ze droeg een zwart kanten jurk zoals gezonde jongedames aanhebben om er ziekelijk uit te zien, en op haar schouder zat een raaf.
Ze draaide haar hoofd om, zag dat Ridiekel haar begluurde, en verdween.
Min of meer.
Hij was immers tovenaar. Zijn ogen begonnen ervan te tranen zoals zij in en uit beeld flikkerde.

*Niet vanwege de smaak. Vieze worstjes zijn doodnormaal. Maar Snikkel was er inmiddels in geslaagd worstjes af te leveren die nergens van smaakten. Het was gewoon eng. Geeft niet hoeveel mosterd, ketchup of pikkels je erop deed, ze smaakten nog steeds naar *niets*. Zelfs de winterworstjes die ze in Helsinki aan zatlappen verkopen lukt dat niet.

Aha. Nou ja, hij had al gehoord dat de Tandenfeemeisjes momenteel weer in de stad waren. Dit was er eentje van die nachtluitjes. Die zouden net als iedereen ook wel eens een dagje vrij hebben.
Een beweging op het tafelblad trok zijn aandacht. De Dood der Ratten trippelde voorbij met een kommetje pinda's.
Hij keerde zich weer naar de tovenaars. De Hoofddekaan had zijn punthoed nog op. Ook had zijn gezicht iets glimmends.
'Je lijkt het warm te hebben, Hoofddekaan,' zei Ridiekel.
'Och, ik ben lekker koel hoor, Aartskanselier, echt,' zei de Hoofddekaan. Er gleed iets druppeligs langs zijn neus.
De Lector Recentelijke Runen snoof wantrouwig.
'Staat er soms iemand spek te bakken?' zei hij.
'Zet nou maar af, Hoofddekaan,' zei Ridiekel. 'Knap je reuze van op.'
'Ruikt *mij* hier meer naar mevrouw De Koffers Huis van Onderhandelbare Genegenheid,' zei de Bovenstalmeester.
Men keek hem verbaasd aan.
'Ik liep daar eens een keertje langs,' zei hij gauw.
'Hé, Runen, zet alsjeblieft even die hoed van de Hoofddekaan af, wil je?' zei Ridiekel.
'Maar echt, ik –'
De hoed ging af. Iets langs en vettigs van haast dezelfde puntige vorm flapte naar voren.
'Zeg Hoofddekaan', zei Ridiekel ten slotte, 'wat heb je nou met je haar gedaan? Lijkt wel een kuif van voren en een kippenkontje, excuzeelemo, van achteren. En het glimt zo.'
'Reuzel. Vandaar die speklucht,' zei de Lector.
'Dat klopt', zei Ridiekel, 'maar vanwaar dan die bloemengeur?'
'*mummelmummelmummelavendelmummel*,' zei de Hoofddekaan gemelijk.
'Pardon, Hoofddekaan?'
'Ik zei dat is omdat ik er lavendelolie heb bijgedaan,' zei de Hoofddekaan hardop. 'En sommigen van ons vinden dit best een flitsende haardracht, als je dat maar weet. Het probleem met jou is, Aartskanselier, dat je niks begrijpt van mensen van onze leeftijd!'
'Hè... bedoel je die van zeven maanden ouder dan ik?' vroeg Ridiekel.
Ditmaal aarzelde de Hoofddekaan even.
'Wat zei ik eigenlijk?' zei hij.
'Heb je gedroogde-kikkerpillen geslikt, beste kerel?' zei Ridiekel.
'Natuurlijk niet, die zijn voor geestelijk gestoorden!' zei de Hoofddekaan.

'Aha. Daar zit dus de narigheid.'
Het doek ging op, of liever, werd schokkenderwijs opzijgetrokken.
De Bonkband knipperde met zijn ogen in het fakkellicht.
Niemand klapte. Maar aan de andere kant gooide ook niemand iets. Naar Tromnormen was dit een hartelijke ontvangst.
Ridiekel zag een krulharig jongmens staan dat zich vastklemde aan een ondervoede gitaar, of mogelijk een bij een vechtpartij gebruikte banjo. Ernaast stond een dwerg met een strijdhoorn. Achterin zat een trol met in elke knuist een hamer achter een stapel keien. En aan de kant stond de Bibliothecaris voor... Ridiekel boog zich nader... het kennelijke geraamte van een piano, ondersteund door een paar biervaatjes.
De jongen leek verlamd onder al de aandacht.
Hij zei: 'Hallo... uh... Ankh-Meurbork...'
En nadat dit uitgebreide gesprek hem kennelijk had uitgeput begon hij te spelen.
Het was zo'n eenvoudig ritmetje, dat je makkelijk over het hoofd had gezien als je het op straat was tegengekomen. Het werd gevolgd door een reeks knallende akkoorden en toen, besefte Ridiekel, werd het juist *niet* gevolgd door de akkoorden want het ritme bleef gewoon doorgaan. Maar dat was onmogelijk. Geen enkele gitaar kon zo worden bespeeld.
De dwerg blies een reeks tonen op zijn hoorn. De trol bonkte in tegenmaat. De Bibliothecaris liet zijn beide handen neerkomen op het klavier, blijkbaar in het wilde weg.
Ridiekel had nog nooit zo'n herrie gehoord.
En toen... en toen... was het geen herrie meer.
Het was net als die onzin over wit licht waar die jonge tovenaars uit het Hoge-EnergieToverkrachtgebouw het steeds over hadden. Ze zeiden dat alle kleuren samen wit maakten, wat volgens Ridiekel baarlijke nonsens was, want iedereen wist dat als je alle kleuren die je te pakken kon krijgen door elkaar mengde, je een soort groenig bruine smurrie kreeg die totaal niet op wit leek. Maar nu kreeg hij een vaag idee van wat ze bedoelden.
Al dit lawaai, deze muzieksmurrie, paste opeens in elkaar en dan zat er een nieuw soort muziek in.
De kippenkontkuif van de Hoofddekaan klapwiekte.
De hele menigte was in beweging.
Ridiekel merkte dat zijn voet meetikte. Hij stampte erop met zijn andere.
En hij zag hoe de trol de bonk erin zette en zijn keien beukte tot de muren ervan bibberden. De vingers van de Bibliothecaris vlogen langs het klavier. Toen deden zijn tenen hetzelfde. En al

die tijd bleef de gitaar janken en krijsen en luidkeels de melodie zingen.
De tovenaars zaten te wippen op hun stoelen en lieten hun vingers door de lucht wapperen.
Ridiekel bukte zich naar de Administrateur en schreeuwde hem iets toe.
'Watte?' schreeuwde de Administrateur terug.
'Ik zei: ze zijn allemaal gek geworden, behalve jij en ik!'
'Watte?'
'Van die muziek!'
'Ja! Geweldig, hè!' zei de Administrateur met zijn magere handjes door de lucht zwaaiend.
'En van jou ben ik ook niet zo zeker!'
Ridiekel ging weer zitten en trok zijn thaumometer. Die trilde als een dolleman, waar je ook niks aan had. Het leek of het ding er niet uitkwam of dit nu toverkracht was of niet.
Hij gaf de Administrateur een ferme por.
'Dit is geen toverij! Dit is heel wat anders!'
'Nou en of!'
Ridiekel kreeg het gevoel dat hij opeens de verkeerde taal sprak.
'Ik bedoel dat het te gek is!'
'Precies!'
Ridiekel slaakte een zucht.
'Is het weer tijd voor je gedroogde-kikkerpil?'
Er kwam rook uit de geteisterde piano. De handen van de Bibliothecaris raasden over de toetsen als Casanonda door een nonnenklooster.
Ridiekel keek om zich heen. Hij voelde zich totaal alleen.
Er was nog iemand niet overweldigd door de muziek. Slijm Deegvis was opgestaan. Met zijn twee medewerkers.
Ze hadden een paar knoestige knuppels getrokken. Ridiekel kende de gildewetten. Die moesten vanzelf worden afgedwongen. Zonder die hield je een stad niet draaiende. Dit was bepaald geen geoorloofde muziek – als er al ooit ongeoorloofde muziek was, dan zeker deze. Evengoed... hij rolde zijn mouw op en bereidde een vlug vuurbolletje voor, je wist maar nooit.
Een van de kerels liet zijn knuppel vallen en greep naar zijn voet. De ander draaide zich razendsnel om alsof hij een draai om zijn oren had gekregen. Slijms hoed liep een deuk op, alsof iemand hem zomaar op zijn kop sloeg.
Ten koste van een vreselijk tranend oog dacht Ridiekel nog net te kunnen ontwaren hoe het Tandenfeemeisje de steel van haar zeis op Slijms hoofd liet belanden.
De Aartskanselier was pienter genoeg, maar vaak had hij moei-

te om zijn gedachtentrein van spoor te laten wisselen. Nu had hij moeite met het idee van een zeis, immers, gras had geen tandjes – en toen schroeide de vuurbol zijn vingers en terwijl hij daar heftig op zoog drong het tot hem door dat er iets bepaalds in het geluid zat. Iets *extra's*.
'O, nee hè?' zei hij terwijl de vuurbol naar de grond zweefde om daar de voet van de Administrateur in vlam te zetten, 'Het *leeft* toch niet?'
Hij griste zijn bierpul op, slokte haastig het restje op, en kwakte hem ondersteboven op het tafelblad.

De maan scheen over de Klatschieke woestijn, niet ver van de stippellijn. Beide weerszijden kregen precies evenveel maanlicht, al betreurden geesten als die van meneer Kliet zo'n toestand zeer.
De sergeant liep over het aangestampte zand van de appèlplaats. Hij bleef staan, ging zitten en haalde een stinksigaar voor de dag. Toen trok hij een lucifer om die aan te strijken aan iets dat uit het zand stak en tegen hem zei:
GOEDENAVOND.
'Je hebt nou zeker wel genoeg gehad, soldaat?' zei de sergeant.
GENOEG WAARVAN, SERGEANT?
'Twee dagen in de zon, geen eten, geen water... Je zult wel hallucineren van de dorst en gewoon smeken om te worden opgegraven?'
JA, SAAI IS HET WEL.
'Saai?'
HELAAS, JA.
'Saai? Maar het mag toch niet saai zijn? Dat is de Kuil! Dat hoort een gruwelijke fysieke en mentale marteling te wezen! Na één dag hoor je dan al...' De sergeant gluurde steels naar wat regeltjes op zijn pols, '...stapelgek te zijn! Ik heb je al de hele dag in de gaten! Je hebt zelfs geen keertje gekreund! Ik kan geen moment meer in mijn... dinges, waar je zit met al die paperassen en zo...'
KANTOOR.
'...zitten werken met jou zo hierbuiten! Ik kan er niet tegen!'
Beau Nestaak keek even omhoog. Het werd tijd voor een menselijk gebaar, zag hij in.
HELP, HELP, HELP, zei hij.
De sergeant zakte achterover van opluchting.
DIT ONDERSTEUNT MENSEN DUS BIJ HET VERGETEN?
'Vergeten? Mensen vergeten *alles* als je ze de... uh...dinges geeft.'
DE KUIL?

'Ja! Die!'
AHA. MAG IK DAN IETS VRAGEN?
'Wat dan?'
ZOU JE HET ERG VINDEN ALS IK MISSCHIEN NOG EEN DAGJE DOE?
De sergeant deed zijn mond open om antwoord te geven en de Te'ergs vielen aan vanaf het naastgelegen woestijnduin.

'Muziek?' vroeg de Patriciër. 'Ach. Ga verder.'
Hij leunde achterover in een houding die aandachtig luisteren uitdrukte. Hij was uitzonderlijk goed in luisteren. Hij schiep een soort van mentale zuiging. Men vertelde hem dingen, louter om de stilte te vermijden.
Bovendien had Heer Ottopedi, opperheerser van Ankh-Meurbork, nogal een zwak voor muziek.
Men vroeg zich wel eens af wat voor muziek zo'n man nu zou bevallen.
Mogelijkerwijs uitzonderlijk vormelijke kamermuziek, of donder-en-bliksemse operapartituren.
Maar het soort muziek waar hij echt van hield was het soort dat men *nooit speelt*. Muziek werd naar zijn mening bedorven door de inschakeling van droge vellen, stukjes dode-katteningewand en tot draden of buizen getimmerde brokken metaal. Muziek moest netjes opgeschreven blijven, op papier, in rijtjes zwarte stipjes met stokjes en vlaggetjes, allemaal keurig tussen streepjes. Alleen dan bleef muziek zuiver. Zodra mensen er iets mee deden trad het bederf in. Je kon veel beter in je kamer de bladmuziek gaan zitten lezen, met alleen de inktkrabbels tussen jou en de geest van de componist. Muziek te laten spelen door zwetende dikzakken en lui met haar in hun oren en speekseldruppels aan het uiteinde van hun hobo... hij rilde al bij het idee. Niet teveel vanzelf, want hij was nu eenmaal geen man van uitersten.
Dus...
'En wat gebeurde er daarna?' zei hij.
'En toen begonnie te zingen, uwedele,' zei Michiel de Muimelaar, erkend bedelaar en informeel informant. 'Een lied over Grote Vurige Ballen.'
De Patriciër trok een wenkbrauw op.
'Pardon?'
'Zoiets, dan. Ik kon de tekst niezogoed horen vanweges dat de piano ontplofte.'
'O? Ik stel me zo voor dat dit de voortgang enigszins hinderde.'
'Annee, die aap bleef gewoon doorspelen op wat er over was,' zei Michiel de Muimelaar. 'En iedereen kwam overeind en begon te juichen en te dansen, en te stampen of er een kakkerlakkenplaag was uitgebroken.'

‘En die lui van het Muzikantengilde raakten gewond, zei je?’
‘Dat was bar vreemd. Daarna waren ze zo wit als een doek. Tenminste’, Michiel de Muimelaar dacht aan de staat van zijn eigen linnenkast, ’zo wit als een *nieuwe* doek –’
De Patriciër wierp terwijl de bedelaar doorpraatte telkens even een blik in zijn verslagen. Het was wel een raar avondje geweest. Heibel in de Trom... och, dat was normaal, al klonk dit niet als het gebruikelijke soort heibel en had hij nog nooit gehoord van tovenaars die *dansten*. Hij had ergens toch het gevoel dat hij de tekenen herkende... Er was maar een ding waardoor het nog erger kon worden.
‘Zeg eens,’ zei hij. ‘Hoe reageerde meneer Snikkel hier allemaal op?’
‘Watte, uwedele?’
‘Toch een simpel vraagje, zou ik denken.’
Michiel de Muimelaar voelde hoe de woorden ‘*Maar hoe wist je nou dat die vent Snikkel erbij was? Heb ik niks van gezegd*’ zich al in de rij opstelden voor zijn stembanden, maar bedacht zich tijdig en stuurde ze weer naar hun hok.
‘Hij zat daar maar te koekeloeren, uwedele. Met zijn mond open. En toen holde hij hatsekidee naar buiten.’
‘Ach zo. Lieve help. Dank je wel, Michiel de Muimelaar. Je hebt verlof om te vertrekken.’
De bedelaar aarzelde.
‘Vieze ouwe Henkie zei alsdat uwedele soms wel voor inlichtingen betaalt,’ zei hij.
‘O? Is het heus? Dus dat zei hij? Tjee, is dat even interessant.’ Ottopedi maakte een notitie in de kantlijn van een verslag. ’Dank je.’
‘Uh –’
‘Laat me je niet langer ophouden.’
‘Uh. Nee. Goden zegenen uwedele,’ zei Michiel de Muimelaar en hij nam de benen.
Toen het geflipflap van de bedelaarsvoeten was weggeëbd beende de Patriciër naar het venster, waar hij met een diepe zucht en zijn handen op zijn rug even bleef staan kijken.
Er zouden, redeneerde hij, vast wel stadstaten bestaan waar de heersers zich alleen zorgen hoefden te maken over de *kleinigheden*... barbaarse invallers, de betalingsbalans, moordaanslagen, een lokale vulkaanuitbarsting. Er waren geen lui die telkens de deur van de werkelijkheid opendeden en dan figuurlijkerwijs zoiets zeiden als: ‘Hela, kom toch binnen, leuk dat je er bent, wat heb je daar een mooie bijl, en tussen haakjes, kan ik iets aan je verdienen nu je hier *toch* bent?’
Soms vroeg Heer Ottopedi zich wel eens af *wat* er dan gebeurd

was met meneer Hang. Dat wist iedereen natuurlijk wel. Zo'n beetje dan. Maar niet precies *wat*.
Wat een stad. In de lente vloog de rivier in brand. Zowat eens in de maand ontplofte het Alchemistengilde.
Hij liep weer naar zijn bureau en maakte nog een aantekeningetje. Hij werd een beetje bang dat hij iemand zou moeten laten doodmaken.
Toen nam hij het derde deel van Ländels *Prelude in G majeur* ter hand en hij ging er eens lekker voor zitten.

Suzan liep terug naar de steeg waar ze Binkie had achtergelaten. Er lagen een stuk of vijf lieden op de keien kreunend delen van zichzelf vast te houden. Eenieder die probeerde het paard van de Dood te stelen had weldra begrip voor de uitdrukking 'snerpende pijn'. Binkie kon goed mikken. Het snerpen beperkte zich tot kleine maar hevige plekjes.
'Die muziek speelde hem, en niet andersom,' zei ze. 'Dat kon je zien. Ik weet niet eens of zijn vingers de snaren wel raakten.'
PIEP.
Suzan wreef over haar hand. Die Deegvis bleek zowaar nog een harde kop te hebben.
'Kan ik die muziek doodmaken zonder ook hem dood te maken?'
PIEP.
'Geen kijk op,' vertaalde de raaf. 'Het is juist het enige dat hem in leven houdt.'
'Maar mijn op– maar hij zei dat hij er uiteindelijk toch aan doodgaat!'
'Ja, wat een machtig fijn heelal hebben we toch,' zei de raaf.
PIEP.
'Maar... hoor nou, als het een... parasiet of zo is', zei Suzan terwijl Binkie hemelwaarts draafde, 'wat voor nut heeft het dan om zijn gastheer dood te maken?'
PIEP.
'Hij zegt ja, daar zeg je zoiets,' zei de raaf. 'Zet me even af in Quorm, wil je?'
'Waarom *wil* dat muziekgedoe hem nou?' zei Suzan. 'Het gebruikt hem, maar *waarvoor* dan?'

'Zevenentwintig daalders!' zei Ridiekel. 'Zevenentwintig daalders om je los te krijgen. En die sergeant aldoor maar *grijnzen*! Tovenaars *opgepakt*!'
Hij liep langs het rijtje beteuterde personen.
'Moet je nagaan, hoe vaak komt het voor dat de Wacht *op verzoek* naar de Trom komt?' zei Ridiekel. 'Jemig, wat waren

jullie eigenlijk aan het doen?'
'mummelmummelmummel,' zei de Hoofddekaan naar zijn schoenen kijkend.
'Pardon?'
'mummelmummeldansenmummel.'
'Dansen. Aan het dansen,' zei Ridiekel toonloos terwijl hij terugliep langs de rij. 'O, dus dat is dansen? Tegen iedereen opbotsen? Elkaar over je schouders smijten? Van hot naar her door de zaal tollen? Zelfs trollen doen zoiets niet (niet dat ik iets tegen trollen heb hoor reuzelui reuzelui) en jullie zijn zogenaamd *tovenaars*. Men hoort tegen jullie op te zien en *niet* omdat jullie een salto boven hun hoofd maken, Runen, ja ik zag die vertoning wel, ik walgde er ronduit van. Die arme Administrateur moest helemaal even liggen. Dansen, dat is... in een kring gaan, je kent dat wel, met Meibomen en zulks, rondborstige reidansen, misschien ook wat stijldansen... *niet* iemand rondzwaaien als een dwerg met een strijdbijl (al zijn dat vanzelf gave lui die dwergen altijd al gezegd). Is dat iedereen duidelijk?'
'mummelmummelmummeliedereendeedhetmummel,' zei de Hoofddekaan met de blik nog altijd omlaag.
'Nooit gedacht dat ik dit nog eens zeggen zou tegen een tovenaar van boven de achttien, maar jullie blijven tot nader order allemaal binnen de poort!' schreeuwde Ridiekel.
Binnen het universiteitsterrein moeten blijven stelde als straf weinig voor. De tovenaars wantrouwden lucht die niet al een tijdje binnenshuis hing en bewoonden grotendeels een soort van slijtgroef tussen hun kamer en de eettafel. Maar ze voelden zich zo raar.
'mummelmummelzounietwetenwaarommummel,' mummelde de Hoofddekaan.
Veel later, op de dag dat de muziek stierf, zei hij dat het vast kwam omdat hij nooit echt jong was geweest, of tenminste jong maar toch net oud genoeg om te weten dat hij jong was. Net als de meeste tovenaars was hij de opleiding begonnen toen hij nog zo klein was dat de officiële punthoed tot over zijn oren zakte. En daarna, och, toen werd hij gewoon tovenaar.
Hij kreeg alweer het gevoel dat hij ergens iets had gemist. Het was pas de laatste paar dagen tot hem doorgedrongen. Hij wist niet wat het was. Hij wilde gewoon van alles *doen*. Maar wat precies, dat wist hij niet. Maar hij wilde het wel gauw doen. Hij wilde... hij voelde zich als een verstokte toendrabewoner die op zekere morgen wakker wordt met de onbedwingbare neiging om te gaan waterskiën. Hij wilde voor geen prijs binnenshuis blijven met die muziek in de lucht...
'mummelmummelmummelganietbinnenhokkenmummel.'

Onwennige gevoelens welden in hem omhoog. Hij wilde ongehoorzaam zijn! Overal lak aan hebben! Hij zou in bed blijven liggen, geen blote voet op dat kouwe zeil zetten! En Ridiekel zou dan 'Hoofddekaan word wakker!' roepen, maar mooi niet. Of hij klom op het dak, en dan riep Ridiekel weer wat anders en dan zou hij iets koppigs terugroepen! Ridiekel ging nu vast zeggen: 'O, een rebel. En waartegen rebelleer je dan?' En dan zou hij –
Maar de Aartskanselier was al vertrokken.
'mummelmummelmummel,' mompelde de koppige dekaan, rebel zonder kousen.

Er werd aan de deur geklopt, maar net aan hoorbaar boven het lawaai. Klif opende hem op een behoedzaam kiertje.
'Ik ben het, Hibiscus. Hier heb je je bier. Drink op en ga weg!'
'Hoe moeten we dan weggaan?' zei Govd. 'Telkens als ze ons zien dwingen ze ons om nog wat te spelen!'
Hibiscus haalde zijn schouders op. 'Kan me niks schelen,' zei hij. 'Maar ik krijg nog een daalder van je voor het bier en vijfentwintig daalders voor het stukgeslagen meubilair –'
Klif deed de deur dicht.
'Ik kan natuurlijk even met hem onderhandelen,' zei Govd.
'Nee, zo breed zitten we niet,' zei Buddie.
Ze keken elkaar eens aan.
'Nou, het publiek zag ons wel zitten,' zei Buddie. 'Volgens mij zijn we een reuzesucces. Uh.'
In de stilte beet Klif de hals van een bierflesje om de inhoud ervan over zijn hoofd te gieten.*
'Wat we allemaal weten willen', zei Govd, 'is wat je daar allemaal aan het uitspoken was.'
'Oeoek.'
'En hoezo', zei Klif terwijl hij de rest van de fles opknerste, 'dat we allemaal wisten wat we spelen moesten?'
'Oeoek.'
'En tevens', zei Govd, 'wat je eigenlijk zong.'
'Uh...'
'"Trap Niet Op Mijn Blauw-suède Schoenen"?' zei Klif.
'Oeoek.'
'"Goeie Grutjes Juffrouw Mollie"?' zei Govd.
'Uh...'
'"Spat Niet Met Pap Op Het Behang"?' zei Klif.
'Oeoek?'

*Trollenbier is een oplossing van ammoniumsulfide in alcohol en smaakt of je gegiste batterijen drinkt.

'In Stoo Hielet hebben ze wel van die dunne pap,' zei Govd.
Govd keek Buddie zuinig aan.
'En toen je dat "hallo, baby" zei,' zei hij. 'Waarom was dat nou weer?'
'Uh...'
'Moet je nagaan, er mogen niet eens kleine kinderen in de Trom.'
'Ik weet niet. Die woorden waren er gewoon,' zei Buddie. 'Ze zaten zeg maar in die muziek...'
'En je... wiebelde zo raar heen en weer. Net of je problemen met je broek had,' zei Govd. 'Nou ben ik vanzelf niet deskundig in mensen, maar er zaten een paar dames in het publiek naar je te kijken zoals een dwerg naar een meisje kijkt als hij weet dat haar vader een diepe schacht heeft en diverse rijke aders.'
'Persies', zei Klif, 'en net als een trol die denkt: hé, kijk die daar met al die lagen en plooien...'
'Weet je wel zeker dat niemand van je voorouders een elf is?' zei Govd. 'Zo af en toe dacht ik: "Als dat geen elf is..."'
'*Ik weet niet wat er gebeurt!*' zei Buddie.
De gitaar jankte even.
Ze keken ernaar.
'Weet je wat we doen', zei Klif, 'we nemen dat ding en smijten het in de rivier. Wie voor is zegt "ja". Of "oek", net hoe het uitkomt.'
Er viel weer een stilte. Niemand had haast om het instrument te grijpen.
'Maar toch', zei Govd, 'maar toch... die lui daar waren wel *weg* van ons.'
Hier dachten ze even over na.
'En het voelde niet echt aan als... *slecht*,' zei Buddie.
'Toegegeven... van mijn hele leven heb ik niet zo'n publiek gehad,' zei Klif.
'Oeoek.'
'Als we dan zo goed zijn', zei Govd, 'waarom zijn we dan niet rijk?'
'Vanwege dat jij het onderhandelen doet,' zei Klif. 'Als we voor die meubels moeten betalen, zal ik mijn avondeten nog door een rietje moeten opzuigen.'
'Wou je zeggen dat ik een sukkel ben?' zei Govd terwijl hij kwaad overeind kwam.
'Je blaast een fraai deuntje op die hoorn. Maar financieel ben je geen licht.'
'Poe, ik zou wel eens willen zien –'
Er werd op de deur geklopt.
Klif slaakte een zucht. 'Dat zal die Hibiscus wel weer zijn,' zei

hij. 'Geef effies die spiegel. Ik zal zien of ik er eentje een mep kan geven aan de andere kant.'
Buddie deed de deur open. Hibiscus was er wel, maar dan achter een kleinere vent met een lange jas en een brede, innemende grijns.
'Ach,' zei de grijns. 'Dus jij bent Buddie?'
'Uh, ja.'
En toen was de man binnen, zonder dat je merkte dat hij bewogen had, en hij trapte de deur dicht in het gezicht van de waard.
'De naam is Snikkel,' vervolgde de grijns. 'S.I.E.V. Snikkel. Je hebt vast wel van me gehoord.'
'Oeoek!'
'Ik heb het niet tegen jou! Ik heb het tegen die andere knullen.'
'Nee,' zei Buddie. 'Ik dacht het toch niet.'
De grijns leek wel breder te worden.
'Naar ik hoor zitten jullie een beetje in de penarie,' zei Snikkel. 'Kapot meubilair en zo meer.'
'We krijgen niet eens geld,' zei Klif met een kwaaie blik op Govd.
'Kijk eens aan', zei Snikkel, 'dan kon het wel eens wezen dat ik van dienst kan zijn. Ik ben zakenman. Ik doe zaken. Ik snap dat jullie muzikanten zijn. Jullie maken muziek. Je wilt geen zorgen aan je kop over geld, nietwaar? Dat hindert maar bij de creatieve ontplooiing, zo is het toch? Maar als je dat nou eens aan mij overliet?'
'Ha,' zei Govd, nog altijd gekwetst over de belediging van zijn financieel inzicht. 'En wat kan *jij* dan?'
'Nou', zei Snikkel, 'om te beginnen kan ik zorgen dat je voor vanavond wel wordt betaald.'
'En dat meubilair dan?' zei Buddie.
'Ach, er wordt hier elke avond wel wat gekraakt,' zei Snikkel lakoniek. 'Die Hibiscus neemt je maar in de maling. Ik regel dat wel met hem. En tussen ons gezegd, kijk maar een beetje uit met dat soort lui.'
Hij boog zich voorover. Als zijn grijns nog breder was geworden was de bovenhelft van zijn hoofd eraf gevallen.
'Deze stad, jongens', zei hij, 'is een oerwoud.'
'Als hij kan zorgen dat we ons geld krijgen, dan vertrouw ik hem,' zei Govd.
'Meer heb je niet nodig?' zei Klif.
'Ik vertrouw iedereen die me geld geeft.'
Buddie keek even naar de tafel. Hij wist niet waarom, maar hij had zo'n gevoel dat de gitaar als het niet deugde iets zou doen – een valse toon spelen, misschien. Maar hij lag daar gewoon zachtjes in zichzelf te snorren.

'Nou, vooruit dan. Als ik dan me tanden kan houden, ben ik vierkant voor,' zei Klif.
'Okee,' zei Buddie.
'Prachtig! Prachtig! We kunnen het dus op een akkoordje gooien!' Ja, een akkoordje, echt wat voor jullie dus, hè?'
Hij toverde een vel papier en een potlood voor de dag. In Snikkels ogen brulde de leeuw.

Ergens hoog in de Ramtoppen reed Suzan op Binkie over een wolkenbank.
'Hoe *kon* hij zulke dingen zeggen!' zei ze. 'Altijd aan iedereens leven knoeien, en het dan over plicht hebben?'

In het Muzikantengilde waren alle lichtjes aan.
Een jeneverfles speelde een roffeltje tegen de rand van een glaasje. Toen rammelde hij even op het bureaublad, want Slijm Deegvis zette hem neer.
'Weet dan niemand wie dat voor de donder zijn?' zei meneer Kliet, net toen Slijm bij de tweede poging zijn glaasje te pakken kreeg. '*Iemand* moet toch weten wie dat zijn!'
'Van dat jongmens weet ik niks,' zei Slijm. 'Niemand hier heeft hem ooit eerder gezien. Enne... enne... nou ja, trollen, je weet wel... had elke trol wel kunnen wezen...'
'Eentje ervan was absoluut de Bibliothecaris van de Universiteit,' zei Hannes Loopje alias baas Klavecimbel, de bibliothecaris van het Gilde zelf.
'Die laten we voorlopig met rust,' zei Kliet.
De anderen knikten. Niemand wilde echt proberen de Bibliothecaris een pak slaag te geven zolang er een kleiner persoon beschikbaar was.
'En die dwerg dan?'
'Tja.'
'Er zei iemand dat hij dacht dat het Govd Govdsen was. Woont ergens in de Phaedrusstraat –'
Kliet gromde. 'Stuur er *meteen* maar een paar luitjes heen. Ik wil dat ze *onmiddellijk* weten waaraan muzikanten zich in *deze* stad te houden hebben. Hè. Hè. Hè.'

De muzikanten repten zich door de nacht, weg van de herrie uit de Trom.
'Was hij even aardig,' zei Govd. 'Moet je nagaan, we hebben niet alleen ons geld maar hij had zoveel interesse dat hij ons nog eens twintig daalders van zijn eigen geld gaf!'
'Ik docht dattie zei', zei Klif, 'dat hij ons twintig daalders *met* interest zou geven.'

'Is toch hetzelfde? En hij zei dat hij voor meer werk kon zorgen. Heb je dat contract gelezen?'
'Jij dan wel?'
'Het was zo klein geschreven,' zei Govd. Hij klaarde op. 'Maar er stond wel veel in,' voegde hij eraan toe. 'Moet vast een goed contract wezen, met al die woorden erin.'
'De Bibliothecaris holde ervandoor,' zei Buddie. 'Oekte een heleboel en holde ervandoor.'
'Poe! Nou, daar krijgt hij wel spijt van,' zei Govd. 'Als ze daar later met hem over praten zal hij iets zeggen van: ik ben eruit gestapt, weet je wel, in de tijd voordat ze beroemd werden.'
'Hij zal oek zeggen.'
'En trouwens, aan die piano moet heel wat gedaan worden.'
'Ja, nou,' zei Klif. 'Zeg, ik zagges zo'n vent die van alles maakte uit lucifers. *Die* kon hem wel repareren.'
Enkele daalders veranderden in twee lamzo warma's en een pekblendebamibal van het Rijstpaviljoen, gepaard met een dermate chemische wijn dat zelfs trollen ervan konden drinken.
'En hierna', zei Govd toen ze op hun bestelling zaten te wachten, 'moeten we ergens anders logies zien te vinden.'
'Wat isser mis met waar we zitten?' zei Klif.
'Het tocht er zo. Er zit een pianovormig gat in de deur.'
'Jawel, maar dat heb jij gemaakt.'
'Nou, en?'
'Vindt de huisbaas dat dan wel goed?'
'Natuurlijk niet. Daar is het een huisbaas voor. In elk geval zitten we in de lift, jongens. Ik voel het aan mijn water.'
'Ik dacht dat jij al blij was dat je je geld had,' zei Buddie.
'Juist. Juist. Maar ik ben nog blijer als ik een hoop geld heb.'
De gitaar galmde. Buddie raapte hem op en tokkelde aan een snaar.
Govd liet zijn mes vallen.
'Dat klonk net als een piano!' zei hij.
'Ik geloof dat hij kan klinken als alles,' zei Buddie. 'En piano's, die kent hij nu.'
'Toverij,' zei Klif.
'*Natuurlijk* toverij,' zei Govd. 'Dat zeg ik aldoor al. Een raar oud ding, gevonden in een stoffig winkeltje op een stormachtige avond –'
'Het was niet stormachtig,' zei Klif.
'– dat *moet* wel... ja, okee, maar het regende en woei wel een beetje... dat *moet* wel iets aparts wezen. Wedden dat die winkel als we er nu weer heengaan verdwenen is? Dat zou het bewijzen. Iedereen weet dat wat je koopt in winkels die de volgende dag verdwenen zijn hartstikke geheimzinnig is en Lotsbepalend.

Het Lot lacht ons toe, misschien zoiets.'
'Het doet wel wat met ons,' zei Klif. 'Ik hoop maar dat het toelachen is.'
'En meneer Snikkel zei dat hij ons voor morgen een goed stekkie om op te treden zou bezorgen.'
'Mooi,' zei Buddie. '*Spelen* moeten we.'
'Juistem,' zei Klif. 'Spelen doen we wel. Is ons werk.'
'Iedereen moet onze muziek horen.'
'Ja, hoor.' Klif keek een beetje verbaasd. 'Juist. Vanzelf. Dat willen we. En geld ook.'
'Meneer Snikkel helpt ons wel,' zei Govd die zelf te veel peinsde om de spanning in Buddies stem op te merken. 'Die moet enorm veel succes hebben. Hij heeft een kantoor op het Saeterplein. Alleen de duurste zaken kunnen dat opbrengen.'

Er daagde een nieuwe dag.
Hij was daar nog maar nauwelijks mee klaar toen Ridiekel zich al over het bedauwde gras van de Universiteitstuin repte om op de deur van het gebouw voor Hoge-Energie Toverkracht te bonzen.
Doorgaans bleef hij daar uit de buurt. Niet omdat hij niet snapte wat de jonge tovenaars daar eigenlijk deden maar omdat hij sterk vermoedde dat zij het ook niet snapten. Het leek wel of ze er nota bene aardigheid in hadden om steeds minder zeker te zijn over alles, en dan kwamen ze voor het eten opdagen met kreten als 'Jemig, hebben we daar even Mergblads Theorie van de Abacadabrische Onduidbaarheid omvergeworpen! Verbijsterend!' alsof dat iets was om trots op te zijn, in plaats van een onbehouwen brutaliteit.
En ze gingen maar door over het splijten van de Pocus, de kleinste eenheid van toverkracht. De Aartskanselier zag er de zin niet van. Goed, dan had je overal stukjes liggen. Wat had je daaraan? Het heelal was zonder dat iedereen eraan prutste al erg genoeg.
De deur ging open.
'O, ben jij het, Aartskanselier.'
Ridiekel duwde de deur wat verder open.
'Goeiemorgen, Stibbond. Blij te zien dat je al zo vroeg uit de veren bent.'
Pander Stibbond, jongste lid van het docentenkorps, stond te knipperen in het daglicht.
'Is het dan al ochtend?' zei hij.
Ridiekel wurmde zich langs hem heen en het HET-gebouw in. Het was onwennig terrein voor een klassieke tovenaar. Er viel nergens een schedel of een druipkaars te bekennen; dit vertrek

in het bijzonder had meer weg van een alchemistenlaboratorium dat de onvermijdelijke ontploffing had ondergaan en was neergekomen in een smederij.
Al even weinig waardeerde hij Stibbonds gewaad. Het had wel de juiste lengte maar was verschoten grijsgroen, met ruime zakken en houtje-touwtjes en een capuchon met een konijnenbontrandje. *Nergens* een spoor van glitter of edelstenen of occulte tekens. Alleen een uitgelopen vlek waar Stibbonds pen gelekt had.
'De laatste tijd niet uitgeweest?' vroeg Ridiekel.
'Nee, meneer. Uh. Had dat dan gemoeten? Ik had het druk met mijn Maak-Het-Groter apparaat. Je weet wel, ik liet het je nog zien –'*
'Mooi, mooi,' zei Ridiekel terwijl hij even rondkeek. 'Verder nog iemand die hier aan het werk was?'
'Nou... ik dus, en Barre Bas en Knizz en Grote Gekke Dranko, geloof ik...'
Ridiekel stond met zijn ogen te knipperen.
'Wat zijn dat?' zei hij. En toen diende zich uit de diepten van zijn herinnering een afschuwelijk antwoord aan. Alleen een zeer bepaalde diersoort droeg zulke namen.
'*Studenten?*'
'Uh. Ja?' zei Pander, achteruit deinzend. 'Dat mag toch wel? Dit *is* toch een universiteit...'
Ridiekel krabde aan zijn oor. De vent had natuurlijk wel gelijk. Je moest wel een paar van die krengen om je heen dulden, daar was geen ontkomen aan. Persoonlijk bleef hij waar mogelijk uit hun buurt, net als de rest van de staf, soms door als hij ze zag de andere kant op te rennen of zich achter een deur te verstoppen. Van de Lector Recentelijke Runen was bekend dat hij zich wel eens in zijn kleerkast had opgesloten om maar geen tentamen te hoeven afnemen.
'Haal die dan maar eens hier,' zei hij. 'De kwestie is dat ik kennelijk zonder staf zit.'
'Waar heb je hem het laatst gezet, Aartskanselier?' vroeg Pander beleefd.
'Wat?'
'Pardon?'
Ze keken elkaar vol onbegrip aan, twee geesten in tegengestel-

*Echter zonder veel gunstig resultaat. Stibbond had wekenlang lenzen staan slijpen en glas staan blazen en uiteindelijk een apparaat afgeleverd dat het schrikbarend aantal piepkleine beestjes liet zien dat voorkwam in een enkele druppel Ankhwater.
De Aartskanselier had even gekeken en toen opgemerkt dat alles dat zoveel leven herbergde wel gezond *moest* wezen.

de richting onderweg in een nauw straatje, wachtend tot de ander het eerst achteruitging.
'*De* staf,' zei Ridiekel zwichtend. 'De Hoofddekaan en zulks. Helemaal over de rooie. De hele nacht op de been, voor het gitaarspelen en zulks. De Hoofddekaan heeft zich een leren jas aangemeten.'
'Och, leer *is* een heel praktisch en doelmatig materiaal –'
'Niet zoals hij het gebruikt,' zei Ridiekel somber...

[...de Hoofddekaan deed een stap achteruit. Van mevrouw Copsuf, de huishoudster, had hij een paspop geleend.
Hij had het een en ander veranderd aan het ontwerp dat al een tijdje door zijn brein gonsde. Om wat te noemen, een tovenaar gruwt tot in zijn ziel van een kledingstuk dat niet ten minste tot aan zijn enkels reikt, en er was dus een heleboel leer. Zeeën van ruimte voor al die nagels.
Bovenaan stond HOODF. Daaronder stond DEAN, met in een v-tje erboven KA gefrommeld.
Daarmee was de ruimte nog lang niet vol. Na een tijdje had hij er GEBOREN OM bijgenageld, met een leeg stuk erachter omdat hij er niet zeker van was *waarom* hij dan wel geboren was. GEBOREN OM ZWAAR TE TAFELEN zou toch niet passend zijn.
Na enig overpeinzen was hij doorgegaan met SLEN TE LEVEN JOGN TE STREVEN. Het klopte niet helemaal, zag hij ook wel; bij het gaatjes ponsen voor de nagels had hij het leer nogal eens gedraaid en daarbij was hij de richting wat uit het oog verloren.
Het maakte natuurlijk niks uit in *welke* richting je ging, als je maar ging. Dat was nou net waar het bij Rotsmuziek om draaide...]

...'En Recentelijke Runen zit op zijn kamer te drummen en voor de rest hebben ze allemaal een gitaar, en pas *echt* gek is wat de Administrateur met de onderkant van zijn mantel heeft gedaan,' zei Ridiekel. 'En de Bibliothecaris loopt de hele tijd overal spullen te pikken en niemand luistert naar geen woord dat ik zeg.'
Hij staarde de studenten aan. Het was een zorgwekkend schouwspel, en niet louter door het natuurlijk uiterlijk van een student. Dit waren lui die terwijl de helse muziek iedereen met zijn voeten liet tikken, de hele nacht binnen waren gebleven – *aan het werk*.
'Waar zijn jullie hier eigenlijk mee *bezig*?' zei hij. 'Jij daar... hoe heet je?'

De door Ridiekels wijzende vingers vastgeprikte toverstudent kromp angstig ineen.
'Uh. Hm. Grote Gekke Dranko,' zei hij terwijl de rand van zijn hoed in zijn vingers ronddraaide.
'Grote. Gekke. Dranko,' zei Ridiekel. 'Dus zo heet je? Staat dat op je jasje geborduurd?'
'Uh. Nee, Aartskanselier.'
'Maar wel..?'
'Arie Knolraapzaad, Aartskanselier.'
'En waarom noemen ze je dan Grote Gekke Dranko, meneer Knolraapzaad?' zei Ridiekel.
'Uh... uh...'
'Hij heeft eens een hele fles vruchtenwijn opgedronken,' zei Stibbond met genoeg fatsoen om er bedremmeld bij te kijken.
Ridiekel vertrok zorgvuldig geen spier. Nou, ja. Hij moest het maar zien te redden met dit stel.
'Okee, luitjes', zei hij, 'wat voor wijs worden jullie hieruit?'
Vanonder zijn gewaad haalde hij een bierkan uit de Gelijmde Trom, waarbovenop met een touwtje een bierviltje zat vastgebonden.
'Wat zit daar dan in, Aartskanselier?' vroeg Pander Stibbond.
'Een stukje muziek, jochie.'
'Muziek? Maar muziek kun je zo toch niet vangen?'
'Ik wou maar dat ik net zo'n verdomde linkmiechel als jij was en alles wist,' zei Ridiekel. 'Die grote fles daar... Jij – Grote Gekke Arie – haal daar eens de dop af, en hou je klaar om die er weer op te rammen als ik het zeg. Klaar met die dop, Gekke Arie... *nu*!'
Er klonk een kort maar woedend akkoord toen Ridiekel het bierviltje van de kan trok en de kan vlug leeggoot in de fles. Gekke Dranko Arie ramde de dop erop, doodsbenauwd voor de Aartskanselier.
En toen hoorden ze het ook... een aanhoudend vaag gebonk, dat tussen de glazen wanden van de fles heen en weer kaatste.
De studenten gluurden erin naar binnen.
Er was daar iets. Een soort beweging in de lucht...
'Heb ik gisteravond gevangen, in de Trom.'
'Maar dat kan niet,' zei Pander. 'Muziek kun je niet vangen.'
'Dat is anders geen Klatschieke bluf, jochie.'
'En het zit al sinds gisteravond in die kan?' vroeg Pander.
'Ja.'
'Maar dat is onmogelijk!'
Pander zag er totaal ontdaan uit. Sommigen worden nu eenmaal geboren met het instinctieve gevoel dat het heelal oplosbaar is.

Ridiekel klopte hem op zijn schouder.
'Je hebt toch hoop ik nooit gedacht dat tovenaar zijn iets makkelijks zou wezen?'
Pander staarde naar de fles, en toen schoot zijn mond in een smalle lijn van vastberadenheid.
'Okee! Wij gaan dat uitzoeken! Het moet iets te maken hebben met de frequentie! Precies! Barre Bas, haal de kristallen bol! Knizz, breng me de rol staaldraad! Het moet de frequentie zijn!'

De Bonkband sliep de hele nacht ongestoord in een vrijgezellenlogement in een steegje aan de Glimstraat, iets dat heel interessant had kunnen zijn voor de vier wetshandhavers van het Muzikantengilde die op wacht zaten voor een pianovormig gat in de Phaedrusstraat.

Suzan beende door de vertrekken van de Dood, sudderend van woede en met een mespuntje angst dat de woede alleen nog erger maakte.
Hoe kon iemand zelfs maar zo *denken*? Hoe kon iemand tevreden zijn als louter de verpersoonlijking van een blinde macht? Nou, er ging wel het een en ander veranderen...
Haar vader had geprobeerd om er verandering in te brengen, wist ze. Maar alleen omdat hij, nou ja, ronduit gezegd nogal een watje was.
Hij was tot hertog geslagen door Koningin Kiela van Stoo Lat. Suzan wist wel wat die titel betekende – hertog betekende 'legerleider'. Maar haar vader had nooit met iemand gevochten. Het leek wel of hij al zijn tijd verdeed met van de ene rotstad naar de andere trekken, de hele Stoovlakte over, louter om met lui te praten en ze over te halen met anderen te praten. Hij had nooit iemand doodgemaakt, zover Suzan wist, al had hij misschien wel een stuk of wat politici doodgepraat. Voor een legerleider leek dat een baantje van niks. Goed, er leken niet meer zoveel van die oorlogjes op te treden als vroeger, maar het was... tja... geen *trotse* levenswijze.
Ze liep door de zaal met levenslopers. Zelfs die op de hoogste schappen rinkelden zachtjes mee toen ze langsliep.
Zij ging levens redden. De goeden zouden gespaard blijven, dan mochten de slechten jong sterven. Zo zou alles ook nog in evenwicht blijven. Ze zou hem eens wat laten *zien*. En wat die verantwoordelijkheid aanging, och... mensen veranderden aldoor van alles. Dat was waar het mens zijn om draaide.
Suzan deed weer een deur open en stapte de bibliotheek binnen.
Dit vertrek was nog groter dan de zaal met levenslopers. Boe-

kenkasten torenden hoog op als rotswanden en het plafond zat verborgen achter een nevel.
Maar, hield ze zichzelf voor, het zou vanzelf kinderachtig zijn om te denken dat ze er zomaar met de zeis als een toverstok op los kon gaan om de wereld hoepla in een beter oord te veranderen. Dus moest ze klein beginnen en dan opklimmen.
Ze stak een hand uit.
'Die stem begin ik niet aan,' zei ze. 'Dat is maar overbodig theater en eigenlijk nogal stom. Ik wil gewoon even het boek van Imp y Celyn, zeg maar Buddie, als het even kan.'
Om haar heen ging het bibliotheekgebeuren zijn gangetje. Miljoenen boeken bleven rustig doorgaan met zichzelf opschrijven, een geritsel als van kakkerlakken.
Ze wist nog van hoe ze op zijn knie zat, of liever op een kussen op zijn knie, want de knie zelf was uitgesloten. En hoe ze keek hoe een knokige vinger de letters volgde die vorm aannamen op de bladzij. Ze had geleerd om haar eigen leven te lezen –
'Ik wacht –' zei Suzan veelbetekenend.
Ze balde haar vuisten.
IMP Y CELYN, zei ze.
Het boek dook voor haar op. Ze kon het nog net pakken voor het op de grond fladderde.
'Dank je,' zei ze.
Ze sloeg de bladen van zijn leven om tot ze bij de laatste was, en ze keek haar ogen uit. Toen ging ze vlug terug tot ze, keurig vastgelegd, zijn dood in de Trom had gevonden. Het stond er allemaal – allemaal onwaar. Hij was niet doodgegaan. Het boek loog. Of – en ze wist dat dit een veel beter kloppende manier was om het te bekijken – het boek was waar en de werkelijkheid loog.
Wat van meer belang was, was het feit dat het boek sinds het ogenblik van zijn dood muziek optekende. Bladzij na bladzij stond vol keurige notenbalken. Onder Suzans ogen tekende een vioolsleutel zichzelf op met een reeks nette krullen.
Wat wilde die muziek? Waarom moest die zijn leven redden?
En het was van levensbelang dat juist *zij* hem redde. Die zekerheid voelde ze als een kogellager in haar geest liggen. Het was een dwingende noodzaak. Ze had hem nooit van nabij ontmoet, ze had nooit een woord met hem gewisseld, hij was gewoon maar iemand, maar *hem* moest ze redden.
Opa had gezegd dat ze zoiets niet hoorde te doen. Wat wist hij er nu van? Hij had nooit *geleefd*.

Bart Weekdom bouwde gitaren. Het was rustig werk dat voldoening gaf. Het kostte hem en zijn knechtje Gibsen zowat vijf da-

gen om een fatsoenlijk instrument te maken, als er netjes uitgewerkt hout voorhanden was. Hij was een gewetensvol man die al vele jaren gewijd had aan de vervolmaking van een enkel type muziekinstrument, waarmee hijzelf ook aardig overweg kon.
Naar zijn ondervinding had je drie categorieën gitaristen. Je had die hij als echte musici beschouwde, en die voor de Opera of een van de particuliere orkesten werkten. Dan had je de volksmuziekzangers, die niet konden spelen al gaf dat niet omdat de meesten ook niet konden zingen. En dan had je de – hum-hum – troubadours en andere donkere typen die in de gitaar, net als in een rode roos tussen je tanden, een doos chocolaatjes en een strategisch uitgestald paar sokken, louter een alternatief wapen zagen in de strijd der kunnes. Die speelden helemaal niet, afgezien van een paar akkoorden, maar waren wel vaste klanten. Bij het net voor de kwade echtgenoot uit door het raam springen is een minnaar wel het minst geïnteresseerd in het meenemen van zijn gitaar.
Bart dacht dat hij alles wel had meegemaakt.
Evengoed, deze ochtend had hij er al vroeg een paar verkocht aan enkele tovenaars. Dat was ongewoon. Een paar ervan hadden zelfs Barts gitaarcursus voor beginners gekocht.
De bel ging.
'Ja –' Bart keek zijn klant aan, en leverde een enorme geestelijke inspanning '– meneer?'
Het lag niet louter aan dat leren jasje. Ook niet aan die benagelde polsbanden. Niet aan het slagzwaard. Niet aan die helm met punten. Het lag hem aan het leer *en* de nagels *en* het zwaard *en* de helm. Deze klant paste met geen mogelijkheid in categorie één of twee, besloot Bart.
De persoon stond onzeker te kijken, vuisten krampachtig gebald, kennelijk weinig op zijn gemak in een gesprekssituatie.
'Ben ik hierzo in een gitaarwinkel?' vroeg de persoon.
Bart keek eens naar de koopwaar die rondom aan muren en zoldering hing.
'Uh. Ja?' zei hij.
'Ik mot er een.'
Wat categorie drie betrof zag hij er ook niet uit als iemand die vaak de moeite van chocolaatjes of rozen nam. Of zelfs van 'hallo' zeggen.
'Uh...' Bart deed een willekeurige greep en stak het gegrepene voor zich uit. 'Zo eentje?'
'Ik wilder een die van *blem-Blem-blemme-BLEM-blemmmmoeoeiiie* gaat. Weet je wel?'
Bart keek naar de gitaar op de toonbank. 'Ik weet niet of hij dat wel doet,' zei hij.

Twee enorme vuilgenagelde handen trokken de gitaar uit zijn greep.
'Uh... je houdt hem wel verkee–'
'Ergens een spiegel hier?'
'Uh, nee –'
Een harige hand werd hoog in de lucht gestoken en dook toen neer op de snaren.
De aansluitende tien tellen wilde Bart nooit meer overdoen. Het zou verboden moeten zijn om dat uit te halen met een weerloos muziekinstrument. Het was of je zo'n kleine pony had grootgebracht, altijd op tijd gevoerd en verzorgd, vlechtjes gevlochten in zijn staart, hem een fijn weitje had gegeven met konijntjes en madeliefjes erin, en dan moest toezien hoe de eerste berijder er met zweep en sporen op wegreed.
De woesteling speelde alsof hij naar iets zocht. Hij kon het niet vinden, maar bij het wegsterven van de laatste wanklanken wrong hij zijn gezicht in de vastberaden uitdrukking van iemand die vast van plan is te blijven zoeken.
'Okee, ja. Hoeveel?' zei hij.
Hij stond te koop voor vijftien daalders. Maar Barts muzikale ziel kwam in opstand. Er knapte iets in hem.
'Vijfentwintig daalders,' was wat *eruit* knapte.
'Ja, okee. Is dit dan wel genoeg?'
Ergens uit een zak kwam een robijntje te voorschijn.
'Dat kan ik toch niet wisselen!'
Barts muzikale ziel was nog steeds in opstand, maar zijn zakenneus nam het over en maakte zich breed.
'Maar, maar, maar ik doe er wel mijn gitaarcursus bij en een riem en een stel plectrumpies, goed?' zei hij. 'Er staan plaatjes in van waar je je vingers moet zetten en zo, ja?'
'Okee, ja.'
De barbaar liep naar buiten. Bart staarde naar de robijn op zijn hand.
De bel ging. Hij keek op.
Deze was niet zo heel erg. Er zaten minder nagels op en de helm had maar twee punten.
Barts hand sloot zich om de robijn.
'Jij wilt toch niet ook een gitaar?' zei hij.
'Jewel. Zo eentje die *hoewiiehoewiieoeoewwwwengngng* doet.'
Bart keek wild om zich heen.
'Nou, deze bijvoorbeeld,' zei hij met een greep naar het eerste het beste instrument. 'Over dat *woeiiewoewiie* kan ik niks zeggen, maar hier heb je ook mijn cursus en een riem en wat plectrumpies, dat is dan dertig daalders en weet je wat, de ruimte tussen de snaren doe ik er gratis bij, goed?'

'Jewel. Uh. Een spiegel hier?'
De bel ging.
En ging.
Een uur later stond Bart tegen de deurpost van zijn werkplaats geleund met een manische grijns op zijn gezicht en zijn handen om zijn riem om te zorgen dat het gewicht van het geld in zijn broek die broek niet zou laten afzakken.
'Gibsen?'
'Ja, baas?'
'Weet je nog die gitaren die jij gemaakt had? Toen je het leerde?'
'Die waarvan jij zei dat ze klonken als een kat die door een dichtgenaaide reet zijn behoefte doet, baas?'
'Heb je die weggegooid?'
'Nee, baas. Ik dacht: die bewaar ik, kan ik ze met vijf jaar als ik echte instrumenten kan bouwen weer voor de dag halen om eens lekker te lachen.'
Bart wiste zijn voorhoofd af. Uit zijn zakdoek tuimelden diverse gouden muntjes.
'Waar heb je ze opgeborgen, als ik vragen mag?'
'In de schuur gesmeten, baas. Met die scheluwe planken waarvan je zei dat ze net zo bruikbaar waren als een zeemeermin in een danskoortje.'
'Haal ze maar even, wil je? En die planken.'
'Maar je zei toch –'
'En breng de zaag ook maar. En doe dan even een boodschap voor, och, een stuk of tien liter zwarte verf. Plus wat glitter.'
'Glitter, baas?'
'Je kunt van die pailletjes en lovertjes krijgen in de manufacturenzaak van mevrouw Kosmopiliet. En vraag gelijk of ze van die glimmende ankhstenen heeft. En wat opzichtige stof voor riemen en banden. O... en kijk even of ze ons haar grootste spiegel wil lenen...'
Bart hees zijn broek weer op.
'En ga daarna naar de haven om een trol te huren en zeg dat hij in de hoek moet gaan staan, en als er nog iemand hier binnenkomt die dat' hij zweeg even en het schoot hem weer te binnen, 'Trap naar de Hemel, heet het geloof ik, probeert te spelen... moet hij zijn kop eraf trekken.'
'Moeten we hem niet eerst laten waarschuwen?' zei Gibsen.
'Dat *is* het waarschuwen.'

Het was een uur later.
Ridiekel was zich gaan vervelen en had Barre Bas naar de keuken gestuurd om een hapje op te snorren. Pander en de andere

twee waren intussen druk doende bij de fles, en rommelden daar met kristallen bollen en metaaldraad. En nu...
Er was op de bank tussen twee spijkers een draad strakgespannen. Die werd helemaal wazig en bonkte galmend een interessant ritme.
Grote, kromme groene lijnen hingen erboven in de lucht.
'Wat is dat?' zei Ridiekel.
'Zo ziet geluid eruit,' zei Pander.
'*Ziet* geluid eruit,' zei Ridiekel. 'Tjee, daar zeg je me wat. Ik heb geluid er nog nooit zo uit zien zien. Dus hiervoor hebben jullie toverij gebruikt? Om naar geluid te kijken? Goh, we hebben nog wat leuke kaas liggen in de keuken, zullen we even gaan horen hoe die ruikt?'
Pander slaakte een zucht.
'Zo zou geluid zijn als je oren ogen waren,' zei hij.
'Echt?' zei Ridiekel stralend. 'Sta je toch van te kijken!'
'Het ziet er *heel* ingewikkeld uit,' zei Pander. 'Eenvoudig als je er van een afstandje naar kijkt en van dichtbij heel ingewikkeld. Bijna...'
'Levend,' zei Ridiekel beslist.
'Uh...'
Dit was degene die Knizz heette. Hij leek zowat negentig pond te wegen en had de belangwekkendste haardracht die Ridiekel ooit had gezien, want deze bestond uit een rond het hele hoofd tot de schouders reikende franje van haar. Alleen uit het eruit stekende neuspuntje kon de wereld opmaken welke kant hij opkeek. Als hij ooit nog eens een steenpuist in zijn nek kreeg zou men nog gaan denken dat hij de verkeerde kant opliep.
'Ja, meneer Knizz?' zei Ridiekel.
'Uh. Ik heb hier eens iets over gelezen,' zei Knizz.
'Nee maar. Hoe kreeg je *dat* voor elkaar?'
'Weet je nog van die Luistermonniken daar bovenin de Ramtoppen? Die zeggen dat het heelal er een achtergrondruis op nahoudt? Een soort nagalm van een of ander geluid?'
'Klinkt me nogal aannemelijk. Zo'n heelal dat opstart, moet wel een oerend harde knal geven,' zei Ridiekel.
'Het hoeft niet echt hard te zijn,' zei Pander. 'Het moet gewoon overal zijn, tegelijk. Dat boek heb ik ook gelezen. Die Rigter de Teller heeft het geschreven. De monniken luisteren er nog steeds naar, zegt hij. Een geluid dat nooit wegsterft.'
'Klinkt mij dan toch als luid in de oren,' zei Ridiekel. 'Moet wel luid zijn, wil je het over enige afstand kunnen horen. Als de wind verkeerd staat kun je zelfs de klokken van het Moordenaarsgilde niet meer horen.'
'Het hoeft niet luid te zijn om overal gehoord te kunnen wor-

den,' zei Pander. 'Vanwege het feit dat op dat punt *overal* nog helemaal op één plek zat.'
Ridiekel keek hem aan met die blik waarmee je naar goochelaars kijkt die net een ei uit hun oor hebben verwijderd.
'Overal zat nog helemaal op één plek?'
'Ja.'
'Waar was dan overal elders?'
'Ook allemaal op één plek.'
'Dezelfde plek?'
'Ja.'
'Heel klein in elkaar geperst?'
Ridiekel begon zekere tekenen te vertonen. Was hij een vulkaan geweest, dan waren naburige inboorlingen inmiddels op zoek naar een geschikte maagd.
'Haha, je zou in feite kunnen zeggen dat het heel groot in elkaar geperst was,' zei Pander die altijd blindelings toehapte. 'Vanwege dat er geen ruimte bestond voordat er een heelal was, dus zat alles wat maar bestond overal.'
'Weer datzelfde overal van daarnet?'
'Ja.'
'Okee. Ga verder.'
'Rigter zegt dat hij dacht dat het geluid aan alles voorafging. Eén groot, ingewikkeld akkoord. Het grootste, ingewikkeldste geluid dat er ooit was. Een geluid van zo'n ingewikkeldheid dat je het niet *binnen* een heelal kon afspelen, net zo min als je een kist openkrijgt met het breekijzer dat erin zit. Eén enorm akkoord dat... zeg maar... alles tot ontstaan liet *klinken*. De muziek inzette, kun je eventueel ook zeggen.'
'Zoiets als *ta-daa*?' zei Ridiekel.
'Och, ja.'
'Ik dacht dat het heelal ontstond doordat een god bij een andere god zijn huwelijksgarnituur afhakte en daar het heelal van maakte,' zei Ridiekel. 'Dat leek me altijd klaar als een klontje. Ga maar na, echt iets dat je je zou kunnen voorstellen.'
'Tja –'
'En jij zegt nu dat iemand op een enorme toeter blies en daar zijn we dan?'
'Dat *iemand* weet ik nog niet zo,' zei Pander.
'Herrie maakt zich niet zomaar zelf, zoveel weet *ik* wel,' zei Ridiekel.
Hij ontspande zich wat, nu hij zichzelf ervan had overtuigd dat de rede had gezegevierd, en hij gaf Pander een schouderklopje.
'Werk het nog maar wat uit, jochie,' zei hij. 'Die Rigter was een beetje... onevenwichtig, hè. Hij dacht dat alles neerkwam op getallen.'

'En toch', zei Pander, 'heeft het heelal een ritme. Dag en nacht, licht en donker, leven en dood –'
'Stoffer en blik,' zei Ridiekel.
'Nou ja, niet elke vergelijking gaat helemaal op.'
Er werd op de deur geklopt. Daar was Barre Bas, die een blad torste. Hij werd gevolgd door mevrouw Copsuf, de huishoudster.
Ridiekels mond viel open.
Mevrouw Copsuf maakte een knixje.
'Goedemojgen, huwe genade,' zei ze.
Haar paardestaart wipte op en neer. Er klonk geritsel van gesteven petticoats.
Ridiekels mondopening vernauwde zich weer maar alleen om te zeggen: 'Wat heb je *nou* uitgehaald met je –'
'Pardon, mevrouw Copsuf', zei Pander vlug, 'maar heb je vanmorgen nog aan iemand van de docenten een ontbijt opgediend?'
'Precies, meneer Stibbond,' zei mevrouw Copsuf. Haar weelderige en geheimzinnige boezem zwoegde onder haar sweater. 'Hé man, geen van de heren kwam naar beneden, dus hab ek ze hallemaal een blad laten brengen.'
Ridiekels blikt zakte lager. Hij had zich mevrouw Copsuf nooit voorgesteld als iemand met benen. Natuurlijk, theoretisch had het mens iets nodig om zich op te verplaatsen, maar... och...
Maar daar gluurden twee mollige knieën vanonder de enorme rokkenpaddestoel uit. Weer wat lager zag men witte sokjes.
'Dat haar van je –' begon hij hees.
'Is er iets mis?' vroeg mevrouw Copsuf.
'Niks, niks,' zei Pander. 'Dank je wel.'
De deur ging achter haar dicht.
'Terwijl ze door de deur ging liep ze met haar vingers te knippen, net zoals je zei,' zei Pander.
'Verknipt is ze in elk geval wel,' zei Ridiekel narillend.
'Heb je die schoenen gezien?'
'Ik geloof dat mijn ogen zowat op die hoogte uit zelfbescherming waren dichtgegaan.'
'Als het echt iets levends is', zei Pander, 'dan is het heel besmettelijk.'

Dit tafereel vond plaats in het koetshuis van Beuks vader, maar het was de echo van een tafereel dat zich overal in de stad afspeelde.
Beuk was niet als Beuk gedoopt. Hij was de zoon van een rijke hooi- en veevoerhandelaar, maar beschouwde zijn vader minachtend als een dooie pier, met louter oog voor stoffelijke zaken

en verstoken van fantasie, en tevens als een vrek die hem drie belachelijke daalders zakgeld per week uitkeerde.
Beuks vader had zijn paarden in het koetshuis laten staan. Momenteel probeerden die zich allebei in hetzelfde hoekje te drukken, na een eerdere vruchteloze poging om een gat in de muur te trappen.
'Ik geloof dat ik het nou bijna had,' zei Beuk terwijl het hooistof in stralen van de zoldering stroomde en de houtwormen schielijk een beter heenkomen zochten.
'Het is niet – Ik bedoel, het lijkt niet erg op dat geluid dat we in de Trom hoorden,' zei Jopo kritisch. 'Het lijkt wel een beetje, maar toch niet – het is het niet.' Jopo was Beuks beste vriend en wilde er dolgraag bijhoren.
'Voor een eerste begin is het goed genoeg,' zei Beuk. 'Dus jij en Knakkie, jullie nemen gitaren. En Vullis, jij... jij doet de drums.'
'Zou niet weten hoe,' zei Vullis. Hij heette echt zo.
'*Niemand* weet hoe je moet drummen,' zei Beuk geduldig. 'Er *valt* niks te weten. Je slaat er gewoon op, met die stokjes.'
'Jewel, maar als ik nou es mis, zeg maar?'
'Dan schuif je er dichterbij. Okee,' zei Beuk en hij ging er eens voor zitten. 'En eerst... het belangrijkste, de allerbelangrijkste vraag is... hoe gaan we ons noemen?'

Klif keek eens rond.
'Nou, volgens mij hebben we elk huis bekeken en al sla je me dood, nergens de naam Snikkel gezien,' gromde hij.
Buddie knikte. Het Saeterplein bestond grotendeels uit de voorgevels van de Universiteit, maar er was nog ruimte voor een paar andere gebouwen. Die waren van dat soort met ten minste tien koperen naamplaten naast de deur. Het soort dat de indruk wekte dat voeten vegen op de deurmat alleen al een fiks bedrag op de rekening zou opleveren.
'Hallo, jongens.'
Ze draaiden zich om. Snikkel keek hen stralend aan van over een blad vol titulaire worstjes en broodjes. Naast hem lagen een paar zakken.
'Het spijt ons dat we zo laat zijn', zei Govd, 'maar we konden nergens je kantoor vinden.'
Snikkel spreidde zijn armen.
'Dit *is* mijn kantoor,' zei hij met dit brede gebaar. 'Het Saeterplein! Duizenden vierkante meters kantoorruimte! Uitstekende verbindingen! Levendige handel! Pas deze eens,' voegde hij eraan toe en hij raapte een van de zakken op en vouwde die open. 'Ik moest raden naar jullie maten.'
Ze waren zwart en van goedkoop katoen. Eentje ervan was

XXXXL.
'Een bloes met een tekst erop?' zei Buddie.
'"De Bonkband",' las Klif langzaam. 'Hé, dat zijn wij toch?'
'Waar hebben we die nou voor nodig?' zei Govd. 'We weten toch wie we zijn.'
'Reclame,' zei Snikkel. 'Vertrouw me nou maar.' Hij stak een bruine cilinder in zijn mond en stak het uiteinde ervan aan. 'Trek ze vanavond maar aan. Heb ik even een engagement voor jullie!'
'Nou, heb je dat?' vroeg Buddie.
'Dat zeg ik toch!'
'Nee, je vroeg het,' zei Govd. 'En hoe moeten wij dat weten?'
'Zo'n gaatjecement, is dat iets halderieks?' vroeg Klif.
Snikkel begon maar van voren af aan.
'Het is in een grote tent, het wordt een reuzepubliek! *En* je krijgt...' hij keek in hun open, trouwhartige gezichten, 'tien daalders boven het gildetarief, nou, wat zeg je?'
Govds gezicht spleet verder open tot een grijns. 'Wat, elk?' vroeg hij.
Snikkel keek hem weer schattend aan. 'O... nee,' zei hij. 'Eerlijk is redelijk. Tien daalders samen. Kom, wees even ernstig. Je moet in de kijkerd lopen.'
'Heb je die uitdrukking weer,' zei Klif. 'Krijgen we gelijk weer dat Muzikantengilde op ons dak.'
'Nou, waar is het?' vroeg Govd.
'Hou je vast!'
Hun ogen knipperden. Snikkel straalde en blies een wolk vettige rook uit.
'De Spelonk!'

En het bonken ging door...
Wat mutaties hier en daar zijn vanzelf onvermijdelijk...
Grotters en Hamerteen waren liedjesschrijvers, en keurige leden van het Muzikantengilde. Ze schreven dwergenliedjes voor alle gelegenheden.
Er zijn mensen die beweren dat dat niet moeilijk is zolang je nog weet hoe je 'Goud' moet spellen, maar dat is wat al te negatief. Menig dwergenlied* heeft als *leitmotiv* 'Goud, goud, goud' maar alles hangt van de intonatie af; dwergen kennen duizenden woorden voor 'goud' maar gebruiken geeft niet welke daarvan in noodgevallen, zoals bij het zien van goud dat van iemand anders is.

*Okee – *ieder* dwergenlied. Behalve dat over Heiho.

Ze hadden een kantoortje in de Hoempasteeg, waar ze ter weerszijden van een aanbeeld meezingers voor bij de houweel schreven.
'Zeg, Grot?'
'Wat?'
'Wat vind je van deze?'
Hamerteen schraapte zijn keel.

'Ik ben snel en blits en snel en blits en 'k ben snel en blits en snel en blits en 'k ben snel en blits,
'En mijn vrienden en ik lopen gemeen op je af met ons petje achterstevoren en een lelijk gezicht,
'*Yo*!'

Grotters kauwde peinzend op de steel van zijn componeerhamer.
'Lekker ritme', zei hij, 'maar aan die tekst zou ik nog wat schaven.'
'Je bedoelt zeker meer goud, goud, goud?'
'Ja-a. Hoe had je dit dan willen noemen?'
'Uh... r... rat... muziek...'
'Hoezo ratmuziek?'
Hamerteen keek weifelend.
'Zou ik eigenlijk niet weten,' zei hij. 'Kwam gewoon bij me op.'
Grotters schudde zijn hoofd. Dwergen, dat waren diepgravers, binnenvetters. Hij wist waar die van hielden.
'In goeie muziek moet diepte, moet *ziel* zitten,' zei hij. 'Er zit niks in als er geen ziel inzit.'

'Rustig nou maar, rustig maar,' zei Snikkel. 'Het is de drukste stek van Ankh-Meurbork, vandaar. Ik snap niet wat je probleem is...'
'De Spelonk?' schreeuwde Govd. 'Die kelder is van Chrysopraas de trol, dat is ons probleem!'
'Ze zeggen dattie een peetvader is in de Magmia,' zei Klif.
'Nou, nou, dat is nooit bewezen...'
'Alleen omdat het bar lastig is om iets te bewijzen als ze een gat in je kop geschept hebben en daar je voeten ingestoken!'
'Vooroordelen hebben we niks aan, louter omdat het een trol –' begon Snikkel.
'*Ik* ben een trol! Mag ik dan misschien vooroordelen tegen een trol hebben? Da's een gemeen stuk vuursteen! Ze zeggen dat de bende van Bruinkool toen ze die vonden geen tand meer over h–'
'Wat is die Spelonk dan?' vroeg Buddie.

'Een trollenstek,' zei Klif. 'Ze zeggen –'
'Het wordt een klapper! Wie maakt zich nou zorgen?' zei Snikkel.
'Het is ook nog een gokhal!'*
'Maar het Gilde durft er niet binnen,' zei Snikkel. 'Niet als ze weten wat goed voor ze is.'
'En *ik* weet wat goed voor mij is!' schreeuwde Govd. 'En het is goed voor me dat ik dat weet! Het is goed voor me om nooit in een trollenkroeg te komen!'
'In de Trom gooiden ze anders ook bijlen naar je kop,' voerde Snikkel aan.
'Ja, maar alleen voor de lol. Je kon niet zeggen dat ze mikten.'
'Bovendien', zei Klif, 'komen daar alleen trollen drinken, en stomme maffe jongmensen die denken dat het blits is. Publiek krijg je daar niet.'
Snikkel tikte opzij tegen zijn neus.
'Jullie spelen,' zei hij. 'En je krijgt je publiek. Dat is *mijn* klus.'
'Je krijgt mij niet door die deur daar!' snauwde Govd.
'Het is anders een *enorme* deur,' zei Snikkel.
'Maar mij krijg je er niet door want als je probeert mij erdoor te krijgen moet je de hele straat meeslepen, vanwege dat ik me daaraan vastgrijp!'
'Ach nee, wees nou verstandig –'
'Nee!' schreeuwde Govd. 'En dat schreeuw ik namens ons alledrie!'
De gitaar jankte.
Buddie zwaaide hem voor zijn buik en speelde en paar akkoorden. Dat scheen hem, de gitaar dus, te kalmeren.
'Ik geloof dat hij... eh... het wel ziet zitten,' zei hij.
'Hij ziet het wel zitten,' zei Govd, wat minder opgefokt. 'O, prachtig. Nou, weet je wel wat ze doen met dwergen die naar die kelder gaan?'
'Het geld kunnen we best gebruiken, en het is vast niet erger dan wat het Gilde met ons doet als we ergens anders optreden,' zei Buddie. 'En spelen moeten we.'
Ze stonden elkaar even aan te kijken.
'Weet je wat jullie moesten doen?' zei Snikkel vanachter een rookkringetje. 'Zoek maar een lekker rustig plekje om de dag door te brengen. Rust wat uit.'
'Nou en of,' zei Klif. 'Nooit verwacht dat ik de hele tijd met die keien zou moeten blijven zeulen –'

*Trols gokken is nog onnozeler dan Australisch gokken. Een van de gewildste spelletjes is Eén d'r Op, dat bestaat uit het opgooien van een munt en dan wedden of hij weer zal neerkomen.

Snikkel stak een vingertje op. 'Aha,' zei hij. 'Daar heb ik ook aan gedacht. Jullie moeten vanzelf je talent niet verspillen met spullen sjouwen, zei ik bij mezelf. Ik heb een hulpje voor je ingehuurd. Heel goedkoop, maar een daalder per dag, dat houd ik wel in op je gage dan hebben jullie er geen kopzorg aan. Zeg Bitumen maar eens gedag.'
'Wie?' vroeg Buddie.
'Bennik,' zei een van de zakken naast Snikkel.
De zak ging een beetje open en bleek helemaal geen zak te zijn maar een... een soort van in elkaar gepropte... iets als een bewegend hoopje...
Buddie voelde hoe zijn ogen ervan traanden. Dit zag er wel uit als een trol, maar toch was het korter dan een dwerg. Niet *kleiner* dan een dwerg – wat Bitumen tekort kwam aan lengte maakte hij weer goed in de breedte en, nu we het er toch over hebben, in stank.
'Hoe', zei Klif, 'komt die zo kort?'
'Reppen olifant op me gezeten,' zei Bitumen mokkend.
Govd snoot zijn neus.
'Alleen maar gezeten?'
Bitumen had het 'De Bonkband' shirtje al aan. Over zijn borst stond het strak maar het hing tot op de grond.
'Bitumen zorgt voor alles,' zei Snikkel. 'Hij kent de amusementswereld als zijn broekzak.'
Bitumen onderwierp hen aan een brede grijns.
'Memmij zit je goed,' zei hij. 'Ikkep met allemaal gewerkt, hoor. Overal geweest, alles gedaan.'
'We zouwen naar de Groene Paprika kunnen gaan,' zei Klif. 'Daar zit niemand nou de Universiteit vakantie heeft.'
'Mooi. Ik heb het een en ander te regelen,' zei Snikkel. 'Tot vanavond. De Spelonk. Zeven uur.'
Hij blies de aftocht.
'Weet je wat zo gek was met hem?' zei Govd.
'Wat dan?'
'Zoals hij dat worstje rookte. Denk je dat hij het wist?'
Bitumen greep Klifs zak en zwaaide die met gemak over zijn schouder.
'Komwegaan, baas.'
'Dus er ging een olifant op je zitten?' vroeg Buddie terwijl ze het plein overstaken.
'Jewel. Bijt circus,' zei Bitumen. 'Ik deedaar de mest.'
'En zo kwam dat je nu zo bent?'
'Onnee. Kwerd pas zo toedie olifanten drievier keer op me gingezitten,' zei de korte, platte trol. 'Kweenie waarom. Stonnik achter ze op te ruimen, wertut opeens donker.'

'Ik voor mij zou na de eerste keer zijn weggegaan,' zei Govd.
'Annee,' zei Bitumen met een tevreden lachje. 'Kannik niemaken. De showbiz zit imme ziel.'

Pander keek naar het ding dat ze in elkaar hadden getimmerd.
'Ik snap het ook niet,' zei hij. 'Maar... het lijkt erop dat we het kunnen vangen in een snaar, en het maakt dan dat de snaar de muziek *opnieuw* afspeelt. Iets als een iconograaf voor geluid.'
Ze hadden de metaaldraad in het kistje gedaan, en dat klonk prachtig. Het speelde telkens weer dezelfde twaalf maten.
'Een muziekdoos,' zei Ridiekel. 'Nee maar!'
'Ik zou wel eens willen proberen', zei Pander, 'om een stel muzikanten te laten spelen voor een hele hoop van deze snaren. Misschien kunnen we dan hun muziek opvangen.'
'Waarom?' zei Ridiekel. 'Wie ter Schijf zit daarop te wachten?'
'Nou... als je muziek in een doosje kon krijgen waren er geen muzikanten meer nodig.'
Ridiekel aarzelde. Voor dat idee viel veel te zeggen. Een wereld zonder muzikanten had wel iets. Naar zijn ervaring was het een stelletje luizenbossen. Heel onhygiënisch.
Met tegenzin schudde hij zijn hoofd.
'Niet dit soort muziek,' zei hij. 'Die willen we laten ophouden, niet er nog meer van maken.'
'Wat is er dan precies mis mee?' vroeg Pander.
'Het is... nou, merk je het dan niet?' zei Ridiekel. 'Mensen gaan er raar van doen. Malle kleren aantrekken. Brutaal zijn. Niet doen wat ze gezegd wordt. Ik kan niks met ze beginnen. Dat deugt niet. Bovendien... denk eens aan meneer Hang.'
'Ongewoon is het zeker,' zei Pander. 'Kunnen we er nog wat van zien te krijgen? Voor onderzoeksdoeleinden? Toe, Aartskanselier?'
Ridiekel haalde zijn schouders op. 'We volgen de Hoofddekaan maar,' zei hij.

'Lieve help,' fluisterde Buddie in de enorme galmende leegte. 'Geen wonder dat het hier De Spelonk heet. Een kolossale grot!'
'Je voelt je hier gewoon een dwerg,' zei Govd.
Bitumen slenterde tot vooraan het podium.
'Eén twee, één twee,' zei hij. 'Eén. Eén. Eén twee, één tw–'
'Drie,' hielp Buddie.
Bitumen zweeg even verlegen.
'Probeer gewoon, weetjewel, probeer gewoon effede... probeer effe...' mompelde hij. 'Probeer... gewoon.'
'We krijgen het hier nooit vol,' zei Buddie.

Govd rommelde in een doos naast het podium.
Hij zei: 'Misschien toch wel. Moet je zien.'
Hij rolde een affiche uit. De anderen dromden er omheen.
'Da's een plaatje van ons,' zei Klif. 'Iemand heeft ons uitgetekend.'
'Wat kijken we ruig,' zei Govd.
'Divan Buddie izzonwijs gaaf,' zei Bitumen. 'Kijkemus met die gitaar zwaaien.'
'Wat moet al die bliksem en zo er bij?' zei Buddie.
'Ik kijk nooit zo ruig, niet eens als mijn baard nog niet gekamd is,' zei Govd.
'"Een Nieuw Geluyt Zwingt Het Uyt",' las Klif met rimpels van inspanning.
'"De Bonckeband",' zei Govd. 'O, *nee* hè. Er staat dat we hier komen spelen en al,' kreunde hij. 'Het is met ons gebeurd.'
'"Sorgh Dat Je Erby Bent Ofte Wees Een Viercant",' las Klif. 'Dat snap ik niet.'
'Er zitten hier tientallen van die rollen in,' zei Govd. 'Dat zijn *posters*, aanplakbiljetten. Weet je wel wat dat betekent? Hij heeft die overal laten aanplakken en ophangen. En nou we het daar toch over hebben, als dat Muzikantengilde ons te pakken kr–'
'Muziek is vrank en vrij,' zei Buddie. 'Muziek moet gratis zijn.'
'Wat?' zei Govd. 'Niet waar *deze* dwerg woont!'
'Maar het hoort wel zo,' zei Buddie. 'Niemand zou voor muziekmaken moeten hoeven betalen.'
'Precies! Die knul heeft gelijk! Heb ik ook altijd gezegd! Heb ik dat niet altijd al gezegd? Nou en of ik dat altijd gezegd heb.'
Uit de schaduw tussen de coulissen was Snikkel opgedoken. Hij had een trol bij zich die, begreep Buddie, vast Chrysopraas moest zijn. Deze was niet bijzonder groot of zelfs erg ruwstenig. Hij had juist iets glads en glimmends over zich, als een op het strand gevonden kiezeltje. Nergens vertoonde hij een spoortje korstmos.
En hij had kleren aan. Kleren, afgezien van uniformen of speciale werkkleding, waren doorgaans niks voor trollen. Meestal droegen ze een lendendoek om spulletjes in te bewaren, en dat was het dan. Maar Chrysopraas had een pak aan. Het leek van beroerde snit. Nu was het juist prima maatwerk, maar zelfs een trol zonder kleren aan vertoont in wezen een beroerde snit.
Chrysopraas had toen hij in Ankh-Meurbork aankwam zo snel en veel mogelijk opgestoken. De eerste les was heel belangrijk: iemand slaan was grof rabauwenwerk. Anderen betalen om voor jou iemand te slaan was een kwestie van zakendoen.
'Jongens, ik stel je graag voor aan Chrysopraas,' zei Snikkel.

‘Een oude vriend van me. Kennen elkaar al van jaren her. Waar of niet, Chrys?’
‘Jazeker.’ Chrysopraas trakteerde Snikkel op het soort warme lachje waarmee een haai een kabeljauw verrast als hij daar graag even mee opzwemt, voorlopig. Uit een licht trekje in de kiezelspiertjes bij zijn mondhoeken viel ook op te maken dat ooit zeker iemand ook dat ‘Chrys’ zou betreuren.
‘Ik hoor van meneer Vlees hier asdat jullies het neussie van zalm benne,’ zei hij. ‘Hebbe jullies alles wat je nodig hebt?’
Ze knikten zwijgend. Tegen Chrysopraas praatte men liever niet voor het geval men iets zei dat verkeerd viel. Dat kon men natuurlijk op het moment zelf niet merken. Later wel, als men ergens in een donker steegje liep en er een stem achter je zei: meneer Chrysopraas is *slecht over je te spreken*.
‘Gane jullies dan maar wat rusten in je kleedkamer,’ ging hij verder. ‘As jullies eten of drinken willen, hoef je maar te kikken.’
Om zijn vingers droeg hij diamanten ringen. Klif kon zijn ogen er niet van afhouden.
De kleedkamer lag naast de plees en stond half vol biervaten. Govd leunde tegen de deur.
‘Dat geld hoef ik niet,’ zei hij. ‘Laat me het hier alleen levend afbrengen, meer vraag ik niet.’
‘Aak ei e maar miet ruk –’ begon Klif.
‘Je probeert te praten met je mond dicht, Klif,’ zei Buddie.
‘Ik zei: maak jij je maar niet druk, jij hebt de verkeerde tanden,’ zei de trol.
Er werd aan de deur geklopt. Klif sloeg zijn hand weer voor zijn mond. Maar het geklop bleek Bitumen te zijn, die een blad binnenbracht.
Er waren drie soorten bier. Er waren zelfs broodjes gerookte rat met de korstjes en staartjes er afgesneden. En er was een bak vol cokes en de fijnste antracietnootjes, bestrooid met as.
‘Kners maar lekker,’ kreunde Govd terwijl Klif de bak aanpakte. ‘Het kon je laatste kans wel eens zijn –’
‘Misschien komt er wel niemand opdagen, dan kunnen we naar huis,’ zei Klif.
Buddie liet zijn vingers over de snaren glijden. De anderen stopten met eten toen de akkoorden de kamer vulden.
‘Toverkracht,’ zei Klif hoofdschuddend.
‘Maken jullie je maar niedruk, knullen,’ zei Bitumen. ‘Asseral problemen kommen, krijgen andere lui utwel voor hun kiezen.’
Buddie hield op met spelen.
‘Welke andere lui?’
‘Jaaschek’, zei het trolletje, ‘opeens spelen zallemaal bonkmu-

ziek. Meneer Snikkel heb noggen band gecontracteerd voorut concert. Ommopte warmen, zeg maar.'
'Wie dan?'
'Heten Gekte,' zei Bitumen.
'Waar zitten ze?' vroeg Klif.
'Noukijk, utzit zo... jeweedat *jullie* kleedkamer *naast* de plee is?'

Beuk probeerde achter het rafelgordijn van de Spelonk zijn gitaar te stemmen. Een aantal dingen stond dat eenvoudige karwei in de weg. Ten eerste had Bart opeens begrepen wat zijn klanten eigenlijk wilden dus had hij, met een schietgebedje om vergiffenis aan zijn voorouders, meer tijd besteed aan het oplijmen van glittertjes dan aan de functionele onderdelen van het instrument. Anders gezegd, hij had er twaalf spijkers ingehamerd en daar de snaren aan vastgeknoopt. Nu was dit niet al te zeer een probleem, want Beuk zelf had de muzikale aanleg van een verstopte neus.
Hij keek naar Jopo, Knakkie en Vullis. Jopo die nu basgitarist was (Bart had onder hysterisch gegiechel een groter brok hout en wat staalkabel gebruikt) had een aarzelende hand opgestoken.
'Wat is er, Jopo?'
'Er is een snaar van me gitaar gebroken.'
'Nou, dan heb je er toch nog vijf?'
'Najja. Maar ik weet niet hoe'k daarop spelen moet, zie je.'
'Je wist toch ook al niet hoe je er op zes moest spelen? Nou, dan ben je nu dus wat minder onwetend.'
Vullis gluurde door het gordijn.
'Zeg Beuk?'
'Ja?'
'Er zitten daar honderden lui. Honderden! En een hele hoop ervan hebben nog gitaren bij zich ook. Ze zwaaien er zo'n beetje mee!'
Gekte luisterde naar het bulderend lawaai van de andere kant van het gordijn. Beuk had niet zoveel hersencellen, en die moesten vaak wuiven om elkaars aandacht te trekken, maar hij had ergens een vleugje twijfel of het geluid waartoe Gekte nu in staat was wel *het* geluid was van gisteravond in de Trom, al was het nog zo'n *goed* geluid. Van *het* geluid wilde hij gaan krijsen en dansen, en van het *andere* geluid wilde hij... tja... wilde hij gaan krijsen en Vullis' drumstel op het hoofd van de drummer aan diggelen slaan, eerlijk gezegd.
Knakkie gluurde tussen de gordijnen door.
'Hé, daar zit een stel tov... ik geloof dat het tovenaars zijn, op

de voorste rij,' zei hij. 'Ik... denk echt dat het tovenaars zijn, maar, ja zie je...'
'Dat *zie* je zo, oen,' zei Beuk. 'Die hebben punthoeden op.'
'Er is er eentje met... punthaar...' zei Knakkie.
De rest van Gekte bracht het oog naar de spleet.
'Lijkt wel... zo'n eenhoornpunt, geboetseerd van haar...'
'Wat staat daar achterop zijn toverjas?' zei Jopo.
'Daar staat GEBOREN OM TE RUNEN,' zei Beuk, die van de groep het snelst kon lezen en daarbij geeneens zijn vingers nodig had.
'Die dunne daar heeft een van onderen wijd uitlopende pij,' zei Knakkie.
'Wat *oud* moet die wezen.'
'En ze hebben allemaal gitaren! Schat jij dat die hier voor ons zijn?'
'Vast wel,' zei Knakkie.
'Dat is wel een ontiegelijk volle zaal,' zei Jopo.
'Ja, persies, ontiegelijk,' zei Vullis. 'Uh. Wat betekent ontiegelijk eigenlijk?'
'Iegelijk betekent... iedereen, ontiegelijk betekent... zonder iedereen, want iedereen wordt er bang van en vlucht,' zei Jopo.
'Persies. Als je dat ziet, word je er bang van.'
Beuk zette alle twijfels van zich af.
'Kom, we gaan op', zei hij, 'en dan zullen we ze wel eens laten zien wat Rotsmuziek allemaal is!'

Bitumen, Klif en Govd zaten in een hoekje van de kleedkamer. Het gebrul van de menigte drong tot hier heel door.
'Waarom zegtie niks?' fluisterde Bitumen.
'Kweenie,' zei Govd.
Buddie staarde in het niets, met de gitaar in zijn armen. Af en toe sloeg hij op de klankkast, in de maat met de onzichtbare gedachten die door zijn hoofd kolkten.
'Soms wordt hij zo,' zei Klif. 'Dan zit hij daar maar naar niks te kijken –'
'Hé, ze zijn daar iets aan het roepen,' zei Govd. 'Hoor maar.'
In het gebrul zat een ritme.
'Klink als "Rots, Rots, Rots",' zei Klif.
De deur knalde open en daar holde Snikkel half struikelend naar binnen.
'Jullie moeten op!' schreeuwde hij. 'Meteen!'
'Ik dacht anders dat die Gekkigheden –' begon Govd.
'Begin daar maar niet over,' zei Snikkel. 'Vooruit! Straks breken ze de boel nog af!'
Bitumen tilde de keien van de grond.

'Okee,' zei hij.
'Nee,' zei Buddie.
'Wakrijgewenou?' zei Snikkel. 'De zenuwen?'
'Nee. Muziek moet vrank, vrij en gratis zijn. Net als de lucht en de hemel.'
Govd keek als door een adder gebeten om. In Buddies stem klonken vaag allerlei onder- en boventonen mee.
'Tuurlijk, precies, wat ik al zei,' zei Snikkel. 'Dat Gilde –'
Buddie vouwde zijn benen onder zich vandaan en stond op.
'Ik neem aan dat ze moesten betalen om binnen te mogen, ja?' zei hij.
Govd keek de anderen aan. Niemand leek er iets van te merken. Maar er jankte iets mee met Buddies woorden, een ruisen van snaren.
'O, *dat*. Natuurlijk,' zei Snikkel. 'De onkosten moeten vergoed. Jullie gage... vervuiling en slijtage van de vloerbedekking... verwarming en licht... waardevermindering...'
Het gebrul was nu luider. Er zat een voetstampend ritme in.
Snikkel slikte even. Opeens keek hij als iemand die tot het ultieme offer bereid is.
'Ik kan eventueel... op het toneel... eventueel... een daalder,' zei hij, en ieder woord baande zich met geweld een weg uit de kluis van zijn ziel.
'Als we nu het toneel opgaan wil ik dat we ook nog een ander optreden doen,' zei Buddie.
Govd oogde wantrouwig naar de gitaar.
'Wat? *Zo* geregeld. Ik kan binnen de –' begon Snikkel.
'Voor niks.'
'Voor niks?' De woorden waren aan Snikkels tanden ontglipt voor die konden dichtklappen. Hij herstelde zich schitterend. 'Je wilt er geen geld voor? Maar natuurlijk, als –'
Buddie verroerde zich niet.
'Ik bedoel dat wij geen geld krijgen en dat het publiek niet voor het luisteren hoeft te betalen. Een zo groot mogelijk publiek.'
'*Gratis?*'
'Ja!'
'Wat win je daar nou mee?'
Er trilde een lege bierfles van tafel om op de grond aan scherven te gaan. In de deuropening verscheen een trol, of tenminste een deel ervan. De trol zou nooit de kamer in kunnen zonder het deurkozijn eruit te scheuren, maar het zag er niet naar uit dat hij daar lang over zou aarzelen.
'Meneer Chrysopraas laat vragen: wat is er loos?' gromde hij.
'Uh –' begon Snikkel.
'Meneer Chrysopraas houdt er niet van om te wachten.'

'Weet ik, weet ik, het –'
'Als hij wachten moet wordt hij zo treurig –'
'*Vooruit* dan!' schreeuwde Snikkel. 'Gratis! En dan snij 'k in eigen vlees. Dat snap je toch wel, hoop ik?'
Buddie speelde een akkoord. Het was net of er lichtjes van in de lucht bleven hangen.
'Kom, we gaan,' zei hij zacht.
'Ik ken deze stad,' mompelde Snikkel terwijl De Bonkband zich naar het trillende podium haastte. 'Laat vallen dat iets gratis is en ze komen met hun duizenden opdagen –'
Met behoefte aan eten, zei een stem in zijn hoofd. Er zat een galm in de stem.
Met behoefte aan drinken.
Met behoefte aan De-Bonkbandshirtjes...
Heel langzaam herschikte Snikkels tronie zich tot een lachje.
'Een *gratis* festival,' zei hij. 'Prima! Gewoon onze plicht. Muziek *hoort* gratis te wezen. En worstebroodjes horen een daalder per stuk te zijn, exclusief de mosterd. Misschien wel één daalder vijftig. En dan snij 'k nog in eigen vlees.'

Al in de coulissen was het publiekslawaai een massieve muur van geluid.
'Wat een *menigte* zeg,' zei Govd. 'Ik heb van mijn hele leven nog niet voor zoveel gespeeld!'
Bitumen stond op het toneel Klifs keien te ordenen en nam daarbij een donderend applaus plus gejoel in ontvangst.
Govd keek nog even naar Buddie. Al die tijd had hij zijn gitaar niet losgelaten. Dwergen geven zich zelden over aan zelfonderzoek, maar Govd was zich ineens bewust van de wens om heel ver hier vandaan te zijn, ergens in een grot.
'Nou, het beste ermee, jongens,' zei een toonloos stemmetje achter ze.
Jopo stond Beuks arm te verbinden.
'Uh, dank je,' zei Klif. 'Wat is jou overkomen?'
'Ze gooiden ons ergens mee,' zei Beuk.
'Waarmee?'
'Met Knakkie, dacht ik.'
Wat er van Beuks gezicht nog te zien was vertoonde een brede en vreselijke lach.
'Maar we hebben het hem gelapt!' zei hij. 'We hebben wel degelijk rotsmuziek gemaakt! Vooral dat waar Jopo zijn gitaar kapotsloeg, ze werden er *wild* van!'
'Zijn gitaar kapotsloeg?'
'Jewel,' zei Jopo vol kunstenaarstrots. 'Op Vullis.'
Buddie stond met zijn ogen dicht. Klif dacht dat hij een heel,

heel vage gloed om hem kon zien hangen, net een ijle mist. Er zaten piepkleine lichtpuntjes in.
Soms dacht je: ik zou zweren dat Buddie een elf is.
Bitumen kwam op een holletje van het toneel af.
'Okee, alles klaar,' zei hij.
De anderen keken Buddie aan.
Hij stond nog steeds met zijn ogen dicht, net of hij stond te slapen.
'Nou... gaan we nog op?' zei Govd.
'Ja', zei Klif, 'we gaan toch op? Uh. Buddie?'
Buddies ogen klapten opeens weer open.
'Laten we rotsen,' fluisterde hij.
Daarnet vond Klif het lawaai al oorverdovend, maar nu ze uit de coulissen stapten raakte het hem als een knuppel.
Govd greep zijn hoorn. Klif ging zitten en graaide zijn hamers bij elkaar.
Buddie liep naar het midden van het podium en bleef daar tot Klifs stomme verbazing naar de grond staan kijken.
Het gejuich begon te betijen.
En verstomde toen helemaal. De enorme hal raakte vervuld van de ingehouden adem van honderden mensen.
Buddies vingers kwamen in beweging.
Hij greep drie eenvoudige akkoordjes.
Toen keek hij de zaal in.
'Hallo, Ankh-Meurbork!'
Klif voelde hoe de muziek achter hem oprees en hem voortjoeg in een tunnel van vuur, vonken en opwinding. Hij liet zijn hamers neerkomen. En ja hoor, dit was Rotsmuziek.

S.I.E.V. Snikkel stond buiten op straat om de muziek niet te hoeven horen. Hij rookte een sigaar en maakte berekeningen op de achterkant van een onbetaalde rekening voor oudbakken broodjes.
Zeven kijken... Goed, we doen het ergens buiten, dus geen huur... zeg een tienduizend mensen, elk een worstebroodje à één daalder vijftig, nee, beter één daalder vijfenzeventig, tien duiten extra voor mosterd – tienduizend De-Bonkbandshirtjes van elk vijf daalders, maak daar tien daalders van... tel er de kraamverhuur bij aan andere venters, want lui die van Rotsmuziek houden zou je vast *alles* kunnen aansmeren...
Hij merkte dat er een paard de straat in kwam. Hij lette er niet op tot een vrouwenstem zei: 'Hoe kom ik hierin?'
'Geen kijk op. Alle kaartjes uitverkocht,' zei Snikkel zonder zijn hoofd om te draaien. Zelfs De-Bonkbandposters, sommigen hadden wel drie daalders geboden, louter voor een poster, en

Krijtje de trol kon er wel honderd per –
Hij keek omhoog. Het paard, een schitterende schimmel, keek hem verstrooid aan.
Snikkel keek rond. 'Waar is zij nou gebleven?'

Net binnen de ingang hingen een paar trollen rond. Suzan negeerde ze. Zij negeerden haar.

In de zaal keek Pander Stibbond links en rechts om vervolgens behoedzaam een kistje te openen.
De strakgespannen snaar erin begon mee te trillen.
'Hier klopt niets van!' schreeuwde hij Ridiekel in het oor. 'Dit is *niet* volgens de wetten van het geluid!'
'Misschien zijn het wel geen wetten!' schreeuwde Ridiekel terug. Al op een halve meter kon men hem niet meer horen. 'Misschien zijn het maar richtlijnen!'
'Nee! Het moeten *wetten* zijn! Wet is wet!'
Ridiekel zag hoe de Hoofddekaan in de opwinding op het podium probeerde te klimmen. Bitumens enorme trollenvoeten belandden met een plof op zijn vingers.
'Gut zeg, die is raak,' zei de Aartskanselier.
Een kriebel achter in zijn nek deed hem omkijken.
Zo overvol als de Spelonk was had zich in de zaal toch een lege plek gevormd. Men stond als haringen opeen gepakt maar deze kring was om het een of ander zo onschendbaar als een muur.
Midden daarin bevond zich het meisje dat hij gezien had in de Trom. Met haar rok elegant opgehouden liep ze midden in de kring.
Ridiekels ogen traanden.
Hij stapte naar voren en concentreerde zich. Als je je maar concentreerde kon je haast alles zien. Als je zintuigen maar bereid waren om je te laten weten dat de kring er was had iedereen erin kunnen stappen. Binnen de kring klonk het geluid wat gedempt.
Hij tikte haar op haar schouder. Verrast draaide ze zich snel om.
'Goedenavond,' zei Ridiekel. Hij bekeek haar van top tot teen, en zei toen: 'Ik ben Mustrum Ridiekel, Aartskanselier van de Gesloten Universiteit. Ik vraag me eigenlijk af wie je bent.'
'Uh...' Het meisje raakte even in paniek. 'Nou, technisch gezien... ben ik min of meer de Dood.'
'Technisch, min of meer?'
'Technisch wel dus, maar momenteel even buiten dienst.'
'Blij dat te horen, zeg.'
Van het podium klonk gekrijs, want Bitumen smeet net de Lector Recentelijke Runen in het publiek dat applaudisseerde.

'Ik heb de Dood wel niet zo vaak ontmoet', zei Ridiekel, 'maar zover ik hem heb ontmoet is hij wat meer... tja, een *hij*, om mee te beginnen. En aardig wat magerder..?'
'Dat is mijn opa.'
'Ach. Aha. Echt? Ik wist niet eens dat hij ge–' Ridiekel verstomde. 'Nee maar, stel je voor. Je opa? En jij zit in de familiezaak?'
'Hou je kop, stom kereltje,' zei Suzan. 'Doe niet zo neerbuigend. Zie je hem daar?' Ze wees naar het podium waar Buddie het net op zijn heupen kreeg. 'Hij moet binnenkort sterven vanwege... vanwege *malligheid*. En als jij daar niets aan doen kunt, *smeer* hem dan!'
Ridiekel wierp even een blik op het podium. Toen hij weer terugkeek was Suzan weg. Hij spande zich geweldig in en dacht eventjes verderop een glimp van haar op te vangen, maar ze wist dat hij naar haar zocht en hij had nu geen kans meer om haar te vinden.

Bitumen was het eerst terug in de kleedkamer. Een lege kleedkamer heeft iets bijzonder triests. Het is net een uitgetrokken onderbroek en heeft daarmee diverse aspecten gemeen. Hij heeft veel meegemaakt. Misschien zelfs opwinding beleefd en een hele wirwar van menselijke hartstochten. En nu is er weinig meer van over dan een lichte geur.
Het trolletje kieperde de keienzak op de grond en beet de dop van een paar bierflesjes.
Daar was Klif. Hij kwam tot halverwege de kleedkamer en kapseisde daar, zodat elk van zijn lichaamsdelen tegelijk de planken raakte. Govd stapte over hem heen en zeeg neer op een vaatje.
Hij keek naar de bierflesjes. Hij zette zijn helm af. Hij goot het bier in de helm. Toen liet hij zijn hoofd voorover kiepen.
Buddie kwam binnen en ging in een hoek tegen de muur zitten leunen.
En Snikkel kwam erachteraan. 'Nou, wat moet ik zeggen? Wat *moet* ik zeggen?' zei hij.
'Moet je ons niet vragen,' zei Klif vanuit lighouding. 'Kunnen wij toch niet weten?'
'Dat was *schitterend*,' zei Snikkel. 'Wat heeft die dwerg toch? Verdrinkt hij soms?'
Govd stak zonder op te kijken een hand uit, sloeg de hals van nog een bierfles en goot die leeg over zijn hoofd.
'Zeg, meneer Snikkel?' zei Klif.
'Ja?'
'Ik geloof dat we willen praten. Alleen wij dus, zeg maar. De band. Als je het niet erg vindt.'

Snikkel keek van de een naar de ander. Buddie zat naar de muur te staren. Govd maakte gorgelgeluiden. Klif lag nog op de grond.
'Okee,' zei hij om meteen monter te vervolgen: 'Buddie? Dat van dat gratis optreden... *geweldig* idee. Ik ga meteen beginnen om het te regelen, dan kunnen jullie het zodra je terugbent van je tournee meteen afwerken. Mooi. Nou, dan ga ik m–'
Hij draaide zich al om om weg te gaan en botste tegen Klifs arm die opeens de deuropening afsloot.
'Tournee? Wat voor tournee?'
Snikkel deinsde wat achteruit. 'Och, een paar plaatsen. Quorm, Pseudopolis, Stoo Lat –' Hij keek ze allemaal aan. 'Dat wilden jullie toch wel?'
'Daar hebben we het later wel over,' zei Klif.
Hij duwde Snikkel de deur uit en smeet die dicht.
Het bier droop uit Govds baard.
'Tournee? Nog drie van *dit* soort avonden?'
'Wattisnout probleem,' zei Bitumen. 'Dit was toch groots! Iedereen juichte. Jullie warewel twee uur bezig! Ik moest ze aldoor vannut podium schoppen! Ik heb me nonnooit zo –'
Hij zweeg.
'Dat is het hem net,' zei Klif. 'Kwestie is, ik ga dat podium op, ga zitten zonder te weten wat we zullen gaan doen, en daar begint me Buddie toch even te spelen op zijn... op dat *ding*, en ik ga zomaar loos van *bam-Bam-tsjtsja-tsjtsja-BAM-bam*. Ik heb geen idee wat ik speel. Het komt gewoon in mijn kop en dan door mijn armen.'
'Ja,' zei Govd. 'Heb ik ook. Ik lijk wel van alles uit die hoorn te krijgen dat ik er nooit heb ingestopt.'
'En het lijkt me geen echt spelen,' zei Klif. 'Dat bedoel ik. Het is meer of je gespeeld wordt.'
'Jij zit dus allang in het amusement, hè?' zei Govd tegen Bitumen.
'Klopt. Oralweest; allesdaan. Iereenzien.'
'Heb je ooit zo'n zaal meegemaakt?'
'Kepze zien juichen en bloemen gooien in de Opera –'
'Ha! Bloemen maar? Er was net een vrouw die haar... kleren naar het podium smeet!'
'Persies! Kwamen op me kop terecht!'
'En toen Madame Ziza Zoem in de Bunzingclub op de Brouwersstraat haar Verendans deed, drongder hele publiek samen voor het podium toenzenande laatste veer toewas –'
'En dat was net als nu?'
'Nee', gaf de trol toe. 'Kmoet zeggen, nonnooit zag ik een publiek zo... hongerig. Zelfs nienaar Madame Ziza Zoem, en toen

haddeze toch verdomde veel trek. Natuurlijk gooidertoen niemand ondergoed op toneel. Zij gooide datter juist altijd *af*.'
'Er is nog wat,' zei Klif. 'Er zitten hier vier luitjes en er zijn er maar drie aan het praten.'
Buddie keek op.
'De muziek is belangrijk,' mompelde hij.
'Dit is geen muziek,' zei Govd. 'Van muziek krijgen mensen *dat* niet. Ze gaan zich niet voelen of ze door de wringer zijn gehaald. Ik zweette zo dat ik een dezer dagen helemaal mijn jasje zal moeten verschonen.' Hij wreef langs zijn neus. 'Daarbij, ik zag dat publiek eens aan en ik dacht: die hebben betaald om hier te kunnen zijn. Dat zal vast zijn opgelopen tot meer dan tien daalders.'
Bitumen stak een papiertje op.
'Dit kaartje vonnik op de grond,' zei hij.
Govd las wat erop stond.
'Eén daalder vijftig?' zei hij. 'Zeshonderd lui à één daalder vijftig de man? Dat... dat is vierhonderd daalders!'
'Negenhonderd', zei Buddie al even toonloos als daarnet, 'maar dat geld is onbelangrijk.'
'Dat geld onbelangrijk? Dat zeg jij aldoor. Wat ben *jij* nou voor een muzikant?'
Van buiten klonk nog steeds een gedempt rumoer.
'Wil je nu je dit hebt gehad soms weer terug naar het spelen voor een handjevol in een kelder?' zei Buddie. 'Wie is de allerberoemdste hoornblazer ooit, Govd?'
'Loetje Vandensterkenarm,' zei de dwerg meteen. 'Dat weet iedereen. Hij stal het altaargoud uit de tempel van Offlaar en liet er een hoorn van maken en speelde tovermuziek totdat de goden hem te pakken kregen en toen trokken ze zijn –'
'Juist', zei Buddie, 'maar als je nu naar die lui buiten ging om te vragen wie de beroemdste hoornblazer is, zouden ze dan nog weten van die jatmoos Sterkarm of zouden ze roepen om Govd Govdsen?'
'Ze zouden...'
Govd aarzelde.
'Precies,' zei Buddie. 'Denk er maar eens over. Een muzikant moet *beluisterd* worden. Je kunt nu niet meer ophouden. Wij kunnen niet meer ophouden.'
Govds vingertje wees naar de gitaar.
'Het is dat geval daar,' zei hij. 'Dat is te gevaarlijk.'
'Ik kan het wel aan!'
'Ja, maar waar is het einde?'
'Niet het einde doet ertoe,' zei Buddie. 'Maar hoe je daar komt.'

'Dat klinkt mij alsof het een *elf is* die –'
De deur knalde opnieuw open.
'Uh', zei Snikkel, 'jongens, als je niet terugkomt om nog wat te spelen zitten we tot aan onze nek in de dikke...'
'Kan niet spelen,' zei Govd. 'Ben buiten adem geraakt wegens geldgebrek.'
'Ik heb toch tien daalders gezegd?' zei Snikkel.
'De man,' zei Klif.
Snikkel, die er niet op had gerekend eraf te komen voor minder dan honderd, wapperde met zijn handen.
'Dankbaar, hoor,' zei hij. 'Moet ik soms in mijn eigen vlees snijden?'
'Wij doen het wel voor je. Als je wilt,' zei Klif.
'Goed, goed, dertig daalders,' zei Snikkel. 'Dan eet ik wel een keer niet.'
Klif keek naar Govd die nog altijd dat van die beroemdste hoornblazer herkauwde.
'Het publiek barst van de dwergen en trollen,' zei Klif.
'"Loesje in de Grot Met Diamanten", dan?'
'Nee,' zei Buddie.
'Maar wat dan?'
'Ik bedenk wel iets.'

De zaal liep leeg in de straat. De tovenaars dromden vingerknippend om de Hoofddekaan.
'Welle-welle-welle–' zong de Hoofddekaan uitgelaten.
'Het is al over middernacht!' zei de Lector Recentelijke Runen al vingerknippend, 'en het kan me geen biet schelen! Wat gaan we doen?'
'We konden gaan knorren,' zei de Hoofddekaan.
'Dat klopt, ja', zei de Leerstoel voor Onbepaalde Studiën, 'we hebben het eten overgeslagen.'
'Hebben we het eten overgeslagen?' zei de Bovenstalmeester. 'Wauw zeg! *Dat* is nog eens Rotsmuziek! Wij hebben overal *schijt* aan!'
'Nee, ik bedoelde...' De Hoofddekaan zweeg even. Hij was er nu hij erbij stilstond lang niet zeker van *wat* hij had bedoeld. 'Het is nog een heel eind naar de Universiteit,' gaf hij toe. 'Och, we kunnen onderweg best even aanleggen voor een kop koffie of zo.'
'Met een stuk of paar gevulde koeken,' zei Recentelijke Runen.
'En een taartje misschien,' zei de Leerstoel.
'Een puntje appeltaart kon er wel eens in gaan,' zei de Bovenstalmeester.
'En een taartje.'

'Koffie,' zei de Hoofddekaan. 'Ja-a. Een koffieshop. Dat is het.'
'Wat is dat, een koffieshop?' zei de Bovenstalmeester.
'Een soort taartschep?' opperde Recentelijke Runen. Het overgeslagen maal, tot nu toe vergeten, begon zich danig te roeren in ieders maag.
De Hoofddekaan keek naar zijn nieuwe glimmend leren toverjas. Iedereen had gezegd hoe gaaf die was. Dat GEBOREN OM TE RUNEN hadden ze bewonderd. Zijn haar zat ook al goed. Hij dacht erover om zijn baard af te scheren maar de zijstukjes te laten zitten omdat dat *net* goed leek. En koffie... ja... koffie had ergens ook iets mee te maken. Koffie hoorde er ook In.
En dan de muziek. Die zat Erin. Die zat overal In.
Maar er was ook iets anders. Iets dat ontbrak. Hij wist niet wat het was, maar wel dat hij het weten zou als hij het zag.

In de steeg achter de Spelonk was het heel donker en alleen wie het scherpste gezicht had zou diverse vingers ontwaard hebben, tegen de muur gedrukt.
De glinstering nu en dan van een verweerd glittertje had iemand die op de hoogte was ervan verwittigd dat dit de topwetshandhavers van het Muzikantengilde waren: het Peerke Klomo Kapsalon Kwartet. In afwijking van de meeste lui in dienst van meneer Kliet waren zij juist wel echt een beetje muzikaal.
Bovendien waren ze binnen geweest om de band te bekijken.
'Doe-wop, uh doe-wop, uh doe-wop –' zei de dunne.
'Bubububuh–' zei de lange. Er zit altijd een lange bij.
'Kliet heeft gelijk. Als ze zulke zalen blijven trekken ligt verder iedereen eruit,' zei Peerke.
'O *jaaa*,' zei de bas.
'Als ze door die deur komen –' en nog drie messen gleden uit hun schede, '– nou, ik geef het tempo wel aan.'
Ze hoorden voetstappen op de trap. Peerke knikte.
'Uh-héén, uh-twee, uh-één-twee-dr–'
HEREN?
Ze draaiden zich als vier poppetjes om.
Achter ze stond een donkere gedaante met een gloeiende zeis in de handen.
Suzan lachte een gruwelijk lachje.
MAAK HET KORT?
'O *neee*,' zei de bas.

Bitumen schoof de grendel weg en stapte de nacht in.
'Hela, wawwas dat?' zei hij.
'Wat was wat?' vroeg Snikkel.

'Ik dachdak lui hoorde wegrennen...' De trol stapte naar voren. Er klonk *tieng*. Hij bukte zich en raapte iets op.
'En wie het ook was liet dit vallen...'
'Gewoon een of ander iets,' zei Snikkel luid. 'Kom op, jongens. Vannacht hoef je niet terug naar zo'n vlooientent. *Jullie* gaan naar de Granitz!'
'Dat is toch een trollenhotel?' zei Govd wantrouwig.
'Trol*lig*,' zei Snikkel geërgerd wuivend.
'Hé zeg, daar heb ik ers cabaret gedaan!' zei Klif. 'Ze hebben der haast alles! Water uit de kraan in haast elke kamer! Een spreekbuis om je bestelling gelijk naar de keuken te brullen, en van die lui – nota bene op schoenen – die het je helemaal komen brengen! De hele reutemeteut!'
'Neem het er maar eens lekker van!' zei Snikkel. 'Nou kan het eraf!'
'En dan komt zeker die tournee, hè?' zei Govd scherp. 'Die kan er nou zeker ook af?'
'Ach, daar leg ik wel wat bij,' zei Snikkel grootmoedig. 'Morgen ga je naar Pseudopolis, dat kost je twee dagen, en dan kun je terug via Stoo Lat en Quorm zodat je er woensdag weer bent voor het Festival. Een reuze-idee, dat. Iets doen voor de gemeenschap, altijd een voorstander geweest van iets doen voor de gemeenschap. Dat is heel goed voor... voor... voor de gemeenschap. Ik zorg dat ik alles regel als jullie weg zijn, goed? En daarna...' Hij sloeg een arm om Buddies schouder en de ander om Govds hoofd. 'Waarland! Klatsch! Zaqbedad! Chimerië! Gwombanaland! Misschien zelfs het Tegenwichterscontinent, ze hebben het erover dat ze het al heel gauw weer gaan ontdekken, prachtkansen voor de juiste luitjes! Dan blijf je toch niet leven als een oester? Met jullie muziek en mijn onfeilbare zakenneus ligt de wereld wagenwijd voor ons open! Ga nou maar met Bitumen mee, neem de beste kamers maar, niets is te goed voor mijn jongens, en slaap lekker zonder je druk te maken over de rekening –'
'Dank je wel,' zei Govd.
'– die betaal je morgenochtend maar.'
De Bonkband slenterde heen in de richting van het beste hotel.
Snikkel hoorde Klif nog zeggen: 'Een oester, wat is dat?'
'Dat is zoiets als twee platen afgezet calciumcarbonaat met een zilt en vissig slijmding ertussen.'
'Klinkt best lekker. Dat slijmding ertussenin hoef je dan toch niet op te eten?'
Toen ze weg waren bekeek Snikkel het mes dat hij van Bitumen had afgepakt. Er zaten glittertjes op.
Ja. De jongens een paar dagen uit de weg was bepaald een goede zet.

Hoog en droog in de dakgoot boven hem brabbelde de Dood der Ratten wat in zichzelf.

Ridiekel liep langzaam de Spelonk uit. Slechts een tegen de stoeptreden opgewaaid hoopje gebruikte kaartjes getuigde nog van de muziekuren.
Hij voelde zich net iemand die naar een spel kijkt waarvan hij de regels niet kent. Een voorbeeld: die jongen had iets gezongen... wat was het ook weer? *Versteend van de pot.* Wat voor de donder betekende dat nou? *Verknipt* ja, eventueel *als* een pot, *dat* kon hij wel volgen en bij de Hoofddekaan klopte het als een bus. En dan was er zover hij nog wist een liedje over niet op iemands schoenen gaan staan. Niks tegen, verstandige wenk, niemand wilde zich door iemand op zijn tenen laten trappen, maar waarom een lied met het verzoek om dat te vermijden zoveel wist los te maken ontging Ridiekel ten ene male.
En wat dat meisje betrof...
Daar kwam Pander aangerept met het kistje onder zijn arm.
'Ik heb het er bijna allemaal op, Aartskanselier!' schreeuwde hij.
Ridiekels blik gleed hem voorbij. Daar kwam Snikkel, met nog een blad vol onverkochte De-Bonkbandshirtjes.
'Ja, prima, meneer Stibbond (kopdichtkopdichtkopdicht),' zei hij. 'Leuk gedaan, kom, dan gaan we naar huis.'
'Goeienavond, Aartskanselier,' zei Snikkel.
'Ach, hallo, Vlees,' zei Ridiekel. 'Ik zag je even niet.'
'Wat zit er in dat kistje?'
'Och, niks, helemaal niks –'
'Het is ongelofelijk!' zei Pander in de stuurloze opwinding van de ware ontdekker en halve gare. 'We hebben een val leren maken voor het opvangen van achagg aagg aagg.'
'Och heden, wat ben ik weer onhandig,' zei Ridiekel terwijl de jonge tovenaar naar zijn been greep. 'Kom, geef mij maar even dat *volmaakt onschuldige* apparaatje van je –'
Maar het kistje was onder Panders arm uit gevallen. Het kwakte voordat Ridiekel het kon opvangen op de keien en het deksel vloog open.
De muziek stroomde eruit, de nacht in.
'Hoe deed je dat?' zei Snikkel. 'Is dat toverij?'
'De muziek laat zich opvangen zodat je hem keer op keer kunt beluisteren,' zei Pander. 'En volgens mij deed je dat expres, Aartskanselier!'
'Je kunt er keer op keer naar luisteren?' zei Snikkel. 'Wat, louter door een doos open te maken?'
'Ja,' zei Pander.

'Nee,' zei Ridiekel.
'Geeft niet wat voor soort kist of doos?' zei Snikkel, zijn stem verstikt van winstoogmerk.
'O ja, hoor, alleen moet je er een metaaldraad in spannen zodat de muziek ergens in kan wonen en auau au auau.'
'Geen idee hoe ik opeens aan die stuiptrekkingen kom,' zei Ridiekel. 'Kom, meneer Stibbond, laten we niet nog meer van meneer Snikkels kostbare tijd verspillen.'
'Och, die verspil je nu niet,' zei Snikkel. 'Dus dozen vol muziek, hè?'
'Deze nemen *wij* wel mee,' zei Ridiekel terwijl hij het kistje van de straat griste. 'Het is een belangrijke toverproef.'
Hij troonde Pander mee, niet zonder moeite want het jongmens was dubbelgeklapt en hapte naar adem.
'Waar was dat nou... weer voor... nodig?'
'Meneer Stibbond, ik ken je als iemand die het begrijpen van dit heelal nastreeft. Een belangrijke regel is deze: geef nooit een aap de sleutel in handen van de bananenplantage. Soms kun je een ongeluk gewoon zien – o, nee hè.'
Hij liet Pander los en gebaarde naar ergens verderop.
'Heb je *daar* soms nog theorieën over, jongmens?'
Iets goudbruins en stroperigs kwam traag de straat op gestroomd uit wat misschien, achter de wallen van die smurrie, een soort winkel was. Onder de ogen van de twee tovenaars kwam de bruine materie, na enig glasgerinkel, ook al te voorschijn uit de tweede verdieping.
Ridiekel stapte er kordaat opaf en schepte een handjevol op, schielijk terugspringend voordat de wal hem bereiken kon. Hij rook er even aan.
'Is het soms een gruwelijke uitwaseming van de Kerkerdimensies?' zei Pander.
'Dacht ik niet. Ruikt van koffie,' zei Ridiekel.
'Koffie?'
'Schuim met koffiesmaak, in elk geval. Goed, hoe zou ik toch aan dat gevoel komen dat daar ergens binnen tovenaars zitten?'
Er kwam een bruine belletjes druipende gedaante uit het schuim gewankeld.
'Wie loopt daar?' riep Ridiekel.
'Ach, ja! Heeft iemand het nummer van die ossenwagen opgenomen? Nog maar een gevulde koek, als je zo vriendelijk wilt zijn!' zei de gedaante opgewekt, om dan voorover in het schuim te vallen.
'Volgens mij klonk dat als de Administrateur,' zei Ridiekel. 'Kom op, jochie. Het zijn maar belletjes.' Hij liep met grote stappen het schuim in.

Na een ogenblik van aarzelen besefte Pander dat de eer van de jeugdige tovenarij op het spel stond, en hij stortte zich in het kielzog.
In de belletjesnevel botste hij vrijwel meteen tegen iemand op.
'Uh, hallo?'
'Wie is dit?'
'Ik ben het, Stibbond. Ik kom jullie redden.'
'Mooi! Waar is de uitgang?'
'Uh –'
Van ergens uit de koffiewolk klonken enkele ontploffingen en een plopgeluid. Pander knipperde met zijn ogen. De belletjesspiegel begon te dalen.
Als verdronken boomstammen uit een droogvallend meer doken er diverse punthoeden op.
Ridiekel waadde erheen terwijl het koffieschuim van zijn hoed droop.
'Er is hier iets verdomd achterlijks aan de gang', zei hij, 'en ik ga nu heel geduldig afwachten tot de Hoofddekaan schuld bekent.'
'Ik snap niet waarom je voetstoots moet aannemen dat ik het was,' mopperde een koffiekleurige zuil.
'Nou, wie dan wel?'
'De Hoofddekaan zei dat de koffie moest schuimen', zei een schuimhoop van Bovenstalmeesterlijke proporties, 'en hij deed toen een simpel toverkunstje en ik denk eigenlijk dat we ons toen lieten meesleuren.'
'Aha, dus jij was het wèl, Hoofddekaan.'
'Ja, okee, maar alleen bij toeval,' zei de Hoofddekaan gekwetst.
'Weg hier, allemaal,' zei Ridiekel. 'Terug naar de Universiteit, nu!'
'Ik bedoel, ik snap niet waarom je voetstoots moet *aannemen* dat ik het was louter omdat ik soms toevallig wel eens degene ben die –'
Het schuim was wat meer ingezakt en onthulde zo een paar ogen onder een dwergse helm.
'Pardon zeg', zei een stem die nog onder de belletjes zat, 'maar wie gaat dit allemaal betalen? Dat is wel vier daalders, als het even kan.'
'Voor geld moet je bij de Administrateur wezen,' zei Ridiekel vlug.
'Dat is geweest,' zei de Bovenstalmeester. 'Hij kocht wel zeventien gevulde koeken.'
'Suiker?' zei Ridiekel. 'Jullie hebben hem suiker laten eten. En je *weet* dat hij daar een beetje, je weet wel, typisch van wordt. Mevrouw Copsuf zei dat ze haar ontslag zou nemen als we hem nog eens bij de suiker lieten.' Hij dreef de vochtige tove-

naars deurwaarts. 'Komt in orde, beste man, op ons kun je vertrouwen, wij zijn tovenaars, ik zal morgenochtend wel geld laten langsbrengen.'
'Poe, je denkt zeker dat ik dat geloof?' zei de dwerg.
Het was een lange nacht geweest. Ridiekel keerde zich om en gebaarde naar de muur. Er knetterde wat octarijn vuur en daar stond de tekst 'AAN TONDER DEEZES 4 DALERS SGULDIG' in de stenen gebrand.
'Okido, geen centje pijn,' zei de dwerg die schielijk weer onder het schuim dook.
'Ik dacht niet dat mevrouw Copsuf zich druk zal maken,' zei de Lector Recentelijke Runen terwijl ze door de nacht sopten. 'Ik zag haar en een stuk of wat meisjes op het, uh, concert. Je weet wel, keukenmeisjes. Annie, Jannie en, uh, Nannie. Ze, uh, krijsten.'
'Och, *zo* beroerd vond ik die muziek ook weer niet,' zei Ridiekel.
'Nee, uh, niet van ellende, uh, dat zou ik niet zeggen, nee', zei de rood aanlopende Lector Recentelijke Runen, 'maar, uh, toen dat jongmens zo met zijn heupen begon –'
'Ik zou bepaald zweren dat dat een elf is,' zei Ridiekel.
'– te zwaaien, gooide ze geloof ik wat van haar, uh, onder...goed op het podium.'
Dit bracht zelfs Ridiekel tot zwijgen, voorlopig tenminste. Elke tovenaar had het opeens druk met zijn eigen privégedachten.
'Wat!? Mevrouw Copsuf?' begon de Leerstoel voor Onbepaalde Studiën.
'Ja.'
'Wat!? Haar –?'
'Ik, uh, denk het wel.'
Ridiekel had ooit mevrouw Copsufs was aan de drooglijn zien hangen. Hij was er nog van onder de indruk. Nooit had hij geloofd dat er zoveel *rose* elastiek op de wereld was.
'Wat!? Echt, haar –?' zei de Hoofddekaan met een stem die van heel ver weg leek te komen.
'Ik ben er, uh, zeg maar zeker van.'
'Komt mij nogal gevaarlijk voor,' zei Ridiekel praktisch. 'Kon iemand wel eens lelijk gewond van raken. Okee, stelletje ongeregeld, hup naar de Universiteit voor een rondje koude baden.'
'*Echt* haar –?' zei de Leerstoel voor Onbepaalde Studiën. Ergens leek niemand in staat het idee los te laten.
'Maak jezelf maar eens nuttig en ga de Administrateur zoeken,' snauwde Ridiekel. 'En ik zou het hele stel morgenochtend meteen voor de Universiteitsstaf slepen, als jullie niet zelf die Universiteitsstaf *waren*...'

*

Vieze Ouwe Henkie, beroepsdwangneuroot en een van de nijverste bedelaars uit Ankh-Meurbork, tuurde door het schemerduister. Heer Ottopedi's nachtelijk gezichtsvermogen was prima. Datzelfde gold, helaas, zijn reukzin.

'En wat gebeurde er toen,' zei hij met zoveel mogelijk van de bedelaar afgewend gezicht. Want het feit wilde dat Vieze Ouwe Henkie wat formaat aanging een krom ventje in een enorme bemorste overjas was, maar wat stank betrof de hele wereld vulde.

Het kwam erop neer dat Vieze Ouwe Henkie lichamelijk schizofreen was. Je had Vieze Ouwe Henkie, en je had de *stank* van Vieze Ouwe Henkie, die zich door de jaren kennelijk dermate had ontwikkeld dat hij nu een afzonderlijke persoonlijkheid had. Iedereen kan wel een geur hebben die nog lang blijft hangen nadat hij is weggegaan, maar de stank van Vieze Ouwe Henkie kon nota bene minuten *eerder* opduiken dan hijzelf. Die stank was geëvolueerd tot iets zo overheersends dat men hem niet langer waarnam met de neus, die zich onmiddellijk uit neusbehoud afsloot; je merkte dat Vieze Ouwe Henkie in aantocht was doordat je oorsmeer begon te smelten.

'Bejjeblazerd, bejjeblazerd, verkeerdste kant buiten, *zei*'k het niet? benzeblazerd...'

De Patriciër wachtte af. Bij Vieze Ouwe Henkie moest je tijd uittrekken om zijn dolende geest in dezelfde buurt te laten komen als zijn tong.

'...mij begluren met toverij, *zei*'k het niet? bonensoep, hoor eens... en toen was iedereen aan het dansen, vat je, en later toen liepen er twee van die tovenaars over straat en die ene had het maar over muziek vangen in een kist en meneer Snikkel had wel interesse en toen ontplofte het koffiehuis en ze gingen allemaal terug naar de Universiteit... bejjeblazerd, bejjeblazerd, benzenouheelmaalblazerd, wacht maar eens af.'

'Dus dat koffiehuis ontplofte?'

'Koffieschuim van boven tot onder, uwedele... bejjeb–'

'Ja, ja, enzovoort,' zei de Patriciër met een mager, afwerend handje. 'En meer kun je me niet vertellen?'

'Och... bejje–'

Vieze Ouwe Henkie kruiste de blik van de Patriciër en vermande zich. Zelfs zijn eigen sterk geïndividualiseerde versie van gezond verstand kon wel nagaan wanneer het ijs al te dun werd. Zijn Stank dwaalde intussen door de kamer om paperassen te lezen en schilderijen te bekijken.

'Ze zeggen', zei hij, 'dat hij alle vrouwen waanzinnig maakt.' Hij boog zich voorover. De Patriciër leunde achterover. 'Ze zeg-

gen dat toen hij zo met zijn heupen zwaaide... mevrouw Copsuf haar... huppeldepup... op het podium gooide.'
De Patriciër trok een wenkbrauw op.
'"Huppeldepup"?'
'Jeweetwel.' Vieze Ouwe Henkie maakte vage gebaren.
'Een paar kussenslopen? Twee meelzakken? Een heel wijde broe– O. Ik snap het. Nee maar. Nog gewonden?'
'Kweenie, uwedele. Maar ik weet wel wat anders.'
'Ja?'
'Uh... Michiel de Muimelaar zegt dat uwedele soms wel voor inlichtingen betaalt..?'
'Ja, weet ik. Kan me niet voorstellen hoe zulke geruchten in omloop raken,' zei de Patriciër die opstond en een raam openzette. 'Ik moet er maar eens wat aan doen.'
Nogmaals hield Vieze Ouwe Henkie zich voor dat hij dan vast wel gek zou zijn, maar *zo* krankjorum? – hij zou wel gek wezen.
'Nja, dan heb ik dit nog, uwedele,' zei hij terwijl hij iets uit de walgelijke krochten van zijn kleding haalde. 'Er staan woorden op geschreven, uwedele.'
Het was een poster, in felle primaire kleuren. Erg oud kon hij niet zijn, maar een uur of twee dienstdoen als borstwarmer van Vieze Ouwe Henkie had hem al danig doen aftakelen. De Patriciër vouwde hem uit met behulp van een pincet.
'Daarzo zijn de portretten van de muzikanten', hielp Vieze Ouwe Henkie, 'en dat daar bennen woorden. Meneer Snikkel had Krijtje de trol ze net laten afdraaien, maar ik wipte later even langs en dreigde op iedereen te ademen als ze me er niet eentje gaven.'
'Dat zal vast feilloos gewerkt hebben,' zei de Patriciër.
Hij stak een kaars aan en las de poster aandachtig. In aanwezigheid van Vieze Ouwe Henkie brandden alle kaarsen met een blauw randje om de vlam.
'"Graatis Festival met Bonk- en Rotsmuzieck",' zei hij.
'Dat is asje niet hoeft te betalen om erin te maggen,' hielp Vieze Ouwe Henkie. 'Benzeblazerd, bejjeblazerd.'
Heer Ottopedi las verder.
'In Het Heipark. Aanstaande Woensdag. Kijk eens aan. Een openbare ruimte buiten, vanzelf. Zouden er veel mensen komen, vraag ik me af?'
'Hopen, uwedele. Der waren nog honderden die niet in de Spelonk konden.'
'En die band ziet er dus zo uit?' zei Heer Ottopedi. 'Met die dreigende koppen?'
'Zwetende koppen, wat ik ervan zag,' zei Vieze Ouwe Henkie.
'"Sorgh Dat Je Erby Bent Ofte Wees Een Viercant",' zei de Pa-

triciër. 'Zou je denken dat dit een soort occulte geheimtaal is?'
'Zou't niet weten, uwedele,' zei Vieze Ouwe Henkie. 'Mijn hersens worden hartstikke traag als ik dorst heb.'
'"Sy Gaen Over Die Roode! Tof, Niet van de Gewoono!",' zei Heer Ottopedi plechtig. Hij keek op. 'Ach, wat *spijt* me dat,' zei hij. 'Ik kan vast wel iemand vinden die je een koel, fris drankje...'
Vieze Ouwe Henkie kuchte. Dat klonk dan wel als een volstrekt oprecht aanbod, maar opeens had hij helemaal geen dorst meer.
'Laat me je dan niet langer ophouden. Dank je hartelijk,' zei heer Ottopedi.
'Uh...'
'Ja?'
'Uh... niks...'
'Mooi zo.'
Toen Henkie de trap was afgebejjeblazerd, bejjeblazerd, benzeblazerd, tikte de Patriciër peinzend met zijn pen op het papier, zijn blik op de muur gericht.
De pen bleef maar van het woordje *Graatis* ketsen.
Ten slotte luidde hij een belletje. Een jonge schrijver stak zijn hoofd om de deur.
'Ach, Tromknoops', zei heer Ottopedi, 'ga jij even tegen het hoofd van het Muzikantengilde zeggen dat hij me wil spreken, wil je?'
'Uh... meneer Kliet zit al in de wachtkamer, heer,' zei de schrijver.
'Heeft hij toevallig soms zo'n aanplakbiljet bij zich?'
'Ja, heer.'
'En is hij soms erg boos?'
'Dat is stellig het geval, heer. Het is over een festival. Hij *staat* erop dat je het laat afgelasten.'
'Lieve deugd.'
'En hij eist dat je hem onmiddellijk ontvangt.'
'Ach. Laat hem dan nog maar, och, twintig minuten zitten en breng hem dan boven.'
'Jawel, heer. Hij blijft maar zeggen dat hij weten wil wat je eraan gaat doen.'
'Mooi. Dan kan ik hem hetzelfde vragen.'
De Patriciër leunde achterover. *Quod non disruptum non reparandum.* Dat was het motto van de Ottopedi's. Alles deed het als je het maar zijn gang liet gaan.
Hij nam een stapel bladmuziek ter hand en ging zitten luisteren naar Salami's *Prelude voor een Nocturne naar een Thema van Bombastovitz.*

Na een tijdje keek hij even op.
'Aarzel niet om te vertrekken,' snauwde hij.
De Stank sloop heen.

PIEP!
'Doe niet zo stom! Ik maakte ze alleen bang om ze weg te jagen. Ik heb ze toch geen kwaad gedaan. Wat heb je nou aan die macht als je hem niet mag gebruiken?'
De Dood der Ratten stopte zijn snuitje in zijn klauwtjes. Het was *wel* een stuk makkelijker, met ratten.*

S.I.E.V. Snikkel deed het ook vaak zonder slaap. Afspraken met Krijtje waren doorgaans 's nachts. Krijtje was een grote trol die echter bij daglicht nogal wilde opdrogen en schilferen.
Andere trollen keken op hem neer want hij stamde uit een sedimentaire familie, en afzetters waren bij uitstek trollen van de onderste klasse. Hem deed het niets. Hij was een zeer beminnelijk sujet.
Hij knapte allerlei klusjes op voor lui die snel en zonder verwikkelingen iets bijzonders wilden, en die over klinkende munt beschikten. Bij dit klusje ging het zowaar om een knutselkarweitje.
'Gewoon kistjes?' zei hij.
'Met dekseltjes,' zei Snikkel. 'Net als deze die ik gemaakt heb. En daarin dan een stukje strakgespannen ijzerdraad.'
Er zijn lui die dan 'Waarom?' of 'Waarvoor?' hadden gezegd, maar zo haalde Krijtje zijn kostje niet bij elkaar. Hij pakte het kistje en keerde het om en om.
'Hoeveel?' zei hij.
'Om te beginnen maar tien,' zei Snikkel. 'Maar ik denk dat het er meer worden. Een hele hoop meer.'
'Hoeveel is tien?' zei de trol.

*Ratten speelden in Ankh-Meurborks geschiedenis een voorname rol. Kort voordat de Patriciër aan de macht kwam heerste er een vreselijke rattenplaag. Het stadsbestuur trad hiertegen op door twintig duiten per rattenstaart uit te loven. Hierdoor liep, voor een week of twee, het rattenaantal terug – en toen stond men opeens in de rij met staartjes, de stedelijke schatkist raakte leeg en niemand scheen meer een slag werk uit te voeren. En het leek nog *steeds* te wemelen van de ratten. Heer Ottopedi had aandachtig geluisterd naar de uiteenzetting van het probleem en had de kwestie opgelost met één gedenkwaardige uitspraak die veel duidelijk maakte over hem zelf, over de dwaasheid van het premies uitloven, en over het aangeboren instinct van Ankh-Meurborkers in iedere situatie waarin geld voorkomt: 'Hef belasting op de rattenfokkerijen.'

Snikkel stak beide handen op, met gespreide vingers.
'Je krijgt ze van me voor elk twee daalders,' zei Krijtje.
'Wil je soms dat ik in eigen vlees snij?'
'Twee daalders.'
'Daalder het stuk voor deze en één daalder vijftig voor de volgende bups.'
'Twee daalders.'
'Goed, goed, twee daalders het stuk. Dat is dan bij elkaar tien daalders, toch?'
'Persies.'
'En dan snij 'k in eigen vlees.'
Krijtje smeet het kistje aan de kant. Het stuiterde op de grond en het deksel vloog eraf.
Wat later kwam een grijsbruin straathondje, op strooptocht naar alles wat eetbaar was, de werkplaats binnengehinkt om een tijdje in het kistje te gaan zitten turen.
Toen voelde het zich een beetje voor joker gezet en het scharrelde weer verder.

Ridiekel beukte op de deur van het Hoge-EnergieToverkrachtgebouw, net toen de stadsklokken twee sloegen. Hij hield Pander Stibbond, die stond te slapen, overeind.
Ridiekel kon niet zo snel denken. Maar ten slotte kwam hij wel uit waar hij wezen wilde.
De deur ging open en de haardos van Knizz verscheen.
'Sta je met je gezicht naar mij toe?' vroeg Ridiekel.
'Ja, Aartskanselier.'
'Laat ons dan binnen, de nattigheid trekt in mijn schoenen.'
Terwijl hij Pander binnenzeulde keek hij om zich heen.
'Wist ik maar wat jullie jongelui het hele etmaal laat doorwerken,' zei hij. 'Zo belangwekkend heb ik toverkracht toen ik jong was nooit gevonden. Ga even wat koffie halen voor meneer Stibbond hier, wil je? En haal dan je vriendjes hierheen.'
Knizz repte zich weg en liet Ridiekel alleen, afgezien dan van de sluimerende Pander.
'Wat *doen* ze precies?' zei hij. Hij had nooit echt geprobeerd erachter te komen.
Knizz was aan het werk geweest bij een lange werkbank langs de ene muur.
Het houten schijfje herkende hij tenminste nog. In een paar concentrische kringen waren er langwerpige steentjes op gerangschikt, en op een zwenkarm eraan stond een kaarslantaarn die je overal langs de omtrek kon instellen.
Dit was een reiscomputer voor druïden, een soort draagbare stenenkring, iets wat ze een 'op-schootje' noemden. De Admini-

strateur had er eens eentje laten komen. Op de doos stond Voor de Priester Met Haast. Het was hem nooit gelukt het ding aan de praat te krijgen en het deed nu dienst als deurstopper. Ridiekel zag niet wat ze met toverkracht te maken hadden.
Het was immers weinig meer dan een kalender en al voor acht duiten had je daar een prima exemplaar van.
Toch wat eigenaardiger was het enorme staketsel van glazen buizen erachter. Hier was Knizz bezig geweest met zijn werk; er lag een rommelhoopje gebogen glaswerk en potten en stukjes karton waar de student had zitten werken.
Het buizenstelsel leek wel te leven.
Ridiekel boog zich voorover.
Het zat vol met mieren.
Bij duizenden trippelden ze door de buizen en door ingewikkelde spiraaltjes. In de stilte van deze zaal maakten hun lijfjes een zwak maar aanhoudend ritselgeluid.
Ter hoogte van de ogen van de Aartskanselier zat een gleuf. De tekst 'In' stond op een hier op het glas geplakt papiertje.
En op de werkbank lag een rechthoekig kartonnetje dat net van de juiste vorm leek om in de gleuf te passen. Er zaten ronde gaatjes ingeponsd.
Eerst twee ronde gaatjes, dan een heel patroon van ronde gaatjes, en dan weer twee gaatjes. Op het karton had iemand met potlood '2 x 2' gekrabbeld.
Ridiekel was er zo een die elke hendel overhaalt, louter om te zien wat die doet.
Hij stak het kaartje in het voor de hand liggende gleufje...
Onmiddellijk kwam er verandering in het geritsel. Mieren scharrelden op hun bedrijvige manier door het buizenstelsel. Enkele ervan leken wel zaadjes te dragen...
Er klonk een dof geluidje en er viel een kaart uit het andere eind van de glazen doolhof.
Er zaten vier gaatjes in.
Ridiekel stond er nog steeds naar te staren toen Pander oogwrijvend achter hem opdook
'Da's onze mierenteller,' zei hij.
'Twee keer twee is vier,' zei Ridiekel. 'Gut, gut, nooit geweten.'
'Hij kan ook andere sommen maken.'
'Wil je me wijsmaken dat mieren kunnen tellen?'
'O nee. Mieren op zich niet... het legt wat lastig uit... die gaatjes in de kaartjes, snap je, verbinden sommige buisjes terwijl andere dicht blijven en...' Pander slaakte een zucht, 'we denken dat hij ook andere dingen kan.'
'Noem eens wat?' eiste Ridiekel.
'Uh, daar proberen we juist achter te komen...'

'Je probeert erachter te komen? Wie heeft hem gebouwd?'
'Knizz.'
'En dan gaan jullie *nu* uitzoeken wat hij doet?'
'Nou, we denken dat hij misschien wel tamelijk ingewikkelde wiskunde kan uitrekenen. Als we er genoeg mieren inkrijgen en de luizen eruit weten te houden.'
De mieren repten zich nog steeds door het enorme kristalbouwsel.
'Had zo'n ratgevalletje, een hamster of zo, toen ik nog een jongen was,' zei Ridiekel die oog in oog met het onbegrijpelijke de strijd opgaf. 'Holde aan één stuk door in een tredmolentje. Om en om, de hele nacht. Dit heeft daar zeker ook wel iets van?'
'Heel in de verte,' zei Pander behoedzaam.
'Ooit ook zo'n mierenterrarium gehad,' zei Ridiekel in weemoedig gepeins. 'Een hoopje ellende, meer werd het niet.' Hij vermande zich. 'In elk geval, haal meteen even de rest van je makkers hierheen.'
'Waarvoor?'
'Even een klein college,' zei Ridiekel.
'Gaan we dan niet die muziek onderzoeken?'
'Dat komt wel,' zei Ridiekel. 'Eerst gaan we met iemand praten.'
'Wie dan?'
'Dat weet ik niet zeker,' zei Ridiekel. 'We merken het pas als hij komt opdagen. Of zij.'

Govd inspecteerde hun suite. De hoteleigenaars waren net weg, na hun riedeltje van 'di's het raam, kan echt open, di's de pomp, krijje water uit met die hendel hier, di's m'n hand die op geld wacht.'
'Nou, dat doet wel de deur dicht. Dat zet er wel zowat de ijzeren helm op,' zei hij. 'Spelen we de hele avond Rotsmuziek en dan krijgen we een kamer die er *zo* uitziet?'
'Simpel maar gezellig,' zei Klif. 'Hores, trollen hebben weinig aan franje in het leven –'
Govd keek naar de grond.
'Het ligt op de vloer en het is zacht,' zei hij. 'En ik in mijn onnozelheid maar denken dat het een kleed was. Laat iemand me even een bezem halen. Nee, laat iemand me even een schep halen. *Daarna* mag iemand me een bezem halen.'
'We doen het ermee,' zei Buddie.
Hij legde zijn gitaar neer en strekte zich uit op het houten plankier dat kennelijk een van de bedden was.
'Zeg Klif', zei Govd, 'kan ik je even spreken?'
Hij wees met zijn stompe duimpje naar de deur.

Op de overloop hielden ze overleg.
'Het wordt erg,' zei Govd.
'Jewel.'
'Hij zegt nog maar nauwelijks een woord als hij niet op het podium staat.'
'Jewel.'
'Ooit een zombie tegengekomen?'
'Ken wel een golem. Meneer Dörfl, uit Langezwijnrib.'
'Die? Is dat een onvervalste golem?'
'Jewel. Staat een heilig woord op zijn voorhoofd. Heb ik gezien.'
'Ajakkes. Echt? Ik haal altijd worstjes bij hem...'
'Nou ja... maar *hoezo* zombies?'
'...maar aan de smaak kun je het niet merken, ik vond hem een bar goede worstenmaker...'
'Wat wou je nou zeggen over zombies?'
'...toch gek hoe je iemand soms al jaren kent en dan kom je er achter dat ze lemen voeten hebben...'
'Zombies...' zei Klif geduldig.
'Wat? O. Ja. Ik bedoel dat hij zich net zo gedraagt.' Govd haalde zich een paar van de zombies uit Ankh-Meurbork voor de geest. 'Of tenminste, zoals zombies zich horen te gedragen.'
'Jewel. Ik weet wat je bedoelt.'
'En we weten allebei waarom.'
'Jewel. Uh. Waarom dan?'
'Die gitaar.'
'O, die. Zeker.'
'Als wij op het podium staan is dat *ding* de baas –'
In de stilte van het vertrek liet de gitaar in het donker naast Buddies bed zachtjes zijn snaren meetrillen met het stemgeluid van de dwerg...
'Okee, en wat doen we daar dan aan?' zei Klif.
'Dat ding is van hout. Tien tellen met een bijl, en weg probleem.'
'Ik weet nog niet. Dat is geen gewoon instrument.'
'Toen we hem tegenkwamen was het een aardige knul. Voor een mens, dan,' zei Govd.
'Dus wat doen we nou? Ik geloof niet dat we hem kunnen afpakken.'
'Misschien krijgen we hem zo ver –'
De dwerg verstomde. Hij merkte dat zijn stem een soort wollige echo had.
'Dat rotding luistert ons *af*!' siste hij. 'Laten we naar buiten gaan.'
Ten slotte stonden ze buiten, op straat.

'Snap niet hoe zo'n ding kan afluisteren,' zei Klif. 'Een instrument is om *naar* te luisteren.'
'Die snaren luisteren,' zei Govd toonloos. 'Dat is *geen* gewoon instrument.'
Klif haalde zijn schouders op. 'Er is wel een manier om erachter te komen,' zei hij.

Elke ochtend vulde de nevel de straten. Rond de Universiteit werd die door de lichte achtergrondstraling van toverkracht tot eigenaardige vormen geboetseerd. Raar gevormde dingen kruisten er over de vochtige keien.
Twee daarvan waren Govd en Klif.
'Juist,' zei de dwerg. 'Daar zijn we dan.'
Hij keek omhoog tegen een blinde muur.
'Wist ik het niet!' zei hij. 'Zei ik het niet? Toverij! Hoe vaak hebben we dat verhaaltje al niet gehoord? Dan is er zo'n geheimzinnig winkeltje dat nog niemand ooit heeft gezien, en dan gaat er iemand naar binnen om een of ander roestig oud prul te kopen, en dat blijkt dan –'
'Govd –'
'– een soort van talisman of een fles vol djinn te wezen, en als er dan narigheid komt gaan ze weer naar dat winkeltje en dat is dan –'
'Govd –?'
'– op *geheimzinnige wijze verdwenen* en teruggegaan naar die onbekende dimensie waaruit het – ja, wat is er?'
'Je staat aan de verkeerde kant van de weg. Het is aan deze kant.'
Govd oogde woedend naar de blinde muur, draaide zich om en stak stampend de straat over.
'Iedereen had zich daarin kunnen vergissen.'
'Jewel hoor.'
'Het neemt niets weg van wat ik zei.'
Govd rammelde aan de deur en merkte tot zijn verrassing dat die niet op slot zat.
'Het is al over tweeën in de ochtend! Welke muziekwinkel is er nu open om twee uur 's ochtends?' Govd stak een lucifer aan.
Het stoffige kerkhof van oude instrumenten torende aan alle kanten boven hen uit. Het leek wel of een aantal voorhistorische dieren was overvallen door een dijkdoorbraak en vervolgens gefossiliseerd.
'Wat is dat er voor eentje, net een hoorn van slangen?' fluisterde Klif.
'Dat heet een Slangenhoorn.'
Govd was niet op zijn gemak. Het grootste deel van zijn leven

was hij al muzikant. Hij had er een hekel aan om dooie instrumenten te zien, en dood *waren* deze. Ze hoorden bij niemand. Niemand speelde erop. Het waren net levenloze lichamen, ontzielde personen. Iets dat ze ooit hadden bevat was verdwenen. Stuk voor stuk vertegenwoordigden ze een aan lager wal geraakte muzikant.

In een struweel van fagotten lag een vijver van licht. Het oude mensje zat er diep te slapen in een schommelstoel, met een wirwar van breiwerk op haar schoot en een omslagdoek om haar schouders.

'Govd?'

Govd schrok op. 'Ja? Wat?'

'Wat doen we hier? We weten nu toch dat de zaak bestaat –'

'*Armpies tegen de zolder, vandalen!*'

Govd knipperde met zijn ogen naar de kruisboogpijl die in het puntje van zijn neus prikte en stak zijn armen omhoog. Het oude wijfje was van slapen naar schiethouding overgeschakeld zonder blijkbaar enig tussenstadium te doorlopen.

'Hoger kom ik niet,' zei hij. 'Uh... de deur was los, zie je, en...'

'Dus jullie dachten maar eens een arm weerloos oud vrouwtje te beroven?'

'Helemaal niet, helemaal niet, we wilden juist –'

'Ik zit anders bij de Buurtbeheksing, hoor! Ik hoef maar te kikken of daar huppen jullie al rond op zoek naar een prinses met een amfibieënfixatie –'

'Zo kannie wel weer, dacht ik,' zei Klif. Hij boog zich voorover en zijn reuzenhand omklemde de boog. Hij kneep. Houtvezeltjes persten zich tussen zijn vingers door.

'Wij doen weinig kwaad,' zei hij. 'We komen voor dat instrument dat je vorige week aan die vriend van ons hebt verkocht.'

'Zijn jullie dan van de Wacht?'

Govd maakte een buiging.

'Nee, dame. Wij zijn musici.'

'En dat moet me geruststellen? Om welk instrument gaat het?'

'Een soort gitaar.'

Het oude mens hield haar hoofd schuin. Haar ogen werden spleetjes.

'Terugnemen doe ik niet, hoor,' zei ze. 'Verkocht is verkocht. In prima bespeelbare staat, trouwens.'

'We willen alleen weten waar je hem vandaan had.'

'Nooit nergens vandaan gehad,' zei de oude vrouw. 'Was er altijd al. Niet op blazen!'

Govd liet bijna de fluit vallen die hij in zijn zenuwen uit de rommel had geplukt.

'...anders zitten we zo tot onze knieën in de ratten,' zei de oude

vrouw. Ze wendde zich weer naar Klif. 'Die was hier altijd al,' herhaalde ze.
'Er was met krijt een één op gezet,' zei Govd.
'Hij was hier altijd al,' zei de vrouw. 'Al zolang ik de winkel heb.'
'Wie heeft hem ingeleverd?'
'Hoe moet ik dat weten? Ik vraag nooit iemands naam. Dat vinden ze niet leuk. Iedereen krijgt gewoon zijn nummer.'
Govd keek eens naar de fluit. Er hing een vergeeld labeltje aan waarop het nummer 431 stond gekrabbeld.
Hij tuurde langs de schappen achter de geïmproviseerde toonbank. Er lag een grote, rozige hoornschelp. Daar stond ook al een nummer op. Hij maakte zijn lippen nat en stak zijn hand al uit...
'Als je daarop blaast moet je wel zorgen een offermaagd en een grote ketel broodvruchten en schildpadvlees bij de hand te hebben,' zei het oude vrouwtje.
Ernaast lag een trompet. Die zag er nog verbazend gaaf uit.
'En deze?' zei hij. 'Die laat zeker de wereld ophouden en de hemel op mijn kop vallen zodra ik erop toeter?'
'Toevallig dat je dat zegt,' zei het oude vrouwtje.
Govd liet zijn hand zakken en toen viel hem iets anders op.
'Lieve help',zei hij, 'ligt die nog *steeds* hier? Ik dacht er allang niet meer aan...'
'Wat dan?' vroeg Klif en hij keek naar waar Govd wees.
'Die daar?'
'We hebben nog wel geld. Waarom niet?'
'Mja. Kon wel eens nuttig zijn. Maar je weet wat Buddie zei. We zouden toch nooit een adres –'
'De stad is groot. Als je dat niet in Ankh-Meurbork vindt dan vind je het nergens.'
Govd raapte een half trommelstokje op en keek peinzend naar een gong die half onder een stapel muziekstandaards lag begraven.
'Doe maar niet,' zei het oude vrouwtje. 'Als je tenminste liever geen zevenhonderdzevenenzeventig geraamtekrijgers uit de aarde ziet opschieten.'
Govd wees.
'We nemen deze mee.'
'Twee daalders.'
'Hela, waarom zouden wij iets betalen? Hij is niet eens van j–'
'Betaal nou maar,' zuchtte Klif. 'Niet sjacheren.'
Govd droeg het geld met tegenzin over, griste de zak uit handen van de vrouw en beende het winkeltje uit.
'Bijzondere spullen heb je hier,' zei Klif met zijn blik op de gong.

Het oude mens haalde haar schouders op.
'Mijn vriend was wat geërgerd, want hij dacht dat je zo'n geheimzinnig winkeltje was waarover die volksvertellingen het hebben,' ging Klif verder. 'Je weet wel, zo zijn ze er en zo zijn ze weer weg. Hij zocht naar je aan de overkant, haha!'
'Nogal stom, vind ik,' zei de oude vrouw op een toon die verdere ongepaste olijkheden ontried.
Klif keek nog even naar de gong, haalde zijn schouders op en ging Govd achterna.
De vrouw wachtte tot hun voetstappen in de mist waren weggestorven.
Toen deed ze de deur open om naar beide kanten de straat langs te turen. Blijkbaar tevredengesteld door de heersende overvloed aan leegte ging ze weer naar de toonbank en daaronder tastte ze naar een vreemdsoortige hefboom. Haar ogen kregen even een groene gloed.
'Ik zou mijn eigen hoofd nog vergeten,' zei ze terwijl ze de hefboom overhaalde.
Verborgen machines zetten het op een knersen.
Het winkeltje verdween. Een oogwenk later verscheen het weer in de muur aan de overkant.

Buddie lag naar het plafond te kijken.
Hoe smaakte eten ook weer? Hij kon het zich maar moeilijk herinneren. Hij had de laatste paar dagen wel gegeten, dat moest wel, maar hoe dat smaakte was hij vergeten. Hij kon zich eigenlijk maar weinig herinneren, afgezien van het spelen. Govd en de anderen klonken alsof ze praatten door een dikke laag verbandgaas.
Bitumen was zomaar ergens heengeslenterd.
Hij zwaaide zich van het harde bed en liep op blote voeten naar het raam.
De wijk 't Donkert was net zichtbaar in het grauwe nachttarieflicht van vlak voor de dageraad. Er woei een windje door het open raam naar binnen.
Toen hij zich omdraaide stond er een jonge vrouw midden in de kamer.
Ze legde haar vinger op haar lippen.
'Begin maar niet om dat trolletje te roepen,' zei ze. 'Die zit beneden aan zijn avondeten. En trouwens, hij zou me toch niet kunnen zien.'
'Ben jij mijn muze?'
'Ik geloof dat ik weet wat je bedoelt,' zei ze. 'Ik heb er plaatjes van gezien. Ze waren met zijn achten, aangevoerd door... uh... Kale Jopie. Ze zeggen dat ze je beschermen. De Thebiërs gelo-

ven dat ze musici en schilders inspiratie bezorgen, maar ze bestaan natuurlijk n–' Ze zweeg en verbeterde zich netjes. 'Tenminste, ik ben ze nog nooit tegengekomen. Ik heet Suzan. Ik kom vanwege...'
Haar stem verstomde.
'Kale Jopie?' zei Buddie. 'Ik weet vrijwel zeker dat het niet Kale Jopie was.'
'Nou ja, iemand.'
'Hoe kom je hier binnen?'
'Ik ben... Hoor eens, ga even zitten. Mooi. Nou... je weet hoe sommige dingen... zoals die Muzen van jou... hoe ze wel eens denken dat sommige dingen door personen worden vertegenwoordigd?'
Een blik van tijdelijk begrip lichtte Buddies uitdrukking in.
'Zoals de Berevaar de geest van het midwinterfeest vertegenwoordigt?' zei hij.
'Precies. Nou... ik doe zeg maar zulk werk,' zei Suzan. 'Wat ik precies doe is nu niet van belang.'
'Bedoel je dat je geen mens bent?'
'O, wel hoor. Maar ik... heb een baantje. Ach, je kunt me net zo goed als een muze beschouwen. En ik kom je waarschuwen.'
'Een Muze voor Bonk- en Rotsmuziek?'
'Nou nee, maar *hoor* even... hela, voel je je wel goed?'
'Ik weet niet.'
'Je zag er helemaal uitgewrongen uit. Hoor dan. De muziek is gevaarlijk –'
Buddie haalde zijn schouders op. 'O, je bedoelt dat Muzikantengilde. Meneer Snikkel zegt dat we nergens over in hoeven zitten. En we gaan de stad uit, voor een paar da–'
Suzan beende naar voren en greep de gitaar.
'Deze bedoel ik!'
De snaren kronkelden en jankten onder haar handen.
'Afblijven!'
'Hij heeft je overmeesterd,' zei Suzan terwijl ze de gitaar op het bed smeet. Buddie pakte hem op en speelde een akkoord.
'Ik weet wat je nu gaat zeggen,' zei hij. 'Iedereen zegt dat. De twee anderen vinden hem kwaadaardig. Maar dat is hij niet!'
'Misschien niet kwaadaardig, maar hij deugt ook niet! Niet hier, en niet nu.'
'Jawel, maar ik kan hem wel aan.'
'Je kunt hem niet aan. Hij kan jou aan.'
'Trouwens, wie ben jij om me dat allemaal te vertellen? Ik hoef me niet de les te laten lezen door een tandenfeetje!'
'Hoor nou, hij zal je de dood injagen! Dat weet ik zeker!'
'Dus ik zou moeten ophouden met spelen?'

Suzan aarzelde.
'Nou nee, niet precies... want dan –'
'Nou, *ik* hoef niet te luisteren naar geheimzinnige occulte vrouwspersonen! Je bestaat vast niet eens! Vlieg dus maar weer gauw naar je toverkasteel!'
Suzan stond even met haar mond vol tanden. Ze had zich neergelegd bij de reddeloze stompzinnigheid van het merendeel van het mensdom, met name de afdeling die rechtop pieste en zich 's ochtends schoor, maar ze was ook beledigd. Niemand had ooit zo tegen de Dood gesproken. Of tenminste, nooit lang.
'Okee,' zei ze terwijl ze zijn arm aanraakte. 'Maar je zult me nog een keer zien en... en dat zal je niet aanstaan! Want ik kan je dit zeggen, ik ben toevallig wel de –'
Haar uitdrukking veranderde. Ze kreeg het gevoel of ze achterover viel terwijl ze stilstond; de kamer schoof langs haar heen en weg de duisternis in, rondwentelend om Buddies van afgrijzen vertrokken gezicht.
De duisternis ontplofte, en er was licht.
Druipkaarslicht.

Buddie tastte met zijn hand door de lege ruimte waar Suzan had gestaan.
'Ben je daar nog? Waar ben je gebleven? *Wie ben jij?*'

Klif keek even om.
'Ik dacht dat ik wat hoorde,' mompelde hij. 'Hores, je weet toch wel dat sommige van die instrumenten heels geen gewo–'
'Dat weet ik,' zei Govd. 'Had ik maar even op die rattenfluit kunnen blazen. Ik heb alweer honger.'
'Ik bedoel dat het myth–'
'Ja.'
'Hoe komen die dan in een tweedehands muziekwinkeltje terecht?'
'Heb jij dan nooit je keien beleend?'
'Vanzelf,' zei Klif. 'Dat doet iedereen wel eens, weet je best. Soms zit er niks anders op als je nog eens eten wilt zien.'
'Zie je wel. Je zegt het zelf. Elke beroepsmuzikant komt daar vroeg of laat wel eens voor te staan.'
'Ja, maar de kwestie is dat Buddie... nou ja, er staat een één op...'
'Ja.'
Govd tuurde naar het straatnaambordje.
'"Sluwe-Ambachtenstraat",' zei hij. 'Daar zijn we dan. Moet je zien, de helft van de werkplaatsen is zelfs zo laat nog open.' Hij verschikte de zak. Er kraakte iets in. 'Klop jij aan die kant, dan doe ik deze.'

'Goed, vooruit maar... maar toch, nummer één... Zelfs die schelphoorn had nummer tweeënvijftig. Wie was dan de eigenaar van die gitaar?'
'Weet ik niet', zei Govd terwijl hij op de eerste deur klopte, 'maar ik hoop dat hij hem nooit meer komt ophalen.'

'En dat', zei Ridiekel, 'is het Ritueel van AschKentze. Reuzesimpel. Al moet je wel een vers ei gebruiken.'
Suzan knipperde met haar ogen.
Op de grond was een kring getekend. Die was omsingeld door vreemde onaardse vormen, al besefte ze zodra ze haar geest eenmaal had bijgesteld dat het doodnormale studenten waren.
'Wie zijn jullie?' zei ze. 'Waar is dit hier? Laat me onmiddellijk vrij!'
Ze schreed door de kring en veerde terug van een onzichtbare muur.
De studenten staarden haar aan op de wijze van hen die de diersoort 'vrouw' wel kennen van horen zeggen, maar nooit hadden gedacht er ooit zo dichtbij te komen.
'Ik eis dat jullie me loslaten!' Ze keek Ridiekel woedend aan. 'Ben jij niet die tovenaar van gisteravond?'
'Klopt', zei Ridiekel, 'en *dit* is het Ritueel van AschKentze. Daarmee roep je in deze kring de Dood op en dan kan hij – of zoals in dit geval, *zij* – er niet uit tot het van ons mag. Er staat hier in dit boek nog een heleboel met van die rare lange essen geschreven over bezweren, belasten en bezwaren, maar dat is vooral voor de sier. Eenmaal als Dood in de kring, dan blijf je erin – hé, lollig gevonden, dat. Ik moet trouwens zeggen dat je voorganger het heel wat hoffelijker opnam.'
Suzan bleef woedend kijken. De kring ontregelde haar idee van ruimte. Dit was toch niet eerlijk!
'Waarom heb je me dan opgeroepen?' zei ze.
'Dat is al beter. Klopt meer met het draaiboek,' zei Ridiekel. 'Wij mogen jou vragen stellen, zie je. En dan moet jij antwoord geven. Naar waarheid.'
'En?'
'Wil je niet gaan zitten? Een glaasje van het een of ander?'
'Nee.'
'Zoals je wilt. Die nieuwe muziek... zeg daar eens iets van.'
'Om dat te vragen heb je de *Dood* opgeroepen?'
'Ik weet nog niet zo wie we hebben opgeroepen,' zei Ridiekel. 'Die muziek, leeft die echt?'
'Ik... denk het wel.'
'Zit hij ergens in?'
'Het schijnt dat hij ooit een bepaald instrument bewoonde

maar ik geloof dat hij zich nu verplaatsen kan. Kan ik nu weer weg?'
'Nee. Kun je hem doodmaken?'
'Weet ik niet.'
'Hoort hij hier wel te zijn?'
'Hè?'
'Hoort hij hier wel te zijn?' herhaalde Ridiekel geduldig. 'Is het iets dat nu eenmaal gebeuren moest?'
Opeens voelde Suzan zich gewichtig. Tovenaars gingen door voor geleerden en wijsgeren.* Maar nu werden de vragen aan *haar* gesteld. Er werd naar haar *geluisterd*. De trots glinsterde in haar ogen.
'Ik... dacht van niet. Die muziek is hier door een of ander toeval opgedoken. Dit is de verkeerde wereld ervoor.'
Ridiekel trok een voldaan gezicht. 'Dat dacht ik al. Die deugt niet, zei ik. Hij laat mensen proberen dingen te wezen die ze niet zijn. Hoe maken we er een eind aan?'
'Volgens mij kun je dat niet. Hij is ongevoelig voor toverkracht.'
'Juist. Dat is muziek. Alle muziek. Maar er moet iets zijn dat er een eind aan kan maken. Laat haar je kistje eens zien, Pander.'
'Uh... ja. Hier.'
Hij deed het deksel open. Wat blikkerige maar nog heel herkenbare muziek zweefde door de zaal.
'Klinkt net als een in een luciferdoosje opgesloten spinnetje, hè?' zei Ridiekel.
'Je kunt muziek toch niet weergeven met een stukje ijzerdraad in een kistje,' zei Suzan. 'Dat is tegennatuurlijk.'
Pander keek opgelucht.
'Net wat ik zei,' zei hij. 'Maar deze doet het toch. Hij wil het.'
Suzan bekeek met grote ogen het kistje.
Er brak een lachje bij haar door. Maar dan zonder humor.
'Iedereen raakt erdoor van slag,' zei Ridiekel. 'En... moet je dit zien.' Hij trok een rol papier onder zijn pij vandaan en rolde die uit. 'Betrapte een jongmens dat dit op onze poort probeerde te plakken. Hondsbrutaal! Dus ik pak het hem af en ik zeg: hup jij! en dat', Ridiekel keek zelfvoldaan naar zijn vingers, 'was in dit geval zowaar heel toepasselijk. Dit staat vol gezeur over een of ander Bonk-en-Rotsmuziekfestival. Dat loopt nog uit op monsters die inbreken uit een andere dimensie, dat is vaste prik. Zoiets hebben we hier in de buurt vaker.'

*Ondanks hun lange baarden, waarmee ze juist wilden zeggen: 'Wij scheren ons *niet*.'

'Pardon, zeg', zei Grote Gekke Arie met een met achterdocht volgeladen stem, 'ik wil niet vervelend zijn, hoor, maar is dit nu de Dood of niet? Ik heb er plaatjes van gezien en die leken niet op haar.'
'We hebben ons hele Ritueelheelheel... netjes uitgevoerd,' zei Ridiekel. 'En dat heeft dit opgeleverd.'
'Jawel, maar mijn vader is haringvisser en die vindt niet louter haring in zijn haringnet,' zei Knizz.
'Ja, nou. Ze kan iedereen wel wezen,' zei Barre Bas. 'Ik dacht dat de Dood langer en knokiger was.'
'Dat is gewoon een griet die maar wat aan rotzooit,' zei Knizz.
Suzan staarde hen aan.
'Ze heeft niet eens een zeis,' zei Bas.
Suzan spande zich in. De zeis verscheen in haar hand en de blauwgerande snijkant maakte het geluid van een vinger die over de rand van een wijnglas sleept.
De studenten kwamen recht overeind.
'Maar ik vond ook al steeds dat het hoog tijd werd voor verandering,' zei Bas.
'Precies. Hoog tijd dat ook de meiden doordringen in de vrije beroepen,' zei Knizz.
'Pas op dat je niet neerbuigend doet!'
'Je hebt gelijk,' zei Pander. 'Er is geen enkele reden waarom de Dood mannelijk zou moeten wezen. Een vrouw kon bijna net zo goed haar mannetje staan in dat werk.'
'Je doet het prima,' zei Ridiekel.
Hij lachte Suzan bemoedigend toe.
Nu keerde ze zich tegen hem. Ik ben de Dood, dacht ze – in technische zin, in elk geval – en dit is een dikke ouwe vent die het recht niet heeft om me iets te bevelen. Ik zal hem eens wild aanstaren, en dan beseft hij de ernst van de toestand gauw genoeg. Ze staarde hem wild aan.
'Zo, jongedame', zei Ridiekel, 'heb je soms trek in ontbijt?'

De Gelijmde Trom ging maar zelden dicht. Zo rond zes uur 's ochtends wilde het wel eens stil worden, maar Hibiscus bleef open zolang iemand iets drinken wilde.
Iemand wilde een heleboel drinken. Iemand was een onduidelijk iemand en stond aan de toog. Er leek wel zand uit hem te lopen en zover Hibiscus kon uitmaken staken er een aantal pijlen van Klatschieke makelij door hem heen.
De waard boog zich naar voren.
'Heb ik je soms al eens eerder gezien?'
IK KOM HIER TAMELIJK VAAK, JA. VORIGE WOENSDAG EEN WEEK GELEDEN, BIJVOORBEELD.

'Ha! Nogal een heisa toen. Dat was toen onze arme Wijndel werd neergestoken.'
JA.
'Je vraagt er anders wel om, als je je Wijndel de Onkwetsbare noemt.'
JA. NIET BEPAALD NAUWKEURIG, OOK.
'Bij de Wacht zeggen ze dat het zelfmoord was.'
De Dood knikte. De Gelijmde Trom betreden terwijl je je Wijndel de Onkwetsbare noemde was naar Ankh-Meurborkse maatstaven inderdaad zelfmoord.
ER ZITTEN MADEN IN MIJN GLAASJE.
De waard gluurde erin.
'Dat is geen made, meneer,' zei hij. 'Dat is een worm.'
O, SCHEELT DAT DAN?
'Die hoort daarin, meneer. Dat daar is mexical. Ze doen die worm erin om te laten zien hoe sterk het wel is.'
STERK GENOEG DAT EEN WORM ERIN VERDRINKT?
De waard krabde zich op zijn hoofd. Zo had hij het nog nooit bekeken.
'Ach, het is gewoon iets dat ze drinken,' zei hij maar.
De Dood pakte de fles en hield hem omhoog tot wat anders ooghoogte zou zijn geweest. De worm wentelde zielig rond.
HOE BEVALT HET? zei hij.
'Nou, het smaakt een beetje –'
IK HAD HET NIET TEGEN JOU.

'Ontbijt?' zei Suzan, 'ik bedoel –' ONTBIJT?
'Het loopt vast al zowat tegen die tijd,' zei de Aartskanselier. 'Het is al aardig wat geleden sinds ik ontbeet met een charmante jongedame.'
'Goeie grutten, jullie zijn ook allemaal even erg,' zei Suzan.
'Goed dan, laat dat *charmant* dan maar weg,' zei Ridiekel uitgestreken. 'Maar de mussen zitten al te hoesten op het dak en de zon gluurt over de muur en ik ruik een baklucht, en aan tafel zitten met de Dood is iets dat niet iedereen overkomt. Speel je toevallig schaak?'
'Bijzonder sterk,' zei Suzan bevreemd.
'Dacht ik al. Okee, kerels. Gaan jullie maar weer aan het heelal prutsen. Kom je even mee deze kant op, dame?'
'Ik mag die kring niet uit!'
'Och, wel als ik je ertoe uitnodig. Allemaal een kwestie van beleefdheid. Ik weet niet, is dat begrip je wel eens uitgelegd?'
Hij nam haar bij de hand. Ze aarzelde en stapte toen over de krijtlijn. Ze voelde een lichte tinteling.
De studenten weken haastig achteruit.

'Vort jullie, schiet op,' zei Ridiekel. 'Deze kant op, dame.'
Suzan had nog nooit charme meegemaakt. Ridiekel had er heel wat van, op zo'n glinsterende-oogjesmanier.
Ze volgde hem het gazon over naar de Grote Zaal.
De ontbijttafels waren al gedekt, maar er zat niemand. Koperen dekschalen waren als herfstpaddestoelen uit het grote buffet geschoten. Achter die opstelling stonden drie tamelijk jeugdige dienstmeisjes geduldig te wachten.
'Wij bedienen ons doorgaans zelf,' zei Ridiekel terloops terwijl hij een deksel lichtte. 'Kelners en zulks maken teveel law– is dit soms als een geintje bedoeld?'
Hij porde in wat onder het deksel zat en wenkte het dichtstbijzijnde dienstmeisje.
'Welke ben jij?' vroeg hij. 'Annie, Jannie of Nannie?'
'Annie, edele heer,' zei het dienstmeisje met een bibberend knixje. 'Is er iets mis?'
'Uh-mis-mis-mis-mis, uh-doe-wa-mis-mis,' zeiden de andere twee meisjes.
'Waar is de haring gebleven? Wat is dit? Lijkt wel een koeienvlaai in een kadetje,' zei Ridiekel terwijl hij de meisjes aanstaarde.
'Mevrouw Copsuf heeft de keukenmeid geïnstrueerd,' zei Annie zenuwachtig. 'Dat is een –'
'– jèè-jèè-jèè –'
'– het is een ankhburger.'
'Zo te zien *zo* uit de Ankh,' zei Ridiekel. 'En waarom heb je van dat haar op je hoofd een bijenkorf gemaakt, nou? Zo lijk je wel een lucifer.'
'Alsjeblieft, edele heer, we –'
'Je bent zeker naar dat Bonk- en Rotsconcert geweest?'
'Ja meneer.'
'Jèè, jèè.'
'Je, uh, hebt toch niks op het podium gegooid, hè?'
'Nee meneer!'
'Waar zit mevrouw Copsuf?'
'Ligt in bed, meneer. Koutje gevat.'
'Verbaast me niks.' Ridiekel wendde zich tot Suzan. 'Iedereen stelt zich helaas aan als een ankhburger.'
'Ik eet alleen muesli bij het ontbijt,' zei Suzan.
'Er is wel havermout,' zei Ridiekel. 'Dat doen we voor de Administrateur omdat het je niet opwindt.' Hij tilde een deksel van een schaal. 'Ja, dat is er nog,' zei hij. 'Er zijn dingen waar Bonkmuziek niks aan kan veranderen, en havermout is er een van. Laat me je een schepje oplepelen.'
Ze gingen aan weerszijden van de lange tafel zitten.

‘Nou, gezellig hè?’ zei Ridiekel.
‘Zit je me soms uit te lachen?’ zei Suzan achterdochtig.
‘Helemaal niet. In een haringnet vang je vooral haring, is de ervaring. Maar als sterveling gesproken – als klant, zou je kunnen zeggen – wil ik toch graag weten hoe de Dood zo opeens een zestienjarig meisje is in plaats van het wandelende gratenpakhuis dat ons zo vertr... bekend is.’
‘Gratenpakhuis?’
‘Uitgemergeld persoon. Geraamte dus.’
‘Dat is mijn opa.’
‘Ach. Ja, dat zei je al. Dat is dus waar?’
‘Het klinkt wel een beetje mal, als ik het zo aan een ander vertel.’
Ridiekel schudde zijn hoofd.
‘Doe maar eens vijf minuten mijn werk. Dan weet je pas wat mal is,’ zei hij. Hij haalde een potlood uit zijn zak en tilde behoedzaam de bovenste helft van zijn kadetje op.
‘Hier zit *kaas* in,’ zei hij beschuldigend.
‘Maar hij is ergens heengegaan en voor ik het wist had ik de hele bups geërfd. Ik had er niet om gevraagd, hoor! Waarom ik? Dat rondgezeul met dat malle zeisgeval... niet bepaald wat ik van mijn leven verwachtte –’
‘Het is inderdaad niet iets waarvoor ze beroepskeuzefolders uitdelen,’ zei Ridiekel.
‘Precies.’
‘En je kunt er zeker niet onderuit?’ zei Ridiekel.
‘We weten niet waar hij gebleven is. Albert zegt dat hij ergens erg somber over is, maar hij wil niet zeggen waarover.’
‘Lieve help. Waar kan de Dood nu somber over zijn?’
‘Albert denkt kennelijk dat hij wel eens iets... doms zou kunnen doen.’
‘O, jeetje. Toch niet *al* te dom, hoop ik maar. Zou dat mogelijk zijn? Dat zou... dooddoding wezen, neem ik aan. Of zelfzelving.’
Tot Suzans stomme verbazing klopte Ridiekel haar op haar hand.
‘Maar we zullen allemaal vast rustiger in ons bed liggen nu we weten dat jij het heft in handen hebt,’ zei hij.
‘Maar het is zo’n *rommeltje*! Brave lui die stomweg maar doodgaan, slechteriken die rustig stokoud worden... dat is zo *ongeorganiseerd*. Er zit geen regel in. Het is toch volmaakt oneerlijk. Neem nu die jongen –’
‘Welke jongen?’
Tot Suzans stomme afgrijzen begon ze zowaar te blozen. ‘Gewoon een jongen,’ zei ze. ‘Die had zogenaamd dood moeten

gaan, hartstikke stom, en ik zou hem net gaan redden en toen werd hij gered door de *muziek*, en die bezorgt hem nu allerlei narigheid en ik moet hem nu evengoed redden en ik *weet niet waarom*.'
'Muziek?' zei Ridiekel. 'Speelt hij soms zo'n soort gitaar?'
'Ja! Hoe weet jij dat?'
Ridiekel slaakte een zucht. 'Als je tovenaar bent krijg je een neus voor die dingen.' Hij porde nog wat in zijn ankhburger. 'En nog sla ook. En een heel, heel dun plakje augurk.'
Hij liet het broodje vallen.
'Die muziek *leeft*,' zei hij.
Iets dat al meer dan tien minuten op Suzans aandacht had staan kloppen gebruikte eindelijk zijn laarzen.
'O, mijn god,' zei ze.
'Welke is dat?' zei Ridiekel beleefd.
'Het is zo *eenvoudig*! Het laat zich zomaar vangen! Het verandert iemand! Die wil dan muziek m– Ik moet weg,' zei Suzan gejaagd. 'Uh. Nog bedankt voor de havermout...'
'Je hebt er niets van gegeten,' voerde Ridiekel fijntjes aan.
'Nee, maar... ik heb er wel even goed naar kunnen kijken.'
Ze verdween. Na een korte pauze boog Ridiekel zich voorover om even met zijn hand door de ruimte te zwaaien waar ze net nog zat, je wist maar nooit.
Toen voelde hij onder zijn pij om daar de poster over dat Gratis Festival onder vandaan te halen. Grote rotdingen met vangarmen, dat was het probleem. Met genoeg toverkracht op één en dezelfde plek kreeg het weefsel van het heelal een knol van een gat, net als in de sokken van de Administrateur die naar Ridiekel gemerkt had de laatste dagen uiterst fel gekleurd waren.
Hij wuifde naar de dienstmeisjes.
'Dank je wel, Annie, Nannie of Jannie,' zei hij. 'Je kunt afruimen.'
'Jèè-jèè.'
'Ja, ja, dank je wel.'
Ridiekel voelde zich nogal alleen. Hij had met veel plezier met dat meisje gepraat. Ze leek wel de enige persoon hier die niet lichtelijk getikt was of totaal in beslag genomen door iets waar hij, Ridiekel, niets van begreep.
Hij dwaalde weer naar zijn studeerkamer, maar raakte afgeleid door de timmergeluiden uit de vertrekken van de Hoofddekaan. De deur stond op een kier.
De gevorderde tovenaars hadden nogal ruime verblijven, onder meer bestaande uit studeerkamer, werkplaats en slaapkamer. De Hoofddekaan stond over het smidsvuur in de werkplaatsafdeling gebogen, met een masker van beroet glas voor zijn ge-

zicht en een hamer in zijn hand. Hij was hard aan het werk. De vonken vlogen eraf.
Dit was stukken opbeurender, vond Ridiekel. Misschien was het nu afgelopen met al die Bonkmuziekonzin en werd er weer echt getoverd.
'Alles goed, Hoofddekaan?' vroeg hij.
De Hoofddekaan klapte het glas op en knikte.
'Bijna klaar, Aartskanselier,' zei hij.
'Hoorde je op de gang heel erop los hameren,' zei Ridiekel langs zijn neus weg.
'Aha. Ik ben nu aan de zakken bezig,' zei de Hoofddekaan.
Ridiekel trok een onnozel gezicht. Flink wat van de lastigere bezweringen vroegen om hitte of hamerwerk, maar zakken was nieuw voor hem.
De Hoofddekaan hield een broek omhoog.
Die was strikt genomen niet zo'n broekerige broek als anders; gevorderde tovenaars ontwikkelden een maat-zestigpostuur dat deed denken aan een ovaal voorwerp dat uit zeven granen bij elkaar was gescharreld. Hij was donkerblauw.
'Zat je daarop te timmeren?' zei Ridiekel. 'Was mevrouw Copsuf weer wat te scheutig met stijfsel?'
Hij keek wat beter.
'*Spijker* je die in elkaar? Waarom geen naald en draad?'
De Hoofddekaan keek hem stralend aan.
'Deze broek', zei hij, 'is het helemaal.'
'Is dat soms weer Rotsmuziekgepraat?' zei Ridiekel achterdochtig.
'Ik bedoel dat hij koel is.'
'Tja, beter dan zo'n dikke toverjas bij dit weer', gaf Ridiekel toe, 'maar – je gaat hem nu toch niet aantrekken?'
'Waarom niet?' vroeg de Hoofddekaan terwijl hij zich uit zijn gewaad wurmde.
'Tovenaars in een broek? Niet op *mijn* universiteit! Ze zouden maar lachen,' zei Ridiekel.
'Jij probeert altijd te voorkomen dat ik doe wat ik wil!'
'Je hoeft niet zo'n toon tegen me aan te slaan –'
'Poe, je luistert nooit naar wat ik zeg en ik zou niet weten waarom ik niet mag aantrekken waar ik zin in heb!'
Ridiekels woedende blik ging de kamer rond.
'Deze kamer is een grote bende!' brulde hij. 'Ruim hem onmiddellijk op!'
'Doe'k niet!'
'Dat wordt dan geen Bonk- en Rotsmuziek meer voor jou, jongeman!'
Ridiekel smeet de deur achter zich dicht.

Hij smeet hem weer open en vulde aan: 'En ik heb je nooit toestemming gegeven om hem zwart te schilderen!'
Hij smeet de deur dicht.
Hij smeet hem open.
'En die broek staat je lekker toch niet!'
De Hoofddekaan rende hamerzwaaiend de gang op.
'Je kunt zeggen wat je wilt', schreeuwde hij, 'maar als deze broek de geschiedenis ingaat zullen ze hem vast geen naald-endraadbroek noemen!'

Het was acht uur 's ochtends, een tijdstip waarop drinkers proberen te vergeten wie ze zijn, dan wel zich te herinneren waar ze wonen. De overige bezoekers van de Gelijmde Trom zaten langs de muren over hun glaasjes gebogen te kijken naar een orang oetan die Barbaarse Invallers speelde en elke keer dat hij een duit verloor moord en brand schreeuwde.
Hibiscus wilde nu echt gaan sluiten. Maar ja, dat was net of je een goudmijn opblies. Hij wist telkens maar net de voorraad schone glazen op peil te houden.
'Ben je alles al vergeten?' vroeg hij.
KENNELIJK BEN IK NOG MAAR ÉÉN DING VERGETEN.
'Wat dan? Ha, wat dom nou van me, ik zie toch dat je vergeten b–'
IK BEN VERGETEN HOE JE DRONKEN WORDT.
De waard keek naar de eindeloze rijen glaasjes. Er stonden wijnglazen. Er stonden cocktailglazen. Er stonden bierkannen. Er waren kannen bij in de vorm van olijke dikkerdjes. Er stond een emmer.
'Ik geloof toch dat je warm bent,' opperde hij.
De onbekende pakte zijn huidige glaasje en wandelde naar het Barbaarse-Invallersapparaat.
Dit bestond uit een ingewikkeld opwindmechaniek volgens uitgekiend ontwerp. Men kreeg de indruk dat er vele tandraderen en wormwielen huisden in de zware mahoniehouten kast onder het spel, dat kennelijk louter diende om hele rijen tamelijk slordig gesneden Barbaarse Invallertjes schokkender en wiebelenderwijs door een rechthoekig decor te doen bewegen. De speler kon middels een stelsel van hendels en katrollen een kleine zelfladende lepelblijde bedienen, die onder de Invallers heen en weer ging. Hiermee schoot men kogeltjes omhoog. Terzelfdertijd lieten de Invallertjes (door middel van een pal-en-ratelmechaniek) metalen pijltjes vallen. Op gezette tijden luidde er een bel en dan zigzagde een bereden Invallertje aarzelend van boven over het spel om speren neer te laten. Het hele samenstel ratelde en knerste aanhoudend, deels vanwege al dat mecha-

niek en deels omdat de orang oetan aan allebei hendels wrikte, onder het gelijktijdig op en neer wippen op de schietpedaal en het luidkeels slaken van kreten.
'Zelf heb ik het hier liever niet,' zei de waard achter hem. 'Maar het is zo gewild bij de klandizie, snap je.'
BIJ ÉÉN KLANT WEL, IN ELK GEVAL.
'Tja, het is tenminste beter dan die fruitmachine.'
O JA?
'Hij at al het fruit op.'
Van de kant van het apparaat klonk een woedend gekrijs.
De waard slaakte een zucht. 'Je had toch nooit gedacht dat iemand zoveel drukte zou maken om een duit?'
De mensaap smeet een daaldermunt op de toog en vertrok weer met twee handen vol wisselgeld. Met één duit in de gleuf kon je een zeer grote hendel overhalen; als bij toverslag herrezen alle Barbaren uit de dood om hun waggelende inval te hervatten.
'Hij goot zijn glas erin leeg,' zei de waard. 'Het kan inbeelding zijn, maar ik dacht dat ze nu nog meer waggelen.'
De Dood bleef even naar het spel staan kijken. Het was een van de somberst stemmende dingen die hij ooit had gezien. Die dingen kwamen uiteindelijk toch al onderin het spel terecht. Waarom zou je er dan nog op schieten?
Waarom..?
Hij zwaaide met zijn glas naar het drinkende gezelschap.
WETEN JULLIE. WETEN JULLIE. ZEG, WETEN JULLIE WAT HET IS OM, SJA, ZO'N GOED GEHEUGEN TE HEBBEN, JA, ZO'N GOED GEHEUGEN DAT JE ZELFS NOG WEET WAT NOG NIET GEBEURD IS? IK DUS, HÈ. JA HOOR. ZO IS DAT. NET OF. NET OF ER GEEN TOEKOMST IS... ALLEEN MAAR VERLEDEN DAT NOG NIET GEBEURD IS. EN. EN. EN. JE MOET EVENGOED ALLES DOEN. JE WEET WAT ER GAAT GEBEUREN EN JE MOET HET ALLEMAAL DOEN.
Hij keek naar de gezichten om hem heen. Het Tromvolk was alcoholische toespraken wel gewend, maar niet zulke.
JE ZIET. JE ZJIET. JE ZIET HET OP JE AFKOMEN ALS IJSBERGGEVALLEN MAAR JE MAG ER NIETS AAN DOEN WANT – WANT – WANDASDEWET. MAG DE WET NIET OVERTREDEN. WETTISWET.
ZIEJDITGLAASJE? NOU? 'SNET GEHEUGEN. VANWEGEDATTER ALS JE ER MEER INGIET OOK MEER UITSTROOMT, HÈ? ZO ZIDDAT. ZO'N GEHEUGEN HEPPIEDEREEN. DA'S WAT VOORKOMT DAT MENSEN KRANZJIN– KARNKZJIN– ZJIN– GEK WORDEN. BALLEVE IK DAN. IK WEET ALLES NOG. ALSOF HET PAS MORGEN GEBEURD IS. ALLES.
Hij keek diep in zijn glaasje.
ACH, zei hij, GEK ZOALS ALLES JE WEER VOOR DE GEEST KOMT, HÈ?
Het was de indrukwekkendste omverstorting die de gelagkamer ooit had meegemaakt. De lange donkere vreemdeling viel lang-

zaam, net als een boom, achterover. Niks van dat lullige door de knieën zakken of onderweg toch nog even van een tafel ketsen. Hij ging gewoon in één wonderbare meetkundige zwier van verticaal over naar horizontaal.
Toen hij de grond raakte klapten verscheidene gasten. Toen doorzochten ze zijn zakken, of tenminste, ze deden een poging daartoe maar konden geen zakken vinden. En toen smeten ze hem in de rivier.*

In de zwarte reuzenstudeerkamer van de Dood brandde één kaars, zonder korter te worden.
Suzan bladerde radeloos door de boeken.
Het leven was niet eenvoudig. Dat wist ze wel; dat was juist *de* Kennis die bij dit baantje hoorde. Je had het eenvoudige leven van levende dingen maar dat was, tja... eenvoudig...
Er waren andere soorten leven. Steden hadden leven. Mierenhopen en bijenzwermen kenden leven, gehelen groter dan de som van de delen. Werelden hadden leven. Goden kenden leven, opgebouwd uit het geloof van hun gelovigen.
Het heelal danste naar het leven toe. Dat leven was een opmerkelijk alledaags goedje. Al wat ingewikkeld genoeg was leek er wel iets van mee te krijgen, net zoals al wat genoeg massa had een gulle portie zwaarte kreeg toegemeten. Het heelal had een onmiskenbare neiging tot bewustzijn. Hier viel een subtiel in het weefsel van de tijdruimte meegeweven stuk wreedheid uit af te leiden.
Misschien kon zelfs muziek tot leven komen, als hij maar oud genoeg werd. Leven is een verslavende gewoonte.
Men zei wel: ik kan dat verrekte deuntje maar niet kwijtraken...
Maat en ritme, als het bonken van een hart.
En al wat eenmaal leeft wil zich voortplanten.

S.I.E.V. Snikkel stond graag al voor dag en dauw op, voor het geval er een worm te slijten viel aan de vroegste vogels.
Hij had een bureau ingericht in een hoekje van een van Krijtjes werkplaatsen. Door de bank genomen was hij tegen de gedachte van een permanent kantoor. Ervoor pleitte het feit dat hij dan makkelijker te vinden was, maar ertegen dat hij dan makkelijker te vinden was. Het welslagen van Snikkels neringsstrategie stond of viel met zijn vermogen om de klanten te vinden, niet andersom.
Een behoorlijk aantal lieden scheen hem vanmorgen te hebben gevonden. Velen daarvan hadden een gitaar bij zich.

*Of tenminste op de rivier.

'Ziezo,' zei hij tegen Bitumen, wiens platte kop net te zien viel boven de rand van het in elkaar geflanste bureau. 'Snap je alles? Je hebt twee dagen nodig om in Pseudopolis te komen en daar meld je je bij meneer Koppelstok van de Bullepits. En ik wil overal een bonnetje van zien.'
'Ja, meneer Snikkel.'
'Het zal reuze wezen om eens uit de stad te zijn.'
'Ja, meneer Snikkel.'
'Zei ik al dat ik overal een bonnetje van wil?'
'Ja, meneer Snikkel,' zuchtte Bitumen.
'Maak dan maar dat je weg komt.' Snikkel negeerde de trol verder en wenkte een groepje dwergen dat geduldig had staan afwachten. 'Okee, luitjes, kom maar hier. Dus je wilt een Rots- en Bonkmuziekster worden?'
'Jawel, meneer!'
'Luister hier dan naar wat ik zeg...'
Bitumen keek naar het geld. Veel was het niet, als vier mensen er dagenlang van moesten leven. Achter hem werd het interview voortgezet.
'Goed, hoe heten jullie?'
'Uh – dwergen, meneer Snikkel,' zei de hoofddwerg.
'"Dwergen"?'
'Ja meneer.'
'Waarom?'
'Want dat zijn we, meneer Snikkel,' zei de hoofddwerg geduldig.
'Nee, nee, nee. Dat gaat niet. Dat gaat absoluut niet. Je moet een naam hebben met iets van –' Snikkel maakte wat loze gebaren, '– uh... Bonk- en Rotsmuziek erin. Niet zomaar "Dwergen". Je moet wat... ach, ik weet niet, interessantiger zijn.'
'Maar we zijn wel degelijk dwergen,' zei een van de dwergen.
'"Wel Degelijk Dwergen",' zei Snikkel. 'Ja, dat lijkt wel iets. Mooi. Ik kan jullie boeken voor donderdag in de Druiventros. En voor het Gratis Festival, natuurlijk. Vanzelf zonder betaling, want dat is gratis.'
'We hebben zo'n nummer geschreven,' zei de hoofddwerg hoopvol.
'Prima, prima,' zei Snikkel onder het driftig noteren.
'Het heet "D'r Zit Wat In Mijn Baard Gekropen".'
'Prima.'
'Wil je het niet even horen?'
Snikkel keek op.
'Horen? Als ik naar muziek ging luisteren zou ik nooit wat klaarspelen. Maak dat je wegkomt. Tot aanstaande woensdag. De volgende! Allemaal trollen, jullie?'

'Daklopt.'
In dat geval besloot Snikkel er maar niets tegenin te brengen. Trollen waren heel wat groter dan dwergen.
'Goed dan. Maar dan moet je het wel met TH spellen. Throllen. Ja, dat ziet er tof uit. Vrijdag, de Gelijmde Trom. En het Gratis Festival. Ja?'
'We hebben een nummer –'
'Goed zo. Volgende!'
'Dat zijn wij, meneer Snikkel.'
Snikkel keek Jopo, Knakkie, Beuk en Vullis eens aan.
'Je durft wel', zei hij, 'na gisteravond.'
'We raakten wat door het dolle,' zei Beuk. 'Kun je ons niet nog een kans geven, vroegen we ons af?'
'Je zei nog dat het publiek weg van ons was,' zei Knakkie.
'Bij je wegliep. Ik zei dat het publiek bij je *wegliep*,' zei Snikkel. 'Twee van jullie moesten aldoor in Bart Weekdoms Gitaar-ABC kijken!'
'We zijn van naam veranderd,' zei Jopo. 'We vonden Gekte, nou ja, een beetje mesjogge, geen fatsoenlijke naam voor een serieuze band die de grenzen van de muziekexpressie verlegt en het op zekere dag gemaakt zal hebben.'
'Donderdag,' knikte Snikkel.
'Nu heten we dus Pakkerd,' zei Beuk.
Snikkel keek ze een tijdje nuchter aan. Palingtrekken, hanenkloppen, kattenmeppen en schapenknauwen waren tegenwoordig verboden in Ankh-Meurbork, al stond de Patriciër het wel toe om onbeperkt rotte vruchten te gooien naar iedereen die ervan werd verdacht lid te zijn van een straattheatergroep. Hij kon ze misschien ergens tussenprikken.
'Vooruit dan,' zei hij. 'Je mag optreden op het Festival. Dan zien we daarna wel verder.'
Het was immers *mogelijk*, dacht hij, dat ze dan nog leefden.

Een gedaante klauterde traag en wankel uit de Ankh op een steiger bij de Wanstaltenbrug, en stond even stil om de prut in een plasje op de planken te laten druipen.
Het was een flink hoge brug. Er stonden gebouwen op, aan beide kanten een rij, zodat de eigenlijke doorgang nogal krap was. De bruggen waren zeer in trek als bouwlokatie omdat ze een handige riolering boden en, uiteraard, een bron van vers water.
In de schaduw onder de brug glom het rode oog van een vuurtje. De gedaante wankelde naar het licht.
De donkere schimmen eromheen draaiden zich om en tuurden door het duister in een poging de aard van de bezoeker te doorgronden.

*

'Dat is een boerenkar,' zei Govd. 'Die haal ik er zo uit. Zelfs al *is* hij blauw geverfd. En hij is flink gehavend.'
'Meer konnejullie je niet permitteren,' zei Bitumen. 'Bovendien hebbikker vers stro ingelegd.'
'Ik dacht dat we met de postkoets gingen,' zei Klif.
'Och, meneer Snikkel zegdat artiesten van jullie formaat niet in zo'n openbaar voertuig horen te reizen,' zei Bitumen. 'Bovendien zeidiedat jullie liever niet al die kosten zouden willen.'
'Wat vind jij, Buddie?' zei Govd.
'Kan niet schelen,' zei Buddie afwezig.
Govd en Klif wisselden een blik.
'Als jij Snikkel ging opzoeken om iets beters te eisen zou je dat vast krijgen,' zei Govd hoopvol.
'Er zitten wielen onder,' zei Buddie. 'Hij kan ermee door.'
Hij klom erin en ging op het stro zitten.
'Meneer Snikkel heb wat nieuwe shirtjes laten maken,' zei Bitumen, al besefte hij dat de sfeer niet al te gezellig was. 'Voor de toernee. Kijk, op de rug staat waar jullie allemaal heengaan, leuk hè?'
'Ja hoor, als het muzikantengilde ons hoofd achterstevoren zet kunnen we zien waar we geweest zijn,' zei Govd.
Bitumen liet de zweep boven de paarden knallen. Ze zetten het op een kalm gangetje dat aangaf dat ze dat de hele dag zouden volhouden, en geen halve gare zonder het lef om de zweep echt te gebruiken zou ze daar nog van afbrengen.

'Bejjeblazerd, bejjeblazerd! De krazige vent, zegtik. Bejjeblazerd. 't Is een gele kneuterd, dat issie. Tienduizend jaar! Bejjeblazerd.'
MEEN JE DAT?
De Dood kwam een beetje tot rust.
Er zat een zestal mensen om het vuur. En ze waren best gezellig. De fles ging de kring rond. Nou ja, het was eigenlijk een half blikje en de Dood was er nog niet achter wat daarin zat of in het flink wat grotere blik dat stond te borrelen op het vuurtje van oude schoenen en prut.
Ze hadden hem niet gevraagd wie hij was.
Geen van allen hadden ze namen, zover hij kon nagaan. Ze hadden... etiketten, zoals Kees de Teuter en Roggelaatje en Vieze Ouwe Henkie, wat wel iets zei over wat ze waren maar niet over wat ze geweest waren.
Het blikje deed hem aan. Hij gaf het zo tactvol mogelijk door en liet zich vredig achterover zakken.
Mensen zonder namen. Mensen die al net zo onzichtbaar wa-

ren als hij. Lui voor wie de Dood altijd een keuze was. Hier kon hij wel even blijven.

'*Gratis* muziek,' gromde meneer Kliet. 'Gratis! Wat voor idioot maakt er nu gratis muziek? Zet dan ten minste je hoed neer, laat ze er af en toe een muntje ingooien. Wat heeft het anders voor zin?'
Hij bleef zo lang naar de voor hem liggende paperassen zitten staren dat Slijm Deegvis beleefd kuchte.
'Ik zit te denken,' zei meneer Kliet. 'Die rot-Ottopedi. Hij zegt dat de gilden maar moeten zien hoe ze hun gildewet afdwingen –'
'Naar ik hoor gaan ze de stad uit,' zei Deegvis. 'Op toernee. Ergens in de provincie, zeggen ze. Daar geldt onze wet niet.'
'De provincie,' zei meneer Kliet. 'Ja. Gevaarlijk gebied, die provincie.'
'Precies,' zei Deegvis. 'Bieten en knollen, om te beginnen.'
Meneer Kliets blik viel op de kasboeken van het Gilde. Hij bedacht, en niet voor het eerst, dat veel te veel lui vertrouwden op ijzer en staal terwijl je van goud de best denkbare wapens kon maken.
'Is die meneer Donzie nog steeds hoofd van het Moordenaarsgilde?' zei hij.
De andere muzikanten trokken opeens een zenuwachtig gezicht.
'Moordenaars?' zei Hannes Loopje alias baas Klavecimbel. 'Ik geloof niet dat ooit iemand de Moordenaars erbij heeft geroepen. Dit is toch een gildekwestie? Moet een ander gilde zich niet mee bemoeien.'
'Zo is het,' zei Slijm Deegvis. 'Waar zou het toe leiden als ze wisten dat we de Moordenaars gebruikten?'
'Dan zouden we heel wat meer leden krijgen', zei meneer Kliet op zijn redelijkste toon, 'en we zouden ook de contributie wel kunnen verhogen. Hè. Hè. Hè.'
'Ja, wacht even, zeg,' zei Slijm. 'Ik vind het best dat we lui die geen lid willen worden aanpakken. Zo hoort een gilde zich ook te gedragen. Maar Moordenaars... tja...'
'Tja wat?' vroeg meneer Kliet.
'Die *vermoorden* iemand.'
'Wil je soms gratis muziek?' zei meneer Kliet.
'Nou, natuurlijk wil ik geen –'
'Ik kan me niet herinneren dat je zo praatte toen je vorige maand op en neer sprong op de vingers van die straatviolist,' zei meneer Kliet.
'Nou ja, och, dat was, zeg maar, geen *moord*,' zei Slijm. 'Ik bedoel, hij kon nog lopen. Nou ja, kruipen dan. En hij kon nog

steeds aan de kost komen,' besloot hij. 'Niet met een baantje waarbij je je handen nodig hebt, maar –'
'En die knul dan met dat blikken fluitje? Die nou elke keer als hij de hik heeft een deuntje blaast? Hè. Hè. Hè.'
'Jawel, maar dat is toch heel wat and–'
'Ken jij Weekdom de gitaarbouwer?' zei meneer Kliet.
Deegvis raakte de koers kwijt door deze plotse wending.
'Naar ze zeggen verkoopt hij gitaren of het niet opkan,' zei meneer Kliet. 'Maar zie jij soms ons ledental groeien?'
'Nou, –'
'Als iedereen het eenmaal in zijn kop krijgt dat je voor niks naar muziek kunt luisteren, hoe zal dat dan aflopen?'
Hij keek de twee anderen woedend aan.
'Kweenie, meneer Kliet,' zei Loopje gehoorzaam.
'Goed dan. En de Patriciër deed ook al ironisch tegen me,' zei meneer Kliet. 'Dat gebeurt me niet nog eens. Deze keer worden het de Moordenaars.'
'Ik vind niet dat we iemand echt *dood* moeten maken,' hield Deegvis koppig vol.
'Ik wil niks meer van jou horen,' zei meneer Kliet. 'Dit is een gildekwestie.'
'Jawel, maar het is *ons* gilde –'
'Precies! Dus hou je mond! Hè. Hè. Hè.'

De kar ratelde tussen de eindeloze koolvelden door die naar Pseudopolis voerden.
'Ik ben al eens eerder op toernee geweest, wist je dat,' zei Govd. 'Toen ik bij Snöre Snöresneef en zijn Roodkoperen Druiloren was. Elke nacht weer een ander bed. Na een tijdje weet je niet meer welke dag het is.'
'Wat voor dag is het nu?' vroeg Klif.
'Zie je wel? En we zijn nog maar... laat eens zien... drie uur onderweg,' zei Govd.
'Waar overnachten we vanavond?' zei Klif.
'Sekrotem,' zei Bitumen.
'Klinkt als een interessante plaats,' zei Klif.
'Bender wel eerder geweest, mettut circus,' zei Bitumen. 'Anderhalve man ennun paardenkop, daar.'
Buddie keek over de rand van de kar, maar het was de moeite niet waard. De rijk beslibde Stoovlakte was de groenteman van het werelddeel, maar bood geen ontzagwekkend vergezicht tenzij je het soort iemand was die al opgewonden raakte over drieënvijftig koolvariëteiten en eenentachtig soorten bonen.
Met tussenpozen van zowat een of twee kilometer lag er een dorpje op het dambord, en wat verder uiteen lagen de markt-

stadjes. Men noemde die stadjes omdat ze groter waren dan de dorpjes. De kar doorkruiste er een paar. Ze omvatten twee straten in de vorm van een kruis, één herberg, een zaadhandel, een smidse, een stalhouderij die dan zoiets als PIETS PAARDENSTAL heette, een stuk of wat schuren, drie ouwe kerels die voor de herberg zaten en drie jonge kerels die lui voor PIETS PAARDENSTAL zaten te zweren dat ze nu toch binnenkort ervandoor zouden gaan om het in de grote wereld te gaan maken. Binnenkort nu. Vandaag of morgen.
'Doet je zeker aan thuis denken?' zei Klif tegen Buddie met een por in zijn zij.
'Wat? Welnee! Llawelos is een en al bergen en dalen. En regen. En motregen. En hulst.'
Buddie slaakte een zucht.
'Jullie hadden daar zeker wel een groot huis?' zei de trol.
'Gewoon maar een hut,' zei Buddie. 'Van aarde en hout. Nou ja, modder en hout eigenlijk.'
Hij zuchtte nog eens.
'Zo issut steeds asje onderweg bent,' zei Bitumen. 'Weemoed en verveling. Alleen mekaar om mee te praten, ik heb lui gekend dieder stapelkr–'
'Hoe lang zijn we nu al bezig?' vroeg Klif.
'Drie uur en tien minuten,' zei Govd.
Buddie zuchtte.

Dit waren onzichtbare lui, besefte de Dood. Aan onzichtbaarheid was hij wel gewend. Dat hoorde bij zijn baantje. Mensen zagen hem niet totdat ze geen keus meer hadden.
Aan de andere kant was *hij* een antropomorfe verpersoonlijking. Terwijl Vieze Ouwe Henkie een mens was, op papier tenminste.
Vieze Ouwe Henkie scharrelde zijn kostje bij elkaar door mensen achterna te lopen tot ze hem geld gaven om daarmee op te houden. Ook had hij een hond, wat nog iets bijdroeg aan Vieze Ouwe Henkies geur. Het was een bruingrijzige terrier met een gerafeld oor en akelige kale plekken op zijn vel; die bedelde met een ouwe hoed in wat restte van zijn tanden, en omdat mensen doorgaans aan dieren gunnen wat ze mensen onthouden leverde dit een aanzienlijke bijdrage aan de inkomenscapaciteiten van de groep.
Roggelaatje verdiende zijn geld daarentegen door te blijven waar hij was. Wie belangrijke sociale evenementen organiseerde stuurde hem een anti-uitnodiging en een kleine financiële gift om zich ervan te verzekeren dat hij niet kwam opdagen. Dit allemaal omdat Aatje anders de gewoonte had zich in te slijmen

in het bruiloftsfeest en iedereen aan te sporen tot het bezichtigen van zijn opmerkelijke verzameling huidaandoeningen. Bovendien had hij een hoestje dat niet voor niets rochelend genoemd werd.
Hij had een bord waarop met krijtletters stond geschreven: 'Foor wat gelt in ut laatje bleif je vrij van Roggelaatje.'
Arnoud Zijdelings had geen benen. Dat was een gebrek dat hem kennelijk niet zwaar bedrukte. Hij pakte je altijd bij de knieën onder het prevelen van: 'Kun je een duit wisselen?' waarbij hij steevast winst behaalde uit de aldus geschapen verwarring.
En die ene die ze de Eendenman noemden had een eend op zijn hoofd. Niemand zei er iets van. Niemand vestigde er de aandacht op. Het leek een onbeduidend detail van weinig belang, net als Arnouds onbenigheid en Vieze Ouwe Henkies verzelfstandigde stank, of Aatjes vulkanische gerochel. Maar toch bleef het knagen aan de verder vredige geest van de Dood.
Hij zocht een manier om het onderwerp aan de orde te stellen.
IMMERS, dacht hij, HIJ ZAL HET TOCH WEL WETEN? HET IS TOCH ANDERS DAN PLUISJES OP JE JASJE OF ZO...
Met algemene instemming had men de Dood meneer Boender gedoopt. Waarom wist hij niet. Maar ja, dit waren lui die een langdurig gesprek konden voeren met een deur. Er kon een logische verklaring voor zijn.
De bedelaars verdeden hun hele dag met onzichtbaar op straat wandelen, waarbij eenieder die ze niet zag ze zorgvuldig ontweek en ze af en toe een muntje toewierp. Meneer Boender viel totaal niet uit de toon. Als hij wat geld vroeg kon men maar moeilijk nee zeggen.

Sekrotem had niet eens een rivier. Het bestond louter omdat je voor elke zekere hoeveelheid land nu eenmaal ook wat anders moet hebben.
Er liepen kruiselings twee straten door, er was één herberg, een zaadhandel, een smidse, een stuk of wat schuren en een stalhouderij die als gebaar van oorspronkelijkheid JAAPS PAARDENSTAL heette.
Er bewoog niets. Zelfs de vliegen zaten te slapen. Alleen lange schaduwen vertoonden zich op straat.
'Ik dacht dat je het had over anderhalve man en een paardenkop,' zei Klif toen ze stilhielden op de omgeploegde plek vol modderplassen die men stellig sierde met de titel Stadsplein.
'Zeker doodgegaan,' zei Bitumen.
Govd ging rechtop in de kar staan en spreidde zijn armen. Hij gilde: 'Hallo Sekrotem!'

Het naambord bovenaan de stalhouderij maakte zich los van zijn laatste spijker en plofte in het stof.
'Wat me zo trekt in dit rondreizende leventje', zei Govd, 'zijn de boeiende ontmoetingen en de interessante oorden.'
'Het zal 's avonds wel beginnen te leven,' zei Bitumen.
'Ja,' zei Klif. 'Ja, daar kan ik inkomen. Ja. Dit lijkt me echt zo'n stadje dat 's avonds tot leven komt. Ziet eruit of je dit hele stadje beter op een driesprong kunt begraven met een houten stok erdoor.'
'Alle gekheid op een stokje', zei Govd, 'wat eten we..?'
Ze bekeken de herberg. Het bladderende en gebarsten uithangbord onthulde nog net de naam 'De Olijke Bloemkool'.
'Dat betwijfel ik toch,' zei Bitumen.
In de maar flauw verlichte gelagkamer zaten wat lieden nors te zwijgen. De reizigers werden bediend door de herbergier, die zich gedroeg alsof hij hoopte dat ze gruwelijk zouden omkomen zodra ze het perceel verlieten. Het bier smaakte alsof het daar maar wat graag aan wilde meewerken.
Ze zaten op een kluitje om één tafeltje en voelden de ogen om zich heen.
'Ik heb wel van dit soort plaatsjes gehoord,' fluisterde Govd. 'Dan kom je in zo'n stadje aan dat Vriendschap heet of Welkom, en de volgende dag ben je een karbonaadje.'
'Ikke niet,' zei Klif. 'Ik ben te stenig.'
'Goed, dan lig jij in het rotstuintje,' zei de dwerg.
Hij keek de kring van doorgroefde tronies rond en hief zijn bierkan in een overdreven gebaar.
'Hoe staat de kool ervoor? Goed zeker?' zei hij. 'Ik zie dat de akkers er fraai geel bijliggen. Rijp zeker? Prima dus?'
'Wortelvlieg dus,' zei iemand vanuit de schaduw.
'Mooi, mooi,' zei Govd. Hij was dwerg. Dwergen verbouwden niets.
'Wij moeten geen circussen in Sekrotem,' zei een andere stem. Het was een trage, lage stem.
'Wij zijn geen circus,' zei Govd opgewekt. 'Wij zijn musici.'
'Wij moeten geen musici in Sekrotem,' zei weer een stem.
Het leek wel of er meer en meer gedaantes in die schaduw zaten.
'Uh... wat moeten jullie in Sekrotem dan wel?' vroeg Bitumen.
'Nou', zei de waard, intussen nog maar een silhouet in de toenemende schemer, 'zo tegen deze tijd houden we doorgaans een barbecue in de rotstuin.'
Buddie slaakte een zucht.
Het was voor het eerst sinds hun aankomst hier dat hij geluid maakte.

'Dan moesten we hun maar eens laten zien wat we spelen,' zei hij. Er zat een galm in zijn stem.

Het was een tijdje later.
Govd keek naar de deurkruk. Het was een deurkruk. Die pakte je beet met je hand. Maar hoe ging het dan ook weer verder?
'Deurkruk,' zei hij, voor het geval dat hielp.
'J'moeterwatmeedoen,' zei Klif van ergens op de grond.
Buddie reikte over de dwerg en draaide aan de kruk.
'Kijk noues!' zei Govd terwijl hij vooruitstruikelde. Hij tilde zich weer van de grond en keek om zich heen.
'Wasditnou?'
'De herbergier zei dat we gratis mochten overnachten,' zei Buddie.
'Tizzen bende,' zei Govd. 'Hales gauwen beezm ennen borzetel.'
Bitumen waggelde naar binnen, met de bagage en met Klifs keienzak tussen zijn tanden. Hij liet het hele zaakje op de grond vallen.
'Nou meneertje, dat was wonderbaarlijk,' zei hij. 'Zoals je daar zomaar die schuur inliep en zei, en zei van... wat zei je ook weer?'
'Laten we hier meteen maar optreden,' zei Buddie terwijl hij op een strozak ging liggen.
'Wonderbaarlijk! Ze moeten van mijlenver uit de hele omtrek zijn komen toelopen!'
Buddie staarde naar het plafond en speelde een paar akkoorden.
'En dan die barbecue!' zei Bitumen nog steeds overlopend van geestdrift. 'Die saus!'
'Davlees!' zei Govd.
'Die houtskool,' mompelde Klif verzaligd. Om zijn mond zat een grote zwarte kring.
'En wiehaddedacht', zei Govd, 'dajje zulk bier kon brouwen uit bloemkool?'
'Wat een *schuim* erop,' zei Klif.
'Voor je ging spelen daggik nog effe datter problemen zouden komen,' zei Bitumen terwijl hij de torren uit nog een matras schudde. 'Ik snap niet hoe je ze zo annut dansen kreeg.'
'Ja,' zei Buddie.
'Enzebbenons niet eens betaald,' mompelde Govd. Hij zakte achterover. Weldra klonk er gesnurk, met een lichtelijk metalige bijklank door het meegalmen van zijn helm.
Toen de anderen sliepen legde Buddie de gitaar op het bed, om vervolgens zachtjes de deur open te doen en via de trap de nacht in te sluipen.

Het was aardig geweest als er een volle maan had geschenen. Of eventueel een sikkel. Een volle maan was wel beter geweest. Maar dit was maar een halve maan, die je nooit ziet in romantische of occulte schilderijen terwijl het toch de meest toverkrachtige maanfase is.
Er hing een geur van verschaald bier, afstervende bloemkool, smeulende barbecue-as en ontoereikende riolering.
Hij ging wat staan leunen tegen Jaaps Paardenstal. Die gaf even mee.
Het was prima zolang hij op het podium stond of, zoals deze avond, op een staldeur op stapels bakstenen. Alles vertoonde dan frisse kleuren. Hij kon de witgloeiende beelden door zijn geest voelen zwieren. Zijn lijf voelde aan of het in brand stond maar ook, en dat was het belangrijkste punt, of het in brand *hoorde* te staan. Hij voelde dat hij leefde.
En later, erna, voelde hij zich dood.
De wereld had nog wel kleur. Hij herkende die wel als kleur, maar dan net of hij Klifs beroete brillenglazen droeg. Geluiden drongen door als via een laag watten. Die barbecue was kennelijk een succes geweest, daar had Govd geen twijfel over gelaten; maar voor Buddie was hij maar onderdeel van de achtergrond gebleven.
Er stak een schim de ruimte tussen de twee gebouwen over...
Maar ja, hij was wel de beste. Hij wist dat, niet vanwege trots of eigenwaan, maar louter als feit. Hij kon voelen hoe de muziek uit hem vandaan vloeide en bij het publiek naar binnen....
'Deze hier, meneer?' fluisterde een schim naast de paardenstal toen Buddie de maanverlichte straat in slenterde.
'Ja. Eerst deze en dan de herberg in voor die twee anderen. Zelfs die grote trol. Er zit zo'n plekje achterin hun nek.'
'Maar Snikkel niet, meneer?'
'Eigenaardig genoeg niet, nee. Hij is er niet.'
'Zonde. Ik heb eens een stukje vlees van hem gekocht.'
'Het is een aantrekkelijk voorstel, maar niemand betaalt ons voor Snikkel.'
De Moordenaars trokken hun messen, met roet op het lemmet om het verraderlijke glimmen te voorkomen.
'Ik zou je een tweeduitsstuk kunnen geven, meneer, als dat eventueel wat uitmaakt.'
'Nou, aanlokkelijk is het wel –'
De leidinggevende Moordenaar drukte zich tegen de muur op het luider worden van Buddies tred.
Hij hield zijn mes op taillehoogte paraat. Niemand met enig verstand van messen bezigde ooit de beroemde overhandse om-

laagsteekbeweging, zo geliefd bij illustratoren. Dat was dilettantisch en ondoelmatig. Een beroeps stak altijd omhoog; de weg tot iemands hart gaat via de maag.
Hij trok zijn hand wat in en zette zich schrap –
Een vagelijk blauw opgloeiende zandloper werd plotseling voor zijn ogen geduwd.
HEER ROBERTO SELACCI? sprak een stem naast zijn oor. DIT IS *JOUW* LEVEN.
Hij tuurde er scheel naar. In de in het glas gegrifte naam kon men zich niet vergissen. Hij kon ieder zandkorreltje naar het verleden zien stromen...
Hij draaide zich om, wierp één blik op de gemantelde gedaante en koos het hazenpad.
Zijn leerling had al honderd meter voorsprong en versnelde nog steeds.
'Pardon? Wie is daar?'
Suzan stopte de zandloper weer onder haar mantel en schudde haar lokken uit.
Buddie dook op.
'Jij?'
'Ja. Ik,' zei Suzan.
Buddie stapte dichterbij.
'Ga je weer verdampen?' vroeg hij.
'Nee. Eigenlijk heb ik net je leven gered, om precies te zijn.'
Buddie keek om zich heen in de verder lege nacht.
'Waarvan dan?'
Suzan bukte zich en raapte het zwartgemaakte mes op.
'Hiervan,' zei ze.
'Ik weet dat ik dit gesprek eerder heb meegemaakt, maar wie ben je? Toch niet mijn petemoeifee?'
'Daarvoor moet je denk ik heel wat ouder zijn,' zei Suzan. Ze week achteruit. 'En vast ook veel aardiger. Hoor eens, meer mag ik je niet zeggen. Je hoort me niet eens te zien. Ik hoor hier niet te zijn. Jij trouwens ook niet –'
'Je gaat toch niet weer zeggen dat ik moet stoppen met spelen, hè?' zei Buddie kwaad. 'Want dat doe ik toch niet! Ik ben muzikant! Als ik niet speelde, wat was ik dan nog? Kon ik net zo goed dood zijn! Snap je dat? Muziek is mijn *leven*!'
Hij kwam een stap dichterbij.
'Waarom zit je steeds achter me aan? Bitumen zei al datter zulke meisjes zouden wezen!'
'Wat ter Schijf bedoel je met "zulke meisjes"?'
Buddie bond wat in, maar niet veel.
'Die achter toneelspelers en muzikanten aanlopen', zei hij, 'vanwege al de pracht en praal en zo –'

'*Pracht en praal?* Een stinkkar en een kroeg die naar *bloemkool* ruikt?'
Buddie stak zijn handen omhoog.
'Hoor nou,' zei hij dringend. 'Het gaat prima met me. Ik heb werk, iedereen komt naar me luisteren... Daar heb ik geen hulp bij nodig, okee? Ik heb al genoeg zorgen aan mijn kop, dus bemoei je alsjeblieft niet meer met mijn leven –'
Er klonken rennende voetstappen en daar was Bitumen, met de andere bandleden achter zich aan.
'De gitaar begon te gillen,' zei Bitumen. 'Alles goed met je?'
'Vraag dat maar aan haar,' mopperde Buddie.
Alledrie keken ze nu rechtstreeks naar Suzan.
'Wie?' zei Klif.
'Ze staat anders recht voor je.'
Govd wuifde een dwergenhandje door de lucht en miste Suzan op een haar.
'Dat moet van al die kool komen,' zei Klif tegen Bitumen.
Suzan stapte zachtjes achteruit.
'Ze staat vlak voor jullie! Maar nu gaat ze weg, dat zie je toch!'
'Ja hoor, natuurlijk,' zei Govd terwijl hij Buddies arm pakte. 'Ze gaat nu weg, en opgeruimd staat netjes dus als je nu weer even –'
'Nu klimt ze op dat paard!'
'Ja, ja, een groot zwart paard –'
'Het is wit, stommeling!'
In de bodem gloeiden vier hoefafdrukken nog even rood op om dan weer te doven.
'En nu is het weg!'
De Bonkband staarde door de nacht.
'Ja, ik zie het al, nu je het zegt,' zei Klif. 'Daar heb je een paard dat er niet is, nou en of.'
'Ja, da's persies hoe een verdwenen paard deruit ziet,' zei Bitumen afgemeten.
'Heeft niemand van jullie haar dan gezien?' zei Buddie toen ze hem zachtjes door het prille ochtendgrauwen terugduwden.
'Ik hoorde wel eens dat muzikanten, maar dan *echt* goeie muzikanten, achternagelopen werden door van die halfblote juffrouwen die Muzen heten.'
'Kale Jopie, bijvoorbeeld,' zei Klif.
'Die noemen wij geen Muzen,' zei Bitumen grijnzend. 'Ik zei al, toen ik bij Bertje Balladeur en Zijn Getroebleerde Troubadours werkte stierfut van de meereizende juffrouw–'
'Toch wonderbaar zoals die sagen ontstaan, als je erover nadenkt,' zei Govd. 'Kom nou maar rustig mee, knulletje.'
'Ze was er,' stribbelde Buddie tegen. 'Ze *was* er.'

'Kale Jopie?' zei Bitumen. 'Weet je dat wel zeker, Klif?'
'Heb ik wel eens gelezen,' zei de trol. 'Kale Jopie. Vrijwel zeker. Zoiets was het.'
'Ze was er,' zei Buddie.

De raaf stond zachtjes te snurken op zijn schedel, en telde dooie schaapjes.
De Dood der Ratten kwam in een boog door het raam gezeild, ketste van een druipkaars en kwam op al zijn pootjes op tafel terecht.
De raaf deed één oog open.
'O, ben jij het –'
En een klauwtje greep zich vast aan zijn poot, en de Dood der Ratten sprong van de schedel de oneindige ruimte in.

De volgende dag waren er nog meer koolvelden, al begon het landschap wel iets te veranderen.
'Hé zeg, interessant,' zei Govd.
'Wat dan?' zei Klif.
'Daar ligt een bonenakker.'
Ze keken ernaar tot hij uit het gezicht was.
'Toch aardig van die lui om ons al dat eten te geven,' zei Bitumen. 'Geen gebrek aan kool voorlopig, hè?'
'Ach, hou toch op,' zei Govd. Hij wendde zich naar Buddie die met zijn kin op zijn armen zat.
'Kop op, in een paar uur zijn we in Pseudopolis,' zei hij.
'Mooi,' zei Buddie afwezig.
Govd klom weer voor op de kar en trok Klif naar zich toe.
'Merk je hoe stil hij telkens wordt?' fluisterde hij.
'Jewel. Denk je dat die... je weet wel... klaar is als we weer terug zijn?'
'In Ankh-Meurbork kun je alles laten doen,' zei Govd beslist. 'Ik heb zo goed als op elke deur in de Sluwe-Ambachtenstraat geklopt. Vijfentwintig daalders!'
'Wat heb jij te klagen? Het is niet jouw tand waarmee dat betaald wordt.'
Beiden draaiden zich om en keken naar hun gitarist.
'Ze *was* er,' mompelde die.

Veren dwarrelden naar omlaag.
'Dat was toch nergens voor nodig,' zei de raaf terwijl hij ritselend overeind kwam. 'Je had gewoon kunnen vragen.'
PIEP.
'Goed dan, maar van te *voren* was beter geweest.' De raaf schikte zijn veren en keek om zich heen naar het heldere

tafereel onder de zwarte hemel.
'Zo, hier is het dus?' zei hij. 'Weet je wel *zeker* dat je niet ook de Dood der Raven bent?'
PIEP.
'Vorm betekent maar weinig. Trouwens, jij hebt een puntige snuit. Wat wou je nu eigenlijk?'
De Dood der Ratten pakte een vleugel beet en trok.
'Al goed, al goed!'
De raaf keek even naar een tuinkabouter. Die stond te hengelen in een siervijver. De vissen waren louter graat, maar dat scheen hen niet te verhinderen om van het leven te genieten, of waarvan ze dan ook genoten.
Fladderend hupte hij de rat achterna.

Snij'k-In-Eigen-Vlees Snikkel deed een stap achteruit.
Jopo, Beuk, Knakkie en Vullis keken hem vol verwachting aan.
'Wat moet je met al die kistjes, meneer Snikkel?' vroeg Beuk.
'Ja, persies,' zei Vullis.
Snikkel plaatste netjes het tiende kistje op zijn driepoot.
'Hebben jullie wel eens een iconograaf gezien?' zei hij.
'O, ja... ik bedoel, tuurlijk wel,' zei Jopo. 'Daar zit zo'n duveltje in dat plaatjes schildert van dingen waar je ermee op wijst.'
'Dit is net zoiets, maar dan voor geluid,' zei Snikkel.
Jopo gluurde langs het open deksel.
'Zie nergens een... ik bedoel, zie nergens niks geen duveltje,' zei hij.
'Dat komt omdat dat er niet is,' zei Snikkel. Hem zat het ook niet lekker. Hij was er een stuk geruster op geweest als er zo'n duveltje of iets toverigs in gezeten had. Iets eenvoudigs en begrijpelijks. Je inlaten met wetenschap, dat leek hem maar niks.
'Okee dan... Pakkerd –' begon hij.
'Het Ondergronds Fluweel,' zei Jopo.
'Watte?'
'Het Ondergronds Fluweel,' herhaalde Jopo gedienstig. 'Onze nieuwe naam.'
'Waarom heb je die nou veranderd? Je bent nog geen vierentwintig uur Pakkerd geweest.'
'Jewel, maar we vonden dat de nieuwe naam ons teveel beperkte.'
'Hoe kon die jullie nou beperken? Je ging toch niet uitbreiden?'
Snikkel keek hen kwaad aan en haalde toen zijn schouders op.
'Nou ja, hoe jullie dan ook heten... ik wil dat jullie je beste nummer zingen – gut, hoor *mij* eens – pal voor deze kistjes. Nog niet... nog niet... eventjes wachten...'

Snikkel trok zich terug in de verste hoek en trok zijn hoed over zijn oren.
'Vooruit, begin maar,' zei hij.
Hij sloeg de groep verscheidene minuten lang in zalige doofheid gade tot een algemeen staken van alle beweging beduidde dat al wat ze eventueel hadden begaan inmiddels gepleegd was.
Toen controleerde hij de kistjes. De draden trilden zachtjes, maar er kwam nauwelijks geluid uit.
Het Ondergronds Fluweel dromde eromheen.
'Doen ze het, meneer Snikkel?' zei Jopo.
Snikkel schudde zijn hoofd.
'Jullie hier hebben het gewoon niet,' zei hij.
'Wat *moet* je er dan voor hebben, meneer Snikkel?'
'Daar vraag je me wat. *Iets* hebben jullie wel', zei hij met een blik op hun bedrukte gezichten,' maar niet zo veel – wat het ook wezen mag.'
'Uh... dat wil toch niet zeggen dat we niet mogen spelen op het Gratis Festival, meneer Snikkel?' zei Beuk.
'Misschien dan,' zei Snikkel met een minzaam lachje.
'Goh, dank je wel, meneer Snikkel!'
Het Ondergronds Fluweel liep druppelsgewijs de straat op.
'We moeten onze zaakjes wel voor elkaar hebben als we ze op het Festival plat willen krijgen,' zei Beuk.
'Wat, bedoel je soms... leren spelen?' zei Jopo.
'Welnee! Bonk- en Rotsmuziek gaat gewoon vanzelf. Als je eraan begint om te leren kom je nooit ergens,' zei Beuk. 'Nee, ik bedoel...' Hij keek even rond. 'Betere kleren, om wat te noemen. Ben je nog achter die leren spulletjes aan geweest, Knakkie?'
'Zo'n beetje,' zei Knakkie.
'Hoe bedoel je, zo'n beetje?'
'Zo'n beetje leren. Ik ging naar die looierij in de Phaedrusstraat en daar hadden ze wel leer, maar wel nogal... met een luchtje...'
'Goed, dan beginnen we daar vanavond aan. En hoe zit het met die broek van pantervel, Vullis? We zeiden toch dat zo'n pantervelbroek een reuze-idee was?'
Het gezicht van Vullis werd verduisterd door onzegbare bezorgdheid.
'Ik heb er eentje, min of meer,' zei hij.
'Je hebt er geen eentje, of je hebt er wel eentje,' zei Beuk.
'Jewel, maar hij is een *beetje*...' zei Vullis. 'Hores, ik vond nergens een winkel waar ze ooit van zoiets gehoord hadden, maar, uh, weet je nog dat circus van vorige week? Nou ja, ik heb even gesmoesd met die vent met die hoge hoed en, och, het was nogal een koopje en –'

'Vullis', zei Beuk afgemeten, 'wat heb je gekocht?'
'Bekijk het eens zo', zei Vullis opgewekt maar bezweet, 'het is zeg maar een pantervelbroek *en* een pantervelhemd *en* een pantervelmuts.'
'Vullis', zei Beuk met een stem vol berustende dreiging, 'dus je hebt een panter gekocht, hè?'
'Min of meer iets van een panter, ja.'
'O, goeie genade –'
'Maar anders wel te geef voor maar twintig daalders,' zei Vullis. 'Niks belangrijks mis mee, zei die vent.'
'Waarom wou hij hem dan kwijt?' vroeg Beuk op hoge toon.
'Hij is zeg maar doof. Kan de dierentemmer niet horen, zeidie.'
'Wat hebben wij nou aan een doof luipaard!'
'Wat geeft het? Je broek hoeft toch niks te horen?'
MUNTJE OVER, JONGEHEER?
'Lazer op, opa,' zei Beuk werktuiglijk.
VEEL HEIL EN ZEGEN.
'Veel te veel bedelaars overal tegenwoordig, zegt mijn vader,' zei Beuk terwijl ze doorstapten. 'Volgens hem moet het Bedelaarsgilde er wat aan doen.'
'Maar de bedelaars zitten allemaal in dat Gilde,' zei Jopo.
'Nou, dan moeten ze niet zoveel lui toelaten.'
'Nou ja, het is toch beter dan op straat te staan.'
Vullis, die van de hele ploeg over de minste breinwerking beschikte om tussen hem en het ware waarnemen van de wereld te treden, liet zich wat achterop raken. Hij had het akelige gevoel of hij net op iemands graf had gestaan.
'Die van daarnet leek wel wat mager,' mompelde hij.
De anderen letten niet op hem. Ze hadden de eeuwigdurende discussie hervat.
'Dat Ondergronds Fluweel zijn hangt me de keel uit,' zei Jopo. 'Het is een maffe naam.'
'Hartstikke, hartstikke mager,' zei Vullis. Hij voelde in zijn zak.
'Nou, ik vond het het leukst toen we De Wie waren,' zei Knakkie.
'Maar we zijn maar een half uurtje De Wie geweest!' zei Beuk.*
'Gister nog. Tussen dat we De Inktvlekken waren en Looien Luchtschip, weet je nog?'
Vullis had een tienduitsstuk opgevist en liep terug.
'Er moet toch *ergens* een goeie naam zijn,' zei Jopo. 'Ik geloof vast dat we hem meteen herkennen als we hem onder de neus krijgen.'
'Vast wel. Nou, dan moeten we een naam bedenken waar we niet

*Een half vragenuurtje, dat wel.

al na vijf minuten ruzie over krijgen,' zei Beuk. 'Het is niet bepaald goed voor onze carrière als ze niet eens weten wie we zijn.'
'Volgens meneer Snikkel gaat dat niet, een band zonder naam,' zei Knakkie.
'We zijn wel kevers, als we geeneens een goeie naam kunnen bedenken,' zei Beuk.
'Kijk eens hier, oude man,' zei Vullis een stuk achter hen.
DANK JE, zei de dankbare Dood.
Vullis repte zich weer naar de anderen, die weer waren beland bij het onderwerp van gehoorgestoorde luipaarden.
'Waar heb je hem gelaten, Vullis?' vroeg Beuk.
'Nou, je weet wel, die zogenaamde slaapkamer van je –'
'Hoe maak je zo'n panter eigenlijk dood?' zei Knakkie.
'Hé, da's een idee,' zei Beuk grimmig. 'We laten hem stikken in Vullis.'

De raaf bekeek de klok in de hal met het kennersoog van iemand die weet wat een decor met goede zetstukken waard is. Het was Suzan opgevallen dat het ding niet gewoon klein was maar eerder dimensioneel ontheemd; het zag er klein uit, maar zoals iets groots heel uit de verte klein lijkt – dat wil zeggen, de geest blijft de ogen erop wijzen dat ze fout zitten. Maar dit was tegelijk dichtbij. De klok was van een donkere, door ouderdom getaande houtsoort. Er hing een slinger aan, die traag heen en weer ging.
Wijzers had de klok niet.
'Imposant,' zei de raaf. 'Dat zeisblad onderaan die slinger. Leuk foefje. Rustiek griezelwerk. Niemand kan zomaar naar die klok kijken zonder –'
PIEP!
'Goed, goed, ik kom al.' De raaf fladderde naar een rijkversierd deurkozijn aan de overkant. Het vertoonde een schedel-met-knekelsdessin.
'Uitstekende smaak,' zei hij.
PIEP. PIEP.
'Och, sanitair aanleggen kan iedereen wel,' zei de raaf. 'Interessant gegeven; wist jij dat de wc inderdaad is genoemd naar ene W.C. Stynx? Dat is maar weinig bek–'
PIEP.
De Dood der Ratten duwde tegen de grote deur naar de keuken. Deze zwaaide piepend open, maar alweer, er was iets niet in de haak mee. Wie het hoorde kreeg het gevoel dat de piep achteraf was toegevoegd door iemand die vond dat dit soort deur met dit soort omlijsting *hoorde* te piepen, en hem daarom erin had gestopt.

Albert stond af te wassen voor de gootsteen en staarde in het niets.
'O', zei hij bij het zich omdraaien, 'ben jij het. Wat is dat geval daar?'
'Ik ben een raaf,' zei de raaf zenuwachtig. 'Toevallig een van de intelligentste vogels. De meesten zouden zeggen dat dat de beo was, maar –'
PIEP!
De raaf ritselde met zijn veren.
'Ik kom voor tolk spelen,' zei hij.
'Heeft hij hem gevonden?' vroeg Albert.
De Dood der Ratten piepte omstandig.
'Overal gekeken. Geen spoor,' zei de raaf.
'Dan wil hij niet gevonden worden,' zei Albert. Hij veegde het vet van een bord met een schedel-met-knekelsdessin. 'Dat zint me niets.'
PIEP.
'Volgens de rat is dat het ergste niet,' zei de raaf. 'De rat zegt dat je vooral moet weten wat de kleindochter uitspookt...'
De rat piepte. De raaf praatte.
Het bord viel in de gootsteen aan scherven.
'*Wist* ik het niet!' schreeuwde Albert. 'Om hem te *redden*! Ze heeft niet het *flauwste* benul! Mooi zo! Dan regel *ik* het wel. De Meester denkt dus dat hij er zomaar onderuit kan? Niet bij ouwe Albert! Blijven jullie twee hier wachten!'

De posters hingen al, in Pseudopolis. Nieuws verspreidt zich snel, vooral als S.I.E.V. Snikkel voor de paarden betaalt...
'Hallo, Pseudopolis!'
De Stadswacht moest helemaal uitrukken. Men moest een ketting van emmertjes vormen vanaf de rivier. Bitumen moest voor Buddies slaapkamer wachthouden met een knuppel. Waarin een spijker.

Voor het scherfje spiegel in zijn slaapkamer stond Albert woest zijn haar te borstelen. Dat haar was wit. Tenminste, lang geleden was het wit geweest. Nu had het de kleur van de wijsvinger van een tabakverslaafde.
'Het is mijn plicht, dat is het,' mompelde hij. 'Wat zou hij zonder mij toch moeten beginnen. Misschien *zit* de toekomst wel in zijn geheugen, maar hij snapt er nooit wat van! O ja, laat hem maar prakkizeren over eeuwige waarheden, maar wie mag het als puntje bij paaltje komt allemaal opknappen... Deze grijze geitebreier, natuurlijk.'
Hij keek zijn spiegelbeeld woedend aan.

'Mooi zo!' zei hij.
Onder het bed stond een verfomfaaide schoenendoos. Albert trok die heel, heel voorzichtig te voorschijn en haalde het deksel eraf. Hij zat halfvol watten; daar middenin genesteld, als een zeldzaam ei, lag een levensloper.
Erin gegraveerd stond de naam: Alberto Melich.
Het zand erin was verstard, bewegingloos, het straaltje stond stil. In de bovenste bol zat nog maar weinig.
Hier verliep geen tijd.
Dat was onderdeel van de Afspraak. Hij werkte voor de Dood en er verliep geen tijd, behalve als hij de Wereld in ging.
Naast het glas lag een vodje papier. Bovenaan stonden de cijfers '91', maar verder omlaag stonden steeds lagere getallen. 73... 68... 37... 19.
Negentien!
Wat een oen was hij toch geweest. Hij had zijn leven met uren en minutenvol laten weglekken, en vooral de laatste tijd was dat flink opgelopen. Al dat gedoe met die loodgieter al, vanzelf. En inkopen doen. De Meester hield niet van winkelen. Het kostte zoveel moeite om bediend te worden. En Albert had wat snipperdagen opgenomen, omdat het zo fijn was de zon te zien, geeft niet welke zon, en om de wind en de regen te voelen; de Meester deed wel zijn best, maar die twee lukten hem nooit helemaal. En behoorlijke groenten, die lukten hem ook al nooit goed. Ze smaakten nooit van *groeien.*
Nog negentien dagen wereld over. Meer dan genoeg, evengoed.
Albert liet de levensloper in zijn zak glijden, trok een overjas aan en daalde stampend de trap weer af.
'Jij daar', zei hij met zijn vinger naar de Dood der Ratten, 'jij kunt dus geen spoor van hem vinden? *Iets* moet er toch wezen. Concentreer je eens.'
PIEP.
'Wat zei hij daar?'
'Hij zegt dat hij zich alleen iets met zand kan herinneren.'
'Zand,' zei Albert. 'Mooi. Een goed begin. Dan doorzoeken we al het zand.'
PIEP?
'Overal waar de Meester gaat maakt hij een of andere indruk.'

Klif werd wakker van een zwiepgeluid. Govds gedaante stond afgetekend tegen het licht en hanteerde een verfkwast.
'Wat doe je daar nou, dwerg?'
'Ik heb Bitumen wat verf laten halen,' zei Govd. 'Deze kamers zijn een schande.'
Klif trok zich op zijn ellebogen en keek eens rond.

'Hoe noem jij die kleur van de deur?'
'Eau-de-nil.'
'Leuk.'
'Dank je,' zei Govd.
'Die gordijnen zijn ook aardig; leuk gerenoveerd.'
De deur ging piepend open. Bitumen droeg een blad naar binnen en schopte de deur weer achter zich dicht.
'O, nemeniet kwalijk,' zei hij.
'Ik schilder die plek wel over,' zei Govd.
Bitumen zette blad neer; hij trilde van opwinding.
'Iedereen hepputover jullie!' zei hij. 'En ze zeggen dattut toch al tijd werd om een nieuwe concertzaal te bouwen. Ik heb hier ei met spek, ei met rat, eieren met cokes, en... en... wawwasetookweer... o, ja. De Kapitein van de Wacht laat zeggen dat hij jullie als jullie bij zonsopgang nog in de stad zijn eigenhandig begraven zal. Ik heb de kar klaar om weg te rijden bij de achterdeur gezet. Jonge meiden hebbeder met lippenstift van alles op geschreven. Leuke gordijnen, overigens.'
Alle drie keken ze naar Buddie.
'Hij heeft zich niet meer verroerd,' zei Govd. 'Liet zich meteen na het optreden neerploffen en ging onder zeil.'
'Hij sprong dan ook flink heen en weer, gisteravond,' zei Klif.
Buddie ging door met zachtjes snurken.
'Als we terugzijn', zei Govd, 'moeten we maar ergens leuk op vakantie gaan.'
'Persies,' zei Klif. 'Als we hier levend onder vandaan komen dan hang ik mijn bonkstel op mijn rug om er eens flink vandoor te gaan, en de eerste die tegen me zegt: "Wat heb je daar nou op je rug?", dan is dat de plek waar ik blijven wil.'
Bitumen tuurde in de straat daar beneden.
'Kunnen jullie wel effe allemaal vlug eten?' zei hij. 'Er staan daar namelijk wat lui in uniform. Met scheppen.'

Terug naar Ankh-Meurbork, waar meneer Kliet perplex stond.
'Maar wij hebben jullie ingehuurd!' zei hij.
'Het woord is "in de arm genomen", niet "ingehuurd",' zei Heer Donzie, hoofd van het Moordenaarsgilde. Hij bekeek meneer Kliet met een gezicht vol onverholen afkeer. 'Helaas kunnen wij jullie contract niet langer in overweging houden.'
'Dat zijn *muzikanten*,' zei meneer Kliet. 'Hoe moeilijk is het nu helemaal om die dood te krijgen?'
'Mijn gildegenoten praten er wat ongaarne over,' zei Heer Donzie. 'Zij zijn kennelijk van het gevoelen dat de cliënten ergens bescherming genieten. Vanzelfsprekend restitueren wij het resterende honorarium.'

'Bescherming,' mompelde Kliet terwijl ze opgelucht onder de poortboog van het Moordenaarsgilde vandaan stapten.
'Nou, ik zei toch al hoe het in de Trom toeging toen –' begon Deegvis.
'Dat was maar bijgeloof,' snauwde Kliet. Hij keek even naar een muur, waar drie Festivalposters opzichtig wat primaire kleur aan de buurt gaven.
'Het was stom van jullie, te denken dat die Moordenaars buiten de stad wat voorstelden,' mopperde Kliet.
'Ik? Maar ik heb nooit –'
'Zodra ze verder dan vijf kilometer uit de buurt van een behoorlijke kleermaker en een spiegel zijn, zijn ze nergens meer,' voegde Kliet eraan toe.
Hij staarde naar de poster.
'*Gratis*,' mompelde hij. 'Heb je overal laten weten dat iedereen die op het Festival speelt uit het Gilde wordt geknikkerd?'
'Ja, meneer. Ik geloof niet dat ze daarover inzitten, meneer. Ik bedoel, sommigen hebben de koppen bij elkaar gestoken. Want zie je, meneer, ze zeggen dat als er zoveel meer lui in de muziek willen dan wij in het Gilde willen toelaten, dan zouden we –'
'Gepeupel!' zei Kliet. 'Samenspannen om onaanvaardbare regels op te dringen aan een weerloze stad!'
'De makke is, meneer', zei Deegvis, 'dat als het er zo veel zijn... als ze op het idee komen om met het paleis te gaan praten... nou, je weet hoe de Patriciër is, meneer...'
Kliet knikte bedrukt. Ieder gilde had macht zolang het kennelijk optrad voor zijn achterban. Hij zag al honderden muzikanten om het paleis drommen. Honderden muzikanten *zonder* gildelidmaatschap...
De Patriciër was een pragmatisch mens. Hij morrelde nooit aan dingen die het deden. Maar wat niet werkte, dat ging kapot.
Het enige glimpje hoop lag in de kans dat ze het allemaal te druk zouden hebben met het muziekgebeuren om aan de grote lijnen te denken. Dat was Kliet ook altijd goed uitgekomen.
Toen schoot hem te binnen dat die rot-Snikkel erbij betrokken was.
Verwachten dat Snikkel ergens niet aan zou denken als het geld betrof was zoiets als verwachten dat stenen niet zouden denken aan zwaartekracht.

'Oehoe? Albert?'
Suzan duwde de keukendeur open. Het enorme vertrek was leeg.
'Albert?'
Ze probeerde boven. Daar lag haar eigen kamer, en een gang

vol deuren die niet open wilden en dat vast ook nooit konden – de deuren en hun kozijnen zagen er zo uit-één-stukkig, door-en-door uit. De Dood had vast ook wel een slaapkamer, al sliep de Dood spreekwoordelijk nimmer. Misschien lag hij gewoon wat in bed te lezen.
Ze probeerde aan de deurknoppen tot ze er eentje vond die meedraaide.
De Dood had inderdaad een slaapkamer.
Veel van de details waren hem wel gelukt. Vanzelf. Hij kreeg immers heel wat slaapkamers te zien. Middenin de uitgestrektheid stond een fors hemelbed, al bleken de lakens toen Suzan er eens in porde zo massief te zijn als graniet.
Er stond een staande spiegel, en een klerenkast. Ze keek er even in, voor het geval er een heel assortiment mantels hing, maar onderin lag niets anders dan een paar oude schoenen.*
Op een toilettafel stond een lampetkanstel met een dessin van schedels met omega's, en een allegaartje van flesjes en andere artikelen.
Ze pakte ze een voor een op. Aftershave; pommade; ademverfrisser. Een paar in zilver gevatte haarborstels.
Het was allemaal indroevig. De Dood had kennelijk globaal opgepikt wat een heer zoal op zijn toilettafel hoorde te hebben, maar daarbij verzuimd enkele beginselkwesties onder ogen te zien.
Op het laatst vond ze een kleinere, nauwere trap.
'Albert?'
Bovenaan zat een deur.
'Albert, ben je daar? Is daar iemand?'
Je valt niet echt zomaar binnen als je eerst roept, hield ze zich voor. Ze deed de deur open.
Het was een heel klein kamertje. *Erg* klein. Er stonden wat slaapkamermeubeltjes in en een smal bedje. In een boekenkastje stond een handjevol oninteressant ogende boekjes. Er lag een stuk stokoud papier op de grond dat, toen Suzan het opraapte, vol bleek te staan met getallen, allemaal doorgestreept op het laatste na, namelijk 19.
Een van de boekjes was *Tuinieren Onder Lastige Omstandigheden*.
Ze keerde terug naar de studeerkamer. Ze had al van te voren geweten dat er niemand thuis was. Er hing zo'n dood gevoel in de lucht.

*Oude schoenen duiken altijd weer op onderin elke klerenkast. Als een *zeemeermin* een klerenkast had zouden daar onderin oude schoenen opduiken.

In de tuin hing hetzelfde gevoel. De Dood kon de meeste dingen wel scheppen, afgezien van sanitair. Maar leven als zodanig kon hij niet scheppen. Dat moest worden toegevoegd, zoals gist aan deeg. Erzonder was alles prachtig netjes en ordelijk en saai, saai, saai.

Zo moest het toen geweest zijn, dacht ze. *En toen adopteerde hij op een dag mijn moeder. Uit nieuwsgierigheid.*

Ze nam weer het pad door de boomgaard.

En toen ik geboren werd waren Mam en Pap zo bang dat ik me hier zou thuisvoelen dat ze me opvoedden als... tja... als een Suzan. Wat is dat nou voor een naam voor de kleindochter van de Dood? Zo'n kind hoorde fraaiere jukbeenderen te hebben, steil haar en een naam met allemaal V's en X'en.

En daar, ja hoor, had je het ding dat hij ooit voor haar had gemaakt. Helemaal zelf. Allemaal uitgedacht op basis van de grondbeginselen...

Een schommel. Een doodsimpele schommel.

In de woestijn tussen Klatsch en Zaqbedad was het alweer snoeiheet.

De lucht bibberde en er klonk een plopje. Op een duintje verscheen Albert. Aan de horizon lag een bakstenen fort.

'Het Klatschieke Vreemdelingenlegioen,' mompelde hij terwijl het zand al onafwendbaar oprukte in zijn schoenen.

Met de Dood der Ratten op zijn schouder sjokte Albert erheen. Hij klopte aan de poort, waarin een aantal pijlen stak. Na een tijdje schoof het luikje opzij.

'Wat moet je, ellendi?' zei een stem van ergens erachter.

Albert stak een kaartje op.

'Heb je nog iemand gezien die er niet zo uitzag?' vroeg hij streng.

Er werd gezwegen.

'Laat ik dan zeggen: heb je nog een vreemde onbekende gezien die niet over zijn verleden wilde praten?' zei Albert.

'Dit is het Klatschieke Vreemdelingenlegioen, ellendi. Hier praat men niet over zijn verleden. Je neemt juist dienst om... om...'

Bij het voortduren van de stilte drong het tot Albert door dat het aan hem werd overgelaten om het gesprek weer op gang te brengen.

'Te vergeten?'

'Juist. Te vergeten. Ja.'

'Heb je dan onlangs nog rekruten gekregen die wat, zeg maar eigenaardig waren?'

'Zou best kunnen,' zei de stem langzaam. 'Weet ik niet meer.'

Het luikje sloeg dicht.
Albert beukte er nog eens op. Het luikje ging open.
'Ja, wat is er?'
'Weet je zeker dat je het niet meer weet?'
'Wat niet meer weet?'
Albert haalde even diep adem.
'Ik wil onmiddellijk je commandant spreken!'
Het luikje ging dicht. Het luikje ging weer open.
'Neem me niet kwalijk. Het schijnt dat *ik* die commandant ben. Jij bent toch geen Te'erg of Zaqbedadder, hè?'
'Weet je dat dan niet?'
'Ik... heb dat ooit wel geweten, denk ik toch echt. Ooit. Ach, je weet hoe dat gaat, met zo'n hoofd als een... dinges, weet je wel... Met gaatjes erin... Waar je sla in afspoelt... uh...'
Je hoorde hoe de grendels werden weggeschoven, en in de poort ging een klinketje open.
De mogelijke commandant was een sergeant, voor zover Albert dan op de hoogte was van de Klatschieke onderscheidingstekens. Hij had iets over zich van iemand die onder alles waar hij niet meer van wist ook een goede nachtrust telde. Als hij nog van tellen wist.
Er zaten of, maar dan nauwelijks, stonden nog wat andere Klatschieke militairen in het fort. Velen in het verband. En er lag nog een heel wat groter aantal militairen veelal languit op het aangestampte zand, die nooit meer behoefte zouden hebben aan een goede nachtrust.
'Wat is hier allemaal gepasseerd?' zei Albert. Zijn toon was zo gezaghebbend dat de sergeant tegen wil en dank salueerde.
'We werden aangevallen door Te'ergs, generaal,' zei hij lichtelijk wankelend. 'Wel honderden! Ze waren ver in de meerderheid, wel dinges tegen één... uh... wat is ook weer dat getal na negen? Met zo'n één erin.'
'Tien.'
'Tien tegen één, generaal.'
'Maar jij hebt het toch overleefd, zie ik,' zei Albert.
'Ach,' zei de sergeant. 'Ja. Uh. Ja. Dat ligt nogal ingewikkeld, eigenlijk. Uh. Korporaal? Jij dus. Nee, jij, daar naast hem. Met die streep.'
'Ik?' zei een dik militairtje.
'Ja. Vertel hem maar wat er gebeurd is.'
'O. Op die manier. Uh. Nou, die rotzakken hadden ons dus vol pijlen geschoten, hè? En het zag ernaar uit dat wij het loodje gingen leggen. Toen stelde iemand voor om lijken op de transen te leggen met hun speren en kruisbogen en al, om die rotzakken te laten denken dat we nog op volle sterkte waren –'

'Geen origineel idee, hoor,' zei de sergeant. 'Al tientallen keren eerder gedaan.'
'Tja,' zei de korporaal gekweld. 'Dat zullen *zij* ook wel gedacht hebben. En toen... en toen... toen ze die duinen afgaloppeerden, lachend en wel, en roepend van "heb je die ouwe truuk weer"... toen schreeuwde iemand "Vuur!" *en dat deden ze dus.*'
'Die dooien –?'
'Ik nam dienst bij het legioen om te... uh... je weet wel, met je geest...' begon de korporaal.
'Vergeten?' zei Albert.
'Precies. Te vergeten. En ik ben er goed in geworden. Maar nooit vergeet ik hoe mijn ouwe makker Portje Melik vol pijlen stak en evengoed de vijand de volle laag gaf,' zei de korporaal. 'Heel lang niet, in elk geval. Ik zal er mijn best voor doen, hoor.'
Albert keek omhoog naar de transen. Ze waren leeg.
'Iemand zette ze naderhand in het gelid en toen zijn ze allemaal afgemarcheerd,' zei de korporaal. 'En ik ben net nog even gaan kijken en er waren alleen maar graven. Die moeten ze voor elkaar gegraven hebben...'
'Zeg even', zei Albert, 'wie is die "iemand" waar je het aldoor over hebt?'
De militairen keken elkaar aan.
'Daar stonden we net ook al over te praten,' zei de sergeant. 'We probeerden het ons weer te herinneren. Hij zat in... de Kuil... toen het begon...'
'Zeker een lange vent?' zei Albert.
'Kon lang geweest zijn, kon wel eens lang geweest zijn,' knikte de korporaal. 'Had in elk geval zo'n lange stem.' Hij hoorde verbaasd welke woorden er uit zijn mond kwamen.
'Hoe zag hij eruit?'
'Nou, hij had een... met... en hij was zowat... nogal een...'
'Zag hij er... luid uit, en diep?' zei Albert.
De korporaal grijnsde van opluchting. 'Dat is hem,' zei hij. 'Soldaat... soldaat... Beau... Beau... zijn naam weet ik niet precies meer...'
'Ik weet nog dat hij toen hij wegliep door de...' begon de sergeant, en hij knipte geërgerd met zijn vingers, 'dat ding dat je open- en dichtdoet. Van hout. Met van die scharnieren en grendels erop. Dank je. Poort. Dat klopt... poort. Toen hij wegliep door de poort zei hij... wat zei hij ook weer, korporaal?'
'Hij zei: "TOT HET LAATSTE ONDERDEEL", sergeant.'
Albert keek het fort rond.
'Dus hij is weg.'

‘Wie?’
‘De vent waar je me net van vertelde.’
‘O. Ja. Uh. Heb jij soms enig idee wie dat was, ellendi? Ik bedoel maar, het was verbluffend... over discipline gesproken...’
‘Esprit de cadaver?’ opperde Albert, die wel eens gemeen uit de hoek kwam. ‘Zei hij nog waar hij heenging?’
‘Waar wie heenging?’ zei de sergeant, met oprecht weetgierige rimpels in zijn voorhoofd.
‘Vergeet het maar,’ zei Albert.
Nog één keer keek hij het fortje rond. Voor de wereldgeschiedenis maakte het vast weinig uit of het nu wel of niet bleef bestaan, of de stippellijn op de kaart nu hier- of daarlangs liep. Echt weer de Meester, om eraan te willen prutsen...
Soms probeert hij nog menselijk te zijn ook, dacht hij. En daar maakt hij dan een potje van.
‘Ga je gang, sergeant,’ zei hij, en hij slofte weer de woestijn in.
De legionairs zagen hem achter de duinen verdwijnen en gingen toen weer door met het fort opruimen.
‘Wie was dat, volgens jou?’
‘Wie?’
‘Die vent waar je het net over had?’
‘Had ik het erover?’
‘Waarover?’
Albert bereikte een duintop. Van hieruit was de stippellijn net te zien, verraderlijk kronkelend over het zand.
PIEP.
‘Anders ik wel,’ zei Albert.
Hij haalde een bijzonder groezelige zakdoek uit zijn zak, maakte knopen in de vier hoeken, en legde hem op zijn hoofd.
‘Goed,’ zei hij, maar er zat iets onzekers in zijn stem. ‘Komt me voor dat we dit niet logisch aanpakken.’
PIEP.
‘Ik bedoel, zo kunnen we hem wel overal achterna blijven zitten.’
PIEP.
‘Dus misschien moeten we er even over nadenken.’
PIEP.
‘Goed dan... als jij ergens op de Schijf was, met bepaald een beetje een raar gevoel, en je kon volstrekt overal heen, waarheen dan ook... waar zou jij dan naar toe gaan?’
PIEP?
‘Waarheen dan ook. Maar wel ergens waar niemand je naam nog kent.’
De Dood der Ratten keek om zich heen naar de eindeloze, eentonige en vooral *droge* woestijn.

PIEP.
'Nou zeg, ik geloof dat je gelijk hebt.'

Hij hing aan een appelboom.
Hij maakte een schommel voor me, wist Suzan weer.
Ze bleef er een tijdje naar zitten staren.
Het was een nogal ingewikkeld geval. Voor zover de achterliggende gedachten vielen af te leiden uit het voortgebrachte bouwsel, luidden deze aldus:
Uiteraard diende men een schommel aan de stevigste tak te hangen.
Of liever – want veiligheid ging voor alles – het was nog beter om hem aan de *twee* stevigste takken te hangen, één voor elk touw.
Die zaten toevallig aan weerskanten van de stam.
Nooit omkeren. Dat zat in de logica ingebakken. Altijd doorduwen, de ene na de andere logische stap.
Dus... had hij zo'n kleine twee meter verwijderd uit het middendeel van de stam, zodat de schommel, tja, schommelen kon.
De boom was niet doodgegaan. Hij was nog heel gezond.
Toch had het ontbreken van een aanzienlijk stuk stam een nieuw probleem meegebracht. Dit was verholpen door het aanbrengen van twee forse stutten onder de takken, een ietsje buiten de schommeltouwen, om de hele bovenkant van de boom op zowat de juiste hoogte van de grond te houden.
Ze wist nog hoe ze erom gelachen had, toen al. En hij stond er maar bij, niet bij machte om te zien wat er niet klopte.
En toen zag ze het allemaal, hoe het in elkaar stak.
Zo ging de Dood te werk. Hij snapte nooit helemaal wat hij aan het doen was. Hij deed bijvoorbeeld iets, en dat pakte dan fout uit. *Haar moeder; opeens zat hij met een volwassen vrouw en wist hij niet hoe het verder moest.* Dus dan deed hij weer iets om het op te vangen, waardoor het nog fouter ging. *Haar vader. Leerknechtje van de Dood!* En toen *dat* ook fout ging, en de aanleg om fout te gaan zat er gewoonweg in ingebouwd, deed hij weer wat anders om het te repareren.
Hij had de zandloper omgekeerd.
Vanaf dat punt was het nog maar een kwestie van wiskunde.
En de Plicht.

'Hallo... kolere, Govd, gauw, waar zitten we... Stoo Lat! Jèè!'
Dit was een nog vollere zaal. Er was meer tijd geweest voor het ophangen van de posters, meer tijd voor mond-tot-mond berichtgeving uit Ankh-Meurbork. En een harde kern, besefte de band, had hen gevolgd uit Pseudopolis.

Tijdens een korte pauze tussen de nummers, net voordat men altijd begon rond te dansen op het meubilair, boog Klif zich naar Govd.
'Zie je die trol daar vooraan zitten?' zei hij. 'Waarvan Bitumen net de vingers staat te bestampen?'
'Die eruit ziet als een puinberg?'
'In Pseudopolis was ze der ook,' straalde Klif. 'Ze kijkt aldoor naar mij!'
'Erop af, kerel,' zei Govd die net de spuug uit zijn hoorn liet druipen. 'Keihard ertegenaan, hè?'
'Denk jij dat ze zo'n groepiefenster is waar Bitumen het over had?'
'Best mogelijk.'
Ook ander nieuws had zich vlug verspreid. De dageraad begroette alweer een gerenoveerde hotelkamer, een koninklijke proclamatie van Koningin Kiela dat de band op straffe van een straffe afstraffing binnen een uur de stad uit moest, en alweer een snelle aftocht.
Buddie lag in de kar die over de keien Quormwaarts hotste.
Zij was er niet bij geweest. Hij had beide avonden de zaal afgezocht, maar ze was er niet bij. Hij was zelfs midden in de nacht opgestaan om door de lege straten te dwalen, voor het geval *zij* naar hem op zoek was. Nu vroeg hij zich af of ze wel bestond. En eerlijk gezegd, hij was er maar half zeker van dat *hij* bestond, afgezien van de keren dat hij optrad.
Hij luisterde verstrooid naar het gesprek van de anderen.
'Bitumen?'
'Ja, meneer Govd?'
'Er is Klif en mij iets opgevallen.'
'Ja, meneer Govd?'
'Je draagt de laatste tijd zo'n zware leren zak, Bitumen.'
'Ja, meneer Govd.'
'Vanochtend was hij alweer zwaarder, dacht ik.'
'Ja, meneer Govd.'
'Daar zit zeker het geld in?'
'Ja, meneer Govd.'
'Hoeveel?'
'Uh. Vammeneer Snikkel mostik jullie niet lastig vallen met geldzaken.'
'Vinden we helemaal niet erg,' zei Klif.
'Zo is het,' zei Govd. 'We *willen* lastig gevallen worden.'
'Uh.' Bitumen likte langs zijn lippen. Klif deed wel wat erg nadrukkelijk. 'Zowat tweeduizend daalders, meneer Govd.'
De kar hotste een tijdje voort. Het landschap was iets veranderd. Er lagen heuvels in, en de boerderijen waren kleiner.

'Tweeduizend daalders,' zei Govd. '*Twee*duizend daalders. Twee*duizend* daalders. Tweeduizend *daalders*.'
'Waarom zeg je nou steeds tweeduizend daalders?' zei Klif.
'Ik heb nog *nooit* kans gehad om tweeduizend daalders te zeggen.'
'Doe het dan wat zachter.'
'TWEEDUIZEND DAALDERS!'
'Sst!' zei Bitumen panisch terwijl Govds kreet van de heuvels kaatste. 'Dittis roversgebied!'
Govd blikte naar de leren zak. 'Zeg dat wel,' zei hij.
'Meneer Snikkel isnie wiekbedoel!'
'We zijn onderweg van Stoo Lat naar Quorm,' zei Govd geduldig. 'Dit is de Ramtopweg niet. Dit is de beschaving. In de beschaving word je onderweg niet beroofd.' Hij keek weer even dreigend naar de zak. 'Hier wachten ze tot je in een stad bent. Daarom heet het hier de beschaving. Poe, kun jij me vertellen wanneer op deze weg voor het laatst iemand beroofd is?'
'Vrijdag, geloof ik,' zei een stem vanachter een rots. 'O, koler–'
Bitumens zweepslag kwam eruit als zeg maar een reflex. De paarden steigerden en galoppeerden ervandoor.
Ze vertraagden pas toen ze verscheidene kilometers verderop waren.
'Voortaan kop dicht over geld, ja?' siste Bitumen.
'Ik ben een beroepsmusicus,' zei Govd. 'Ik *moet* wel aan geld denken. Hoe ver nog naar Quorm?'
'Heel wat minder intussen,' zei Bitumen. 'Paar kilometer nog.'
En na de aansluitende heuvel lag de stad daar voor hen, genesteld aan zijn baai.
Er stond een oploopje voor de stadspoort, die dicht was. Het namiddaglicht schitterde op de helmen.
'Hoe noem je van zukke lange staken met bijlen annut end?' vroeg Bitumen.
'Hellebaarden,' zei Buddie.
'Het zijn er in elk geval heel wat,' zei Govd.
'Die staan daar toch zeker niet voor ons?' zei Klif. 'Wij zijn gewoon maar muzikanten.'
'En ik zie een paar lui in lange gewaden en gouden kettingen en zo,' zei Bitumen.
'Notabelen,' zei Govd.
'Weet je nog die ruiter die ons vanochtend inhaalde..?' zei Bitumen. 'Ik heb zo'n idee dattut nieuws al onderweg was.'
'Ja, maar *wij* braken de zaal toch niet af,' zei Klif.
'Nou, je wou niet meer dan zes toegiften doen,' zei Bitumen.
'Wij maakten ook niet al die relletjes buiten.'
'Die lui met die bijlstokken zullen dat vast wel begrijpen.'

'Misschien willen ze niet dat je hun hotelkamers renoveert. Ik *zei* al dat dat fout was, oranje gordijnen bij geel behang.'
De kar kwam tot stilstand. Een corpulent heerschap met een driekante hoed en een met bont afgezet gewaad keek de band dreigend maar schichtig aan.
'Zijn jullie soms de musici die bekend staan als De Bonkband?' vroeg hij.
'Wattisser loos, agent?' zei Bitumen.
'Ik ben de burgemeester van Quorm. Ingevolge de wetgeving van Quorm mag men in deze stad geen Bonk- en Rotsmuziek maken. Kijk maar, hier staat het...'
Hij wapperde met een rol perkament. Govd griste hem weg.
'Die inkt lijkt me nogal nat,' zei hij.
'Bonk- en Rotsmuziek verstoort de openbare orde, is aantoonbaar schadelijk voor gezondheid en zeden, en veroorzaakt onnatuurlijke draaiingen van het lichaam,' zei de man terwijl hij de rol teruggriste.
'Bedoel je dat we Quorm niet in mogen?' zei Govd.
'Je mag als je per se moet best naar binnen,' zei de burgemeester. 'Maar spelen is er niet bij.'
Buddie ging rechtop in de kar staan.
'Maar we *moeten* spelen,' zei hij. De gitaar zwaaide rond aan zijn riem. Hij greep de hals en hield zijn slag- en tokkelhand dreigend in de aanslag.
Govd keek radeloos om zich heen. Klif en Bitumen hielden hun handen al over hun oren.
'Ha!' zei hij. 'Ik geloof dat we hier een geval hebben dat om onderhandeling vraagt, ja?'
Hij klom van de kar.
'Ik neem aan dat de edelachtbare nog niet op de hoogte is', zei hij, 'van de muziekbelasting.'
'Wat voor muziekbelasting?' zeiden Bitumen en de burgemeester tegelijk.
'O, da's het nieuwste van het nieuwste,' zei Govd. 'Vanwege de populariteit van de Bonk- en Rotsmuziek. Muziekbelasting, vijftig duiten per toegangskaartje. Moet zowat tegen de, uh, tweehonderdvijftig daalders hebben belopen in Stoo Lat, zou ik zeggen. Meer dan twee keer dat bedrag in Ankh-Meurbork, vanzelf. Bedacht door de Patriciër.'
'Is het waar? Lijkt inderdaad echt iets voor Ottopedi,' zei de burgemeester. Hij wreef langs zijn kin. 'Zei je tweehonderdvijftig daalders in Stoo Lat? Echt? En die plaats is nauwelijks van enige omvang.'
Een wachter met een veer op zijn helm kwam zenuwachtig salueren.

'Pardon, edelachtbare, maar in het briefje uit Stoo Lat stond nog *zo* –'
'Wacht even,' zei de burgemeester geërgerd. 'Ik denk even na...'
Klif boog zich omlaag.
'Is dit nou omkopen?' fluisterde hij.
'Dit is belast worden,' zei Govd.
De wachter salueerde nog eens.
'Maar heer toch, de wachters bij –'
'Kapitein!' snauwde de burgemeester met een peinzende blik op Govd, 'dit is politiek! Rustig nou!'
'Dat ook al?' zei Klif.
'En om onze goede wil te tonen', zei Govd, 'lijkt het me een goed idee als we die belasting *voor* het optreden al voldoen, vind je niet?'
De burgemeester keek hen verbluft aan, als iemand die niet wist of zijn geest het idee van musici met geld wel kon bevatten.
'Edelachtbare, volgens het bericht –'
'Tweehonderdvijftig daalders,' zei Govd.
'Edelachtbare –'
'Kom, kapitein', zei de burgemeester die kennelijk tot een besluit kwam, 'we weten dat die lui van Stoo Lat wat typisch zijn. Het is toch maar muziek. Ik *zei* nog dat het maar een raar briefje was. Muziek kan volgens mij geen kwaad. En deze jonge mens– luitjes hebben blijkbaar veel succes,' voegde hij eraan toe. Het was overduidelijk dat dit bij de burgemeester zwaar telde, zoals bij velen. Niemand ziet veel in *armzalige* dieven.
'Ja', zei hij, 'weer echt wat voor die Latten om ons dat te flikken. Ze denken zeker dat we onnozel zijn omdat we hier heel wonen.'
'Jawel, maar de Pseudopo–'
'O, die. Verwaand stelletje. Wat is er nou mis met een stukje muziek? Vooral', ging hij verder met een blik op Govd, 'als het in het gemeentebelang is. Laat ze door, kapitein.'

Suzan zadelde op.
Ze kende de plek wel. Ze had hem zelfs ooit gezien. Ze hadden wel een nieuw hek langs die weg gezet, maar het bleef er gevaarlijk.
Het tijdstip kende ze ook.
Dat was vlak voor ze het daar de Dodemansbocht gingen noemen.

'Hallo, Quorm!'

Buddie sloeg een akkoord aan. En nam een houding aan. Een flauwe witte gloed, net de glinstering van goedkope lovertjes, hing om zijn silhouet.
'Uh-huh-*huh*!'
Het gejuich zwol aan tot de bekende muur van geluid.
Ik dacht al dat we vermoord zouden worden door lui die ons niet mochten, dacht Govd. *Nu houd ik het voor mogelijk dat we worden vermoord door lui die gek op ons zijn...*
Hij keek behoedzaam rond. Er stonden wachters langs de muren; die kapitein was dus niet achterlijk. *Ik hoop maar dat Bitumen zoals ik vroeg de paardenkar buiten heeft klaargezet...*
Zijn blik gleed naar Buddie die fonkelde in de voetlichten.
Een stuk of wat toegiften en dan gelijk de achtertrap af en wegwezen, dacht Govd. De grote leren zak zat aan Klifs been geketend. Zodra iemand die meegriste kreeg hij een ton drummer op sleeptouw.
Ik weet niet eens wat we gaan spelen, dacht Govd. *Dat weet ik nooit, ik begin gewoon te blazen en... daar komt het. Je maakt mij niet wijs dat dat deugt.*
Buddie liet zijn arm zwieren als een discuswerper en daar sprong een akkoord pardoes in de oren van het publiek.
Govd zette de hoorn aan zijn lippen. Het geluid dat eruit kwam was als brandend zwart fluweel in een vensterloze kamer.
Voordat de Bonk- en Rotsmuziek zijn ziel betoverde dacht hij nog: *Ik moet sterven. Dat hoort bij de muziek. Ik ga binnenkort dood. Ik voel het. Iedere dag. Het komt dichterbij...*
Weer gleed zijn blik naar Buddie. De jongen zocht met zijn ogen de zaal af alsof hij tussen die krijsende massa naar iemand uitkeek.
Ze speelden 'We Bonken De Klok Rond'. Ze speelden 'Geef Mij die Bonk- en Rotsmuziek maar'. Ze speelden 'Trap naar de Hemel' (en wel honderd lui in de zaal zwoeren dat ze morgen een gitaar gingen kopen).
Ze speelden met hun hart en vooral met hun ziel.
Ze glipten weg na de negende toegift. De menigte zat nog steeds met zijn voeten om nog meer te stampen toen zij al door het pleeraampje kropen en zich in de steeg lieten zakken.
Bitumen goot een zakje leeg in de leren zak. 'Nogges zevenhonderd daalders!' zei hij terwijl hij ze op de kar hielp.
'Zo is het, en wij krijgen elk tien daalders,' zei Govd.
'Zeg maar tegen meneer Snikkel,' zei Bitumen terwijl de paardenhoeven naar de poort klepperden.
'Dat zal ik.'
'Het doet er niet toe,' zei Buddie. 'Soms doe je het voor het geld, maar soms doe je het voor het optreden zelf.'

'Poe! Dat zal me de dag wezen.' Govd grabbelde onder het bankje. Daar had Bitumen twee vaatjes bier opgeslagen.
'Morgen krijgen we het festival, lui,' baste Klif. De poortboog schoof over hen heen. Zelfs van hier konden ze nog het gestamp horen.
'Daarna moeten we een nieuw contract,' zei de dwerg. 'Met een hele zooi nullen erin.'
'Nullen hebben we al,' zei Klif.
'Jewel, maar daar staan niet veel cijfers *voor*. Nou, Buddie?'
Ze keken om. Buddie sliep met de gitaar aan zijn borst.
'Meteen weer onder zeil,' zei Govd.
Hij draaide zich weer om. De weg strekte zich voor hen uit, bleek onder het sterrenlicht.
'Jij zei dat je alleen maar wilde werken,' zei Klif. 'Je zei dat je niet beroemd hoefde te wezen. Hoe zou je dat bevallen, die zorgen om al dat goud en al die meiden die naar je gooien met hun maliënkoldertjes?'
'Dat moet ik dan maar verdragen.'
'Ik zou wel een steengroeve willen,' zei de trol.
'O ja?'
'Jewel hoor. In zo'n hartvorm.'

Een koets, zonder de paarden, brak door het gammele en nutteloze hek en stortte hals over kop omlaag in de kloof. Hij raakte niet eens zo'n uitsteeksel aan de rotswand maar kwakte pardoes in de droge rivierbedding daar in de diepte, en spatte in flinters uiteen. Toen vatte de olie uit de koetslantaarns vlam en klonk er een tweede knal, en daaruit kwam – er zijn nu eenmaal conventies, ook bij een tragedie – een brandend wiel gerold.
Wat Suzan zo vreemd voorkwam was dat ze niets voelde. Ze kon wel droevige gedachten *denken*, want in de gegeven omstandigheden moesten ze wel droevig zijn. Ze wist wie er in de koets zat. Maar het was al gebeurd. Op geen enkele manier kon ze het meer tegenhouden, want als ze het tegenhield zou het niet gebeurd zijn. En ze stond hier en zag dat het gebeurde. Dus had ze het niet tegengehouden. En was het gebeurd. Ze voelde hoe de logica van de toestand op zijn plaats viel als een stel loden zerken.
Misschien was er ergens een oord waar het *niet* gebeurd was. Misschien was de koets daar de andere kant op geslipt, misschien had er net op de juiste plek een steen gelegen, misschien was die hele koets niet over die weg gekomen, misschien had de koetsier bijtijds de gevaarlijke bocht herkend. Maar die mogelijkheden bestonden alleen bij de gratie van *deze*.

Dit was *haar* kennis niet. Hij kwam aangestroomd uit een veel, veel oudere geest.
Soms kon je niets meer doen voor een ander dan erbij zijn.
Ze stuurde Binkie langs de weg de schaduw in naast de steilte, en wachtte af. Na een minuutje of twee klonk er een stenig gekletter en daar stegen een paard en ruiter langs een haast verticaal pad omhoog uit de rivierbedding.
Binkie sperde zijn neusgaten wijd open. De parapsychologie kent geen term voor dat onrustige gevoel dat je krijgt als je in het bijzijn bent van jezelf.*
Suzan zag de Dood afstijgen en geleund op zijn zeis omlaag gaan staan kijken naar de rivierbedding.
Ze dacht: maar *iets* had hij toch kunnen doen.
Niet soms?
De gedaante richtte zich op, maar draaide zich niet om.
JA. IK HAD ER IETS AAN KUNNEN DOEN.
'Hoe... hoe wist je nou dat ik hier stond..?'
De Dood gebaarde geërgerd.
JE ZIT IN MIJN GEHEUGEN. EN BEGRIJP NU DIT: JE OUDERS WISTEN DAT DINGEN MOETEN GEBEUREN. ALLES MOET *ERGENS* GEBEUREN. GELOOF JE NIET DAT IK HIEROVER MET HEN GESPROKEN HEB? MAAR IK KAN GEEN LEVEN GEVEN. IK KAN ALLEEN... VERLENGING TOESTAAN. ONVERANDERLIJKHEID. ALLEEN MENSEN KUNNEN HUN LEVEN GEVEN. EN ZIJ WILDEN MENSELIJK ZIJN, NIET ONSTERFELIJK. ALS DAT EEN TROOST IS, ZE STIERVEN ONMIDDELLIJK. *ONMIDDELLIJK*.
Ik moet het vragen, dacht Suzan. Ik moet het zeggen. Anders ben *ik* niet menselijk.
'Ik zou toch terug kunnen gaan, en ze redden..?' Alleen aan een heel flauwe trilling was te merken dat de bewering een vraag was.
REDDEN? WAARVOOR? EEN LEVEN DAT OP IS? *ER ZIJN DINGEN DIE OPHOUDEN*. SOMS DACHT IK WEL EENS DAT HET ANDERS WAS. MAAR... ZONDER PLICHT, WAT BEN IK DAN? WET IS WET.
Hij klom weer in het zadel en gaf Binkie, nog steeds zonder zich naar haar toe te keren, de sporen – de kloof over.

Er stond een hooiberg achter de paardenstal in de Phaedrusstraat. Hij vertoonde even een bobbel, en er klonken gesmoorde vloeken.
Een fractie van een tel later klonk er een hoestaanval en nog een, dit keer betere, vloek in de graansilo verderop bij de veemarkt.
Heel kort daarna knalden wat rotte vloerplanken in een oude

*Al voelen mensen dat strikt genomen de hele tijd.

voederwinkel in de Korte Straat de lucht in, gevolgd door een vloek die van een meelzak kaatste.
'Achterlijk knaagdier!' brulde Albert terwijl hij de graankorrels uit zijn oren peuterde.
PIEP.
'Zeg dat wel! Hoe groot dacht je dat ik was?'
Albert klopte hooi en meel van zijn jas en liep naar het raam.
'Aha', zei hij, 'laat ons dan de Gelijmde Trom tot pleisterplaats kiezen.'
In Alberts jaszak hervatte het zand zijn onderbroken tocht van toekomst naar verleden.

Hibiscus Terpolm had besloten een uurtje dicht te gaan. Dat was een simpele gang van zaken. Eerst verzamelde hij met zijn personeel alle ongebroken kannen en glazen. Dat was zo gebeurd. Dan volgde er een ongeregelde speurtocht naar eventuele wapens van hoge straatwaarde, en een snelle fouillering van ieder die daar geen bezwaar tegen kon maken, vanwege dronkenschap, doodheid of beide. Daarna werd het meubilair opzij geschoven en veegde men verder alles de achterdeur uit en de weelderige bruine boezem van de Ankh in, waar het zich opstapelde om stukje bij beetje te zinken.
Ten slotte sloot en grendelde Hibiscus de grote voordeur...
Hij wou niet dicht. Hij keek naar beneden. Er was een schoen tussen gestoken.
'We zijn dicht,' zei hij.
'Helemaal niet.'
De deur dwong achteruit en Albert was binnen.
'Heb jij ooit deze iemand gezien?' vroeg hij streng terwijl hij een rechthoekig kartonnetje voor Terpolms ogen hield.
Dit was een grove inbreuk op de etiquette. Terpolm zat niet in een branche waar je het overleefde als je zei dat je iemand gezien had. Terpolm kon de hele nacht schenken en bedienen zonder iemand te zien.
'Nooit van mijn leven eerder gezien,' zei hij werktuiglijk, zonder een blik op het kaartje te werpen.
'Je moet me helpen', zei Albert, 'anders gebeurt er iets vreselijks.'
'Lazer op!'
Albert schopte de deur achter zich dicht.
'Zeg later niet dat ik je niet heb gewaarschuwd,' zei hij. Op zijn schouder snuffelde de Dood der Ratten achterdochtig aan de lucht.
Een ogenblik later merkte Hibiscus hoe zijn kin met kracht in het blad van een van zijn tafels werd gedrukt.

'Nou, ik weet dat hij hier geweest moet zijn', zei Albert die niet eens hijgde, 'want vroeg of laat komt iedereen hier. Kijk nog maar eens.'
'Dat is een Paropkaart,' zei Hibiscus gesmoord. 'Dat is de Dood!'
'Dat klopt. Dat is die daar op dat witte paard zit. Je haalt hem er zo uit. Alleen zal hij er hier wel anders uitzien.'
'Even nagaan of ik je goed begrijp,' zei de waard terwijl hij naarstig probeerde los te komen uit die ijzeren greep. 'Wil je dat ik je zeg of ik iemand gezien heb die er *niet* zo uitziet?'
'Hij moet wat vreemd geweest zijn. Vreemder dan de meesten.' Albert dacht even na. 'En hij zal wel bar veel gedronken hebben, hem kennende. Dat doet hij altijd.'
'Hou je er wel even rekening mee dat dit Ankh-Meurbork is?'
'Niet brutaal worden, anders word ik kwaad.'
'Bedoel je dat je nou niet kwaad bent?'
'Nou ben ik alleen ongeduldig. Als je wilt kun je op kwaad aansturen.'
'Er was... iemand... paar dagen terug. Weet niet precies meer hoe hij eruit zag –'
'Aha. Dat zal hem zijn.'
'Dronk me helemaal los, klaagde nog over dat Barbaarse-Invallersspel, werd laveloos en toen...'
'Wat?'
'Weet ik niet meer. We smeten hem er gewoon uit.'
'De achterdeur uit?'
'Ja.'
'Maar daar heb je alleen rivier.'
'Och, de meesten komen wel bij voordat ze zinken.'
PIEP, zei de Dood der Ratten.
'Zei hij nog iets?' vroeg Albert, teveel in beslag genomen om erop te letten.
'Iets over zich alles herinneren, dacht ik. Hij zei... hij zei dat dronken zijn hem niks liet vergeten. Zeurde maar door over deurknoppen en... lekkende zolders.'
'Lekkende zolders?'
'Iets met regen.'
En opeens viel de druk op Hibiscus' arm weg. Hij wachtte nog zo'n twee tellen en draaide toen, heel behoedzaam, zijn hoofd om.
Er stond niemand achter hem.
Heel voorzichtig bukte Hibiscus zich om onder de tafels te kijken.

Albert stapte de dageraad in en haalde, na enig grutten, zijn

doos voor de dag. Hij deed hem open, keek even naar zijn levensloper en klapte toen het deksel weer dicht.
'Goed dan,' zei hij. 'Wat nu?'
PIEP!
'Hè?'
En iemand gaf hem een dreun op zijn hoofd.
Het was geen dodelijke dreun. Timmo Luievent van het Dievengilde wist wat er gebeurde met dieven die iemand doodmaakten. Dan kwam het Moordenaarsgilde even zijn zegje doen – nou ja, meer dan 'Vaarwel' zeiden ze niet.
Hij had niets anders bedoeld dan die ouwe kerel buiten westen slaan om zijn zakken leeg te halen.
Het geluid dat het lichaam maakte toen het de grond raakte had hij niet verwacht. Het leek wel glasgerinkel, maar dan met een akelige ondertoon die maar in Timmo's oren bleef nagalmen, tot lang nadat hij had moeten ophouden.
Er sprong iets van het lichaam dat langs zijn neus snorde. Twee knokige klauwtjes grepen hem bij de oren en een benig snuitje stootte naar voren en knalde tegen zijn voorhoofd. Hij gaf een gil en zette het op een lopen.
De Dood der Ratten kwam op de grond terecht en trippelde weer naar Albert. Hij klopte op zijn gezicht, gaf hem een paar keer een radeloze schop en beet hem ten einde raad in zijn neus. Toen greep hij Albert bij zijn kraag voor een poging hem uit de goot te sleuren, maar er klonk waarschuwend glasgerinkel.
De oogkassen zwenkten wild naar de gesloten voordeur van de Trom. Verbeende snorharen trilden.
Een ogenblik later deed Hibiscus de deur open, al was het maar om het daverend geklop te laten ophouden.
'Ik *zei* toch dat we –'
Er schoot iets tussen zijn benen door dat onderweg nog even vlug in zijn enkel beet en toen doorsnorde naar de achterdeur, met ferm tegen de grond gedrukt neusje.

Het park heette geen Heipark vanwege de palen maar omdat een heitje ooit de hoeveelheid akker was die door één iemand met drieëneenhalve os op een druilerige donderdag viel te ploegen, en het park besloeg precies die hoeveelheid land, en Ankh-Meurborkers hangen aan hun tradities en vaak ook aan andere dingen.
En er groeiden bomen, en gras, en in het meertje zwom echte vis. En het was, door zo'n typische kronkel in de maatschappelijke geschiedenis, een tamelijk veilige plek. In het Heipark werd maar zelden iemand overvallen. Net als iedereen hebben overvallers graag een plekje om veilig te zonnebaden. Het was zeg maar neutraal terrein.

En het stroomde al vol, ook al viel er niks anders te zien dan de werklui die nog bezig waren met het in elkaar timmeren van een flink podium bij het meertje. Een stuk grond erachter was afgescheiden met aan palen gespijkerde lappen gonje. Nu en dan probeerden opgewonden luitjes er binnen te komen, om dan door de trollen van Chrysopraas in het meertje te worden gegooid.
Tussen de repeterende muzikanten vielen Beuk en zijn groepje onmiddellijk op, ten dele omdat Beuk zijn hemd uit had zodat Jopo jodium op zijn wonden kon smeren.
'Ik dacht dat je een geintje maakte,' gromde hij.
'Ik *zei* toch dat hij in je slaapkamer zat,' zei Vullis.
'Hoe kan ik in deze toestand nou gitaarspelen?' zei Beuk.
'Gitaarspelen kon je toch al niet,' zei Knakkie.
'Ik bedoel, kijk mijn hand nou eens. Kijk nou.'
Ze bekeken zijn hand. Jopo's moeder had er na het behandelen van de wonden een handschoen over gedaan; al te diep waren de wonden niet, want zelfs het domste luipaard blijft niet in de buurt van iemand die hem zijn broek uit wil trekken.
'Een handschoen,' zei Beuk op angstaanjagende toon. 'Wie heeft er nou ooit gehoord van een echte musicus met handschoenen aan? Hoe kan ik nou ooit gitaarspelen met een handschoen aan?'
'Zeg maar rustig: hoe kun jij ooit gitaarspelen?'
'Ik snap niet hoe ik het bij jullie drieën uithou,' zei Beuk. 'Je belemmert mijn artistieke ontplooiing. Ik denk erover om op te stappen en mijn eigen band te beginnen.'
'Welnee', zei Jopo, 'want je vindt geeneens iemand die nog erger is dan wij. Wees nou eerlijk. Wij zijn waardeloos.'
Hij verwoordde een tot nu toe onuitgesproken doch eensgezinde gedachte. De andere muzikanten om hen heen waren tamelijk beroerd, dat was waar. Maar daarmee was dan alles gezegd. Sommigen ervan waren ergens nog wel een piezeltje muzikaal; en de rest, die kon gewoon niet spelen. Ze hadden geen drummer die zijn drums niet raakte en geen basgitarist met hetzelfde natuurlijke ritme als een verkeersongeluk. En ze waren het doorgaans eens geworden over hun naam. Die namen waren dan wel fantasieloos, zoals 'Een Grote Trol en Nog Wat Trollen' of 'De Gouden Neusringen', maar ze wisten tenminste wie ze *waren*.
'Wat dacht je van "Gewoon Brandhout"?' zei Knakkie met zijn handen in zijn zak.
'We mogen dan brandhout zijn', zei Beuk, 'maar dan wel bonkmuziekbrandhout.'
'Ziezo, en hoe staan we ervoor?' zei Snikkel die zich door de

gonje wurmde. 'Nog eventjes en – wat doen *jullie* hier?'
'We staan op het programma, meneer Snikkel,' zei Beuk bedeesd.
'Hoe kun je nu op het programma staan als ik niet weet hoe je heet?' zei Snikkel met een geërgerd gebaar naar de posters. 'Staat jullie naam daar dan bij?'
'Wij zijn zeker wat daar *Ende Ondersteunende Ghroepen* heet,' zei Knakkie.
'Wat is er met je hand gebeurd?' zei Snikkel.
'Gebeten door mijn broek,' zei Beuk met een kwaaie blik op Vullis. 'Toe, meneer Snikkel, kun je ons nog één kansje geven?'
'We zullen zien,' zei Snikkel, en hij beende weg.
Hij voelde zich te opgewekt voor veel geruzie. De worstebroodjes verkochten als razend, maar die dekten louter de kleine onkosten. Er waren manieren om geld te verdienen met Bonk- en Rotsmuziek waar hij nooit aan gedacht had... en S.I.E.V. Snikkel dacht altijd aan geld.
Zo had je bijvoorbeeld die shirtjes. Ze waren van zulk goedkoop katoen dat ze onder goed licht haast onzichtbaar waren en in de was nogal eens wilden oplossen. Hij had er al zeshonderd verkocht! Voor vijf daalders het stuk! Al wat hij ervoor hoefde te doen was ze per tien voor een daalder inkopen van de Klatschinese Groothandel en Krijtje een halve daalder het stuk uitbetalen voor het bedrukken.
En met ontrols vertoon van initiatief had Krijtje zelfs eigen shirtjes bedrukt. Daarop stond:

Virma Kreitje
Spoelgat 12
Ritselt Alles.

En die *kocht* men, men *betaalde* ervoor om Krijtjes werkplaats aan te prijzen. Snikkel had nooit durven dromen dat de wereld zo'n draai zou nemen. Het was net of je schapen zichzelf zag scheren. Wat ook deze omwenteling in de wetten van de negotie teweegbracht, hij lustte er wel pap van.
Hij had het idee al verkocht aan Lapperd de schoenmaker in de Nieuwe Pikkestoelsteeg* en er waren bij hem al honderd shirtjes de winkel uit gewandeld, wat meer was dan je doorgaans kon zeggen van Lapperds koopwaar. Men wilde kleren, domweg omdat er een tekst op stond!

* LAPPERD
Schoenen Met Heele Zool
VOEL DE SPIJKERTS!

Hij verdiende geld. Duizenden daalders per dag! En wel honderd muziekvallen stonden in de rij voor het podium, klaar om Buddies stem op te vangen. Als het in dit tempo doorging zou hij met een paar miljard jaar rijker zijn dan in zijn stoutste dromen!
Lang Leve de Bonk- en Rotsmuziek!
Er zat maar één wolkje voor dit zonnetje.
Het Festival zou op het middaguur moeten beginnen. Snikkel was van plan geweest om eerst een hoop van de kleine, slechte groepen op te voeren – dat wil zeggen, alle – en dan af te sluiten met De Band. Dus was er geen reden tot zorgen als die lui er op dit moment nog niet waren.
Maar op dit moment waren ze er nog niet. Snikkel maakte zich zorgen.

Een piepklein duister gedaantetje kamde de Ankhoevers af, met zo'n vaart dat het een vage streep werd. Het zigzagde radeloos heen en weer, onder veel gesnuffel.
Niemand zag het. Maar de ratten zag men wel. Zwart, bruin en grijs lieten ze hun vemen en kaaien in de steek, waarbij ze over elkaars ruggen renden in hun vastberaden pogingen om zo ver mogelijk weg te komen.

Een hooiberg puilde uit, en baarde een Govd.
Hij rolde eruit op de grond en kreunde. IJle motregen zweefde over het landschap. Hij kwam wankelend overeind, keek om zich heen de golvende akkers af en verdween even achter een heg.
Een paar tellen later kwam hij weer aandraven om de hooiberg een tijdje te doorzoeken tot hij een stuk trof dat wat klonteriger aanvoelde dan de rest, waar hij toen met zijn staalbeslagen schoen herhaaldelijk tegen schopte.
'Au!'
'C mol,' zei Govd. 'Goeiemorgen, Klif. Hallo, wereld! Ik geloof niet dat ik opgewassen ben tegen dit jachtige macrobiotische leven – al die kool, dat dunne bier, die ratten die je aldoor lastig vallen –'
Klif kwam te voorschijn gekropen.
'Dat ammoniumchloride van gisteravond moet wel heel beroerd zijn geweest,' zei hij. 'Zit mijn schedeldak er nog op?'
'Ja.'
'Jammer.'
Ze sleurden Bitumen er aan zijn schoenen uit en door hem bij herhaling een dreun te verkopen brachten ze hem weer bij kennis.

'Jij bent onze reisleider,' zei Govd. 'Jij hoort ervoor te zorgen dat ons niks overkomt.'
'Nou, daddoeik toch?' mompelde Bitumen. 'Ik sla jou niet, meneer Govd. Waars Buddie?'
Het drietal liep om de hooiberg, met veel gepor in bulten die klam hooi bleken te zijn.
Ze troffen hem aan op een bultje op de akker, niet ver daarvandaan. Er groeiden daar wat hulstheesters, krom geboetseerd door de wind. Onder eentje ervan zat hij te zitten met zijn gitaar op zijn knieën, en de regen plakte zijn haar in pieken op zijn gezicht.
Hij sliep en was door en doorweekt.
Op zijn schoot speelde de gitaar regendruppeltjes.
'Hij doet eng,' zei Bitumen.
'Nee,' zei Govd. 'Hij staat onder de druk van een vreemde dwang die hem leidt langs duistere wegen.'
'Eng dus.'
De regen minderde wat. Klif keek eens naar de lucht.
'Zon staat al hoog,' zei hij.
'Nee toch!' zei Bitumen. 'Hoelang sliepen jullie?'
'Zeg maar tot ik wakker werd,' zei Klif.
'Het is al haast middag. Waar heb ik de paarden gelaten? Heeft iemand de kar nog gezien? Laat iemand hem wakker maken!'
Weldra waren ze weer op weg.
'En zal ik eens wat zeggen?' zei Klif. 'We waren gisteravond zo gauw al weer weg dat ik niet eens weet of ze is komen opdagen.'
'Hoe heette ze?'
'Kweet niet,' zei de trol.
'Ja hoor, dat is pas liefde,' zei Govd.
'Heb jij dan geen greintje romantiek in je ziel?' zei Klif.
'Elkaar kruisende blikken in een drukke menigte?' zei Govd.
'Nee, niet wat je noemt –'
Ze werden opzij geduwd, want Buddie boog zich naar voren.
'Koppen dicht,' zei hij. Zijn stem klonk zacht en vertoonde geen enkel spoortje humor.
'We maakten maar geintjes,' zei Govd.
'Niet doen.'
Bitumen bepaalde zijn aandacht tot de weg, want hij voelde dat de sfeer ongezellig was.
'Jullie zien zeker wel uit naar dat Festival?' zei hij na een tijdje.
Niemand gaf antwoord.
'Het zalderwel stampend druk worden,' zei hij.
Er heerste stilte, afgezien dan van het hoefgeklepper en kargeratel. Ze zaten nu tussen de heuvels, waar de weg langs een kloof

slingerde. Er was daar in de diepte niet eens een rivier, behalve in het natste seizoen. Het was een sombere streek. Bitumen voelde hem nog somberder worden.
'Jullie zullen vast wel lol hebben,' zei hij ten slotte.
'Bitumen?' zei Govd.
'Ja, meneer Govd?'
'Let jij nou maar op de weg.'

De Aartskanselier poetste onder het lopen zijn staf. Het was een bijzonder fraaie, een meter tachtig lang en heel toverkrachtig. Niet dat hij veel toverde. Naar zijn ervaring was iets waar je niet vanaf kwam door een paar meppen met menslang eikenhout, waarschijnlijk tevens immuun voor toverij.
'Dacht je niet dat we de gevorderde tovenaars hadden moeten meenemen, heer?' vroeg Pander die hem maar moeizaam bijhield.
'Helaas zou door hen in hun huidige geestestoestand mee te nemen al wat eventueel gebeurt alleen maar –' Ridiekel zocht een geschikte zinswending, maar nam genoegen met – 'erger gebeuren. Ik stond erop dat ze in het gebouw bleven.'
'Maar Dranko dan, en de anderen?' zei Pander hoopvol.
'Zou je daar wat aan hebben als zich een thaumaturgische dimensiescheur van enorme afmetingen voordeed?' zei Ridiekel. 'Ik weet nog van meneer Hang. Zó schotelde hij nog iemand zijn bestelde dubbele portie schelvis met lekker pappige erwtjes voor, en opeens...'
'Kaboem?' zei Pander.
'"Kaboem"?' zei Ridiekel terwijl hij zich door de straatdrukte wrong. 'Niet naar wat ik hoorde. Meer zo van "Aaaaaiiikrijskraakbotje-kraakbotje-krak" en een regen van bak- en braadwaren. Stellen die Grote Gekke Arie en zijn vriendjes nog wat voor als de rapen gaar zijn?'
'Uh. Waarschijnlijk niet, Aartskanselier.'
'Juist. Iedereen rent maar wat rond en gilt. Dat heeft nooit iets uitgehaald. Een broekzak vol fatsoenlijke bezweringen en een goed geladen staf redden je negen van de tien keer uit de penarie.'
'Negen van de tien keer?'
'Juist.'
'Hoeveel keer heb je je er dan al op moeten verlaten, heer?'
'Nou... eerst bij meneer Hang... dat gedoe met het Ding in de hangkast van de Administrateur... die draak, je weet nog wel...' Ridiekels lippen bewogen zwijgend terwijl hij zijn vingers aftelde. 'Negen keer, tot nu toe.'
'En het werkte elke keer, heer?'

'Zonder mankeren! Dus er is geen reden voor zorgen. Aan de kant! Opzij voor een tovenaar.'

De stadspoort stond open. Govd boog zich naar voren toen de kar naar binnen bolderde.
'Ga niet meteen naar het park,' zei hij.
'Maar we bennen al te laat,' zei Bitumen.
'Dit duurt maar even. Ga eerst langs de Sluwe-Ambachtenstraat.'
'Da's helemaal aan de overkant van de rivier!'
'Het is belangrijk. We moeten iets afhalen.'
Er liepen drommen op straat. Dat was niet ongewoon, maar ditmaal ging de meerderheid wel een en dezelfde kant op.
'En ga jij laag achterin de kar zitten,' zei Govd tegen Buddie. 'We kunnen nu geen jonge meiden hebben die jouw kleren eraf proberen te rukken, nou, Buddie..?'
Hij draaide zich om. Buddie was weer in slaap gevallen.
'Ik voor mij –' begon Klif.
'Jij hebt alleen maar een lendendoekje,' zei Govd.
'Nou, dat kunnen ze toch ook wel grijpen?'
De kar vervolgde zijn kronkelweg door de straten tot hij de Sluwe-Ambachtenstraat in draaide.
Dat was een straat vol kleine zaakjes. In deze straat kon je alles laten maken, repareren, wrochten, revideren, nabootsen of vervalsen. Achter elke deuropening gloeide een smidsvuur; op ieder achtererf rookte een smeltoven. Scheppers van ragfijne opwindeieren werkten er zij aan zij met wapensmeden. Timmerlui waren buren van lieden die ivoor tot zulke tere poppetjes sneden dat ze bronzen afgietsels van sprinkhaanpootjes als zaagjes gebruikten. Ten minste één op de vier ambachtslieden vervaardigde gereedschappen ten gebruike van de drie anderen. De percelen waren niet louter belendend, maar ze overlapten elkaar; als een schrijnwerker een grote tafel te maken had vertrouwde hij op de welwillendheid van zijn buren om hem ruimte te geven, zodat hij bijvoorbeeld aan het ene eind werkte terwijl twee juweliers en een pottenbakker het andere eind als werkbank gebruikten. Er waren zaken waar je 's ochtends kon langskomen om je de maat te laten nemen, om dan 's middags een driedelig maliënkostuum met extra pantalon af te halen.
De kar stopte voor een zeker winkeltje en Govd sprong eruit en ging naar binnen.
Bitumen kon het gesprek volgen:
'Heb je het gedaan?'
'Kijk eens aan, heerschap. Puntgaaf.'
'Maar is hij weer bespeelbaar? Je weet vast nog wel hoe ik zei

dat je wel veertien dagen in een ossenhuid gewikkeld achter een waterval moet zitten voor je zo'n ding als dit mag aanraken.'
'Hores, heerschap, voor dit soort bedrag werd het vijf minuutjes onder de douche met een zemenlap op mijn kop. Ga me nou niet vertellen dat dat niet goed genoeg is voor die volksmuziek.'
Er klonk een aangenaam geluid dat even in de lucht bleef hangen voor het in de nijvere herrie van de straat opging.
'Twintig daalders hadden we gezegd, niet?'
'Nee, jij zei twintig daalders. *Ik* zei vijfentwintig daalders.'
'Ogenblikje, dan.'
Govd kwam naar buiten en knikte tegen Klif.
'Vooruit maar weer,' zei hij. 'Hoest maar op.'
Klif gromde, maar tastte toch even achterin zijn mond.
Ze hoorden de sluwe ambachtsman zeggen: 'Wat is dat nou, verdomme?'
'Een kies. Waarde van ten minste –'
'Is wel goed.'
Govd kwam weer naar buiten met een zak, die hij onder de bok wegstopte.
'Mooi,' zei hij. 'Op naar het park.'

Ze kwamen binnen via een van de achterpoorten. Of dat probeerden ze, tenminste. Twee trollen versperden de weg. Ze vertoonden die glanzende marmerstructuur van de stereotiepe zware jongens van de bende van Chrysopraas. Gangsters had deze niet; het gangsten ging de meeste trollen boven de pet.
'Hier is het allenig voor de bents,' zei de een.
'Daklopt,' zei de ander.
'Wij *zijn* De Band,' zei Bitumen.
'Welke dan?' zei de eerste trol. 'Kep hier een lijssie.'
'Daklopt.'
'Wij zijn De Bonkband,' zei Govd.
'Poe, *die* zijn jullie niet. *Die* heb ik gezien. Der zit zo'n gast in met zo'n gloei deromheen, en als hij gitaarspeelt gaat dat van –'
Wauauauaummmmm-ieieie-ngngng.
'Da*klopt* –'
Het akkoord krulde zich om de kar.
Buddie was opgestaan, gitaar in de aanslag.
'Jee, wauw,' zei de eerste trol. 'Kijk nouwes!' Hij grutte tussen zijn lendendoekje en haalde er een verfomfaaid papier uit. 'Kun je hier misschien effies je naam opzetten? Mijn zoontje Klei zal me gewoon niet *geloven* dat ik jou –'
'Ja, ja,' zei Buddie vermoeid. 'Geef maar door.'
'Niet voor mijn hoor, voor mijn zoontje, Klei –' zei de trol terwijl hij van opwinding heen en weer hupte.

'Hoe spel je dat?'
'Kenniet schelen, hij ken toch niet lezen.'
'Hoor', zei Govd terwijl de kar het achter-de-schermengebied binnenrolde, 'er speelt al iemand. Ik *zei* toch al dat we –'
Daar kwam Snikkel aangesneld.
'Waar bleven jullie?' zei hij. 'Je moet zo dadelijk al op! Meteen na... De Kinkels. Hoe ging het? Bitumen, kom even mee.'
Hij troonde het trolletje mee naar het schemergebied achter de schermen.
'Heb je nog geld meegebracht?' vroeg hij.
'Zo'n drieduizend daalders –'
'Niet zo hard!'
'Ik fluister het alleen maar, meneer Snikkel.'
Snikkel tuurde behoedzaam rond. In Ankh-Meurbork bestond er geen fluisteren als het betrokken bedrag ergens de factor 'duizend' bevatte; in Ankh-Meurbork konden ze je zulke bedragen horen *denken*.
'Zorg dan wel dat je er goed op past, hoor. Er komt voor deze dag om is nog wel meer bij. Dan krijgt Chrysopraas zijn zevenhonderd daalders en de rest is schone wi–' Bijtijds zag hij Bitumens kraaloogjes en hij herstelde zich. 'Dan heb je vanzelf nog de afschrijving... vaste lasten... advertentiekosten... marktonderzoek... broodjes... mosterd... kortom, ik mag blij zijn als ik quitte speel. Ik snij gewoonweg in eigen vlees met dit zaakje.'
'Ja, meneer Snikkel.'
Bitumen gluurde om het randje van de coulissen.
'Wie staan daar te spelen, meneer Snikkel?'
'"Dee ik zelf".'
'Wat zeg je nou, meneer Snikkel?'
'Maar dan geschreven als DX 11,' zei Snikkel. Hij nam het er even van en trok een sigaar. 'Joost mag weten waarom. Het juiste soort naam voor een muziekgroep zou zoiets wezen als Blondie en zijn Vrolijke Minstreels. Stellen deze nog wat voor?'
'Weet je dat dan niet, meneer Snikkel?'
'Voor *mij* is dit geen muziek,' zei Snikkel. 'Toen ik nog een jongen was had je fatsoenlijke muziek met een echte tekst in het Ouds... "Alla liggan te vogela in hun nestas, maer thu hebbast die hic", van die dingen.'
Bitumen keek weer even naar DX 11.
'Och, zebben ritme en je kunderop dansen', zei hij, 'maar veel soeps isset niet. Ik bedoel, iedereen staat gewoon naar ze te kijken. Als De Band speelt stanenze niet gewoon maar te kijken, meneer Snikkel.'
'Je hebt gelijk,' zei Snikkel. Hij keek naar de voorkant van het podium. Tussen de kaarsen stond een rij muziekvallen.

'Ga ze dan maar gauw zeggen dat ze zich moeten klaarmaken. Ik geloof dat dit stelletje niks nieuws meer weet.'

'Uh. Buddie?'
Hij keek op van zijn gitaar. Enkele andere muzikanten stonden hun instrument te stemmen, maar hij hoefde dat nooit, had hij gemerkt. Hij kon het trouwens niet. De sleutels zaten vast.
'Wat is er?'
'Uh,' zei Govd. Hij gebaarde vaag naar Klif die met een schaapachtige grijns een zak achter zijn rug vandaan haalde.
'Dit is... och, we dachten zo... nou ja, wij allemaal dus', zei Govd, 'dat... nou, we zagen hem, snap je, en ik weet wel dat je zei dat hij niet te repareren viel maar in deze stad heb je lui die zowat *alles* kunnen dus vroegen we zo hier en daar, en we wisten hoeveel hij voor je betekende, en er zit zo'n vent in de Sluwe-Ambachtenstraat en die zei dat hij wel dacht dat het hem lukken zou en het kostte Klif nog wel een kies maar hier issie dan toch want je hebt gelijk, want we zitten nu wel degelijk aan de top van de muziekwereld en dat is dankzij jou en we weten hoeveel deze voor je betekende dus dit cadeau is een soort bedankje, nou, vooruit dan, *geef* hem dan.'
Klif die naarmate de zin langer werd zijn arm weer had laten zakken, stak de zak uit naar de voor raadselen gestelde Buddie.
Bitumen stak zijn hoofd om het gonjescherm.
'We moeten nodig het podium op,' zei hij. 'Kom op!'
Buddie zette de gitaar neer. Hij deed de zak open en begon aan de windsels daarin te trekken.
'Hij is gestemd en al,' zei Klif gedienstig.
Het laatste windsel viel weg en de harp glansde in de zon.
'Je staat ervan te kijken wat ze kunnen met lijm en zo,' zei Govd. 'Ik bedoel, ik weet dat je zei dat er niemand meer in Llawelos was die hem maken kon. Maar dit hier is Ankh-Meurbork. Hier krijgen we haast alles weer heel.'
'Toe nou!' zei het alweer opgedoken hoofd van Bitumen. 'Meneer Snikkel zegt dat je moet opkomen, ze beginnen al te gooien!'
'Ik ben niet zo'n held met snaren', zei Govd, 'maar ik probeerde hem toch maar even. Klinkt... best leuk.'
'Ik... uh... weet niet wat ik zeggen moet,' zei Buddie.
Het gejoel was niet meer van de lucht.
'Ik... heb deze gewonnen,' zei Buddie vanuit een eigen wereldje, heel in de verte. 'Met een lliedje. *Sioni Bod Da*, dat was het. Ik had er de heelle winter aan gewerkt. Gaat over... hoe goed het thuis is. En alls je dan weggaat, snap je? En over bomen en zo. De jury was er... heell bllij mee. Ze zeiden dat ik in vijftig jaar

misschien well echt wat van muziek zou begrijpen.'
Hij trok de harp tegen zich aan.

Snikkel wrong zich door het muzikantengewoel achter de schermen tot hij Bitumen tegenkwam.
'Nou?' zei hij. 'Waar zitten ze?'
'Ze zitten gewoon wat te praten, meneer Snikkel.'
'Hoor dan,' zei Snikkel. 'Hoor je die menigte? Bonk- en Rotsmuziek, dat willen ze! Als ze die niet krijgen... zorg nou maar dat ze die krijgen, ja? De spanning wat laten oplopen is tot daar aan toe maar... *ik wil ze nu onmiddellijk op het podium!*'

Buddie staarde naar zijn handen. Toen keek hij, wit weggetrokken, weer op naar het gewoel van de andere bands.
'Jij daar... met die gitaar...' zei hij hees.
'Ik, meneer?'
'Geef hier!'
Elke prille Ankh-Meurborkse groep had ontzag voor De Bonkband. De gitarist leverde zijn instrument in met een gezicht alsof hij een heilig voorwerp ter zegening aanbood.
Buddie staarde ernaar. Dit was een van meneer Weekdoms topstukken.
Hij sloeg een akkoord aan.
Het geluid klonk zoals lood klinken zou als je er gitaarsnaren van kon maken.
'Okee, lui, wat is er loos?' zei een aansnellende Snikkel. 'Terwijl daar zesduizend oren zitten te wachten om zich met muziek te laten vullen zitten jullie hier maar te zitten?'
Buddie droeg de gitaar weer over aan de muzikant en draaide zijn eigen instrument voor zijn buik. Hij speelde een paar noten die wel fonkelend door de lucht leken te zweven.
'Maar *hier* kan ik wel op spelen,' zei hij. 'Ja, hoor.'
'Mooi, prima, ga daar dan maar gauw spelen,' zei Snikkel.
'Geef me nog eens een gitaar, iemand!'
Muzikanten struikelden over elkaar om hem er een te geven. Radeloos probeerde hij er op enkele te tokkelen. Maar ze klonken niet zomaar vals. Vals was een hele verbetering geweest.
De afvaardiging van het Muzikantengilde had een plekje vlakbij het podium weten te bemachtigen door eenvoudigweg elke mededinger een mep te verkopen.
Meneer Kliet keek grimmig naar het podium.
'Ik snap er niks van,' zei hij. 'Het is troep. Allemaal hetzelfde. Gewoon maar herrie. Wat is daar nou zo goed aan?'
Slijm Deegvis, die zich al twee maal had moeten inhouden om niet met zijn voet mee te tikken zei: 'We hebben het hoofdnum-

mer nog niet gehad. Uh. Wil je echt wel –'
'We staan in ons recht,' zei Kliet. Hij keek naar de schreeuwende massa om hen heen. 'Daar staat een worstjesventer. Lust iemand soms een worstebroodje? Worstebroodje?' De gildelieden knikten. 'Worstebroodje? Goed. Dat wordt dan drie w–'
Het publiek juichte. Niet op de manier waarop publiek doorgaans klapt, door aan een kant te beginnen en dan van daaruit kabbelend uit te breiden, maar overal tegelijk, waarbij elke mond op het zelfde ogenblik openging.
Klif was al op het podium gekropen. Hij ging achter zijn keien zitten en keek wanhopig achterom naar de coulissen.
Ogenknipperend tegen het licht kwam Govd opgeslenterd.
En dat was het dan, kennelijk. De dwerg draaide zich om en zei iets dat in het lawaai teloorging, en bleef toen bedremmeld staan kijken terwijl het gejuich geleidelijk stilviel.
Toen kwam Buddie op, enigszins wankel, alsof hij geduwd was.
Tot op dit moment had meneer Kliet gedacht dat de menigte schreeuwde. En toen besefte hij dat dit louter instemmend gemompel was, vergeleken met wat zich nu voordeed.
Het ging maar door en de jongeman stond daar maar, met gebogen hoofd.
'Maar hij *doet* niks,' schreeuwde Kliet in het oor van Deegvis. 'Waarom juichen ze er nou om dat hij niks doet?'
'Zou het niet weten, meneer,' zei Deegvis.
Hij keek om zich heen naar de glimmende, starende, *hongerige* gezichten en voelde zich als een atheïst die verdwaald is geraakt in een Heilige Communie.
De toejuichingen hielden niet op. Ze zwollen zelfs aan toen Buddie langzaam zijn handen optilde naar zijn gitaar.
'Hij doet *helemaal* niks!' krijste Kliet.
'Hij heeft ons mooi te pakken, meneer,' bulderde Deegvis. 'Zo maakt hij zich niet schuldig aan muziekmaken zonder van het Gilde te zijn, als hij niet speelt!'
Buddie richtte zijn hoofd op.
Hij keek zo strak naar het publiek dat Kliet halsreikend probeerde te zien waar die rotjongen toch zo naar staarde.
Er was niets. Er was een heel plekje van, direct voor het podium.
Overal zat men op elkaar gepakt maar daar, direct voor het podium, was een plekje opengelaten gras. Buddies aandacht leek eraan vastgenageld.
'Joe-joe-joe...'
Kliet sloeg zijn handen voor zijn oren maar zijn hoofd weergalmde met het geweld van het gejuich.
En toen, heel geleidelijk, laagje voor laagje, stierf het weg. Het

maakte plaats voor het geluid van duizenden doodstil zwijgende toeschouwers wat ergens, vond Deegvis, heel wat gevaarlijker was.

Govd keek even naar Klif die een gezicht trok.
Buddie stond daar nog steeds met zijn blik strak op het publiek.
Als hij niet gaat spelen, dacht Govd, *zijn we er geweest.*
Hij siste naar Bitumen, die naderbij sloop.
'Staat de kar klaar?'
'Ja, meneer Govd.'
'De paarden volgegoten met haver?'
'Precies zoals je zei, meneer Govd.'
'Goed.'
De stilte was als fluweel. En had diezelfde zuigende hoedanigheid als in de kamer van de Patriciër en in heilige plaatsen en diepe ravijnen, wat bij iedereen de vreselijke lust teweegbrengt om te gaan schreeuwen of zingen of je naam te roepen. Het was een stilte die zwijgend eiste: vul mij op.
Ergens in het donker moest iemand hoesten.

Bitumen hoorde iemand aan de rand van het podium zijn naam sissen. Met geweldige tegenzin schuifelde hij naar dat donker, waar Snikkel hem panisch stond te wenken.
'Die zak, weet je wel,' zei Snikkel.
'Ja, meneer Snikkel. Die heb ik in –'
Snikkel hield twee kleine maar heel zware zakjes op.
'Giet deze erbij en hou je klaar om er als een haas vandoor te gaan.'
'Ja, dattis prima, meneer Snikkel, want Govd zei –'
'Doe het, nu!'

Govd keek om zich heen. *Als ik de hoorn en de helm en dit maliënkolder weggooi,* dacht hij, *breng ik het er misschien nog net levend vanaf. Wat* doet *hij nou?*
Buddie legde de gitaar neer en liep naar de coulissen. Hij was alweer terug voor het publiek besefte wat er gebeurde. Hij had de harp bij zich.
Hij ging met zijn gezicht naar het publiek staan.
Govd, die het dichtst bij hem stond, hoorde hem mompelen: 'Eén keertje maar? Toe? Nog maar één keertje? En dan zall ik allllles doen wat je willt? Ik betaall er dus voor.'
Flauw klonken er wat vage akkoorden uit de gitaar.
'Ik meen het, hoor.'
Er klonk weer een akkoord.

'Eén keertje maar.'
Buddie lachte even naar een lege plek tussen het publiek en zette het op een spelen.

Elke noot klonk zo klaar als een klok en zo helder als zonlicht – zodat hij door het prisma van je brein werd gebroken en opflitste in miljoenen kleuren.
Govds mond zakte open. En toen vouwde de muziek zich uit in zijn hoofd. Het was geen Bonk- en Rotsmuziek, al gebruikte hij dezelfde deuren. De notenregen riep herinneringen op aan zijn geboortemijn, aan dwergenbrood zoals Ma dat altijd plette op haar aanbeeld, aan het ogenblik waarop hij voor het eerst besefte dat hij verliefd was.* Hij dacht weer aan het leven in de grotten onder de Koperkopse berg, van voor dat de stad hem geroepen had, en boven alles verlangde hij ernaar om weer thuis te zijn. Nooit had hij gedacht dat mensen zo *diep*, met zoveel *ziel* konden zingen.
Klif legde zijn mokers neer. In zijn verweerde oren kropen dezelfde noten, maar in zijn geest werden het steengroeven en kale hellingen. Hij beloofde zichzelf, nu zijn hoofd vervuld raakte van de rook van de weemoed, dat hij onmiddellijk hierna zou terugkeren om te zien hoe het met zijn oude moeke gesteld was, om dan nooit meer te vertrekken.
Meneer Snikkels eigen geest baarde zowaar vreemde, verwarrende gedachten. Er kwamen dingen in voor die je niet mocht verkopen en waarvoor je niet hoefde te betalen...

De Lector Recentelijke Runen stompte tegen de kristallen bol.
'Het geluid is wel wat dun,' zei hij.
'Ga eens opzij, ik zie niks,' zei de Hoofddekaan.
Recentelijke Runen ging weer zitten.
Ze staarden naar het kleine beeldje.
'Dit klinkt niet als Bonk- en Rotsmuziek,' zei de Administrateur.
'Stil nou,' zei de Hoofddekaan. Hij snoot zijn neus.
De muziek was droef. Maar hij liet die droefheid fier wapperen als een krijgsvaandel. Het heelal had er alles aan gedaan, zei hij, maar jij leefde nog steeds.
De Hoofddekaan, die even snel geroerd raakte als een klodder warme pap, vroeg zich af of hij misschien mondharmonica kon leren spelen.

De laatste toon stierf weg.
Er kwam geen applaus. De toehoorders zakten een beetje in,

*Dat goudklompje moest hij nog steeds ergens hebben.

terwijl ieder voor zich neerdaalde van zijn eigen mijmerhoekje. Er waren er die iets mompelden van 'Jemig ja, zo ligt dat' of 'Nou broer, anders ik wel'. Heel wat lui snoten hun, of soms ook andermans neus.
En toen kwam de werkelijkheid weer aangeslopen, zo gaat dat nu eenmaal.
Govd hoorde Buddie heel zachtjes 'Dank je' zeggen.
De dwerg boog zich wat opzij en zei uit zijn mondhoek: 'Wat was dat?'
Het was net of Buddie wakker schrok.
'Wat? O. Dat heet *Sioni Bod Da.** Wat vond je?'
'Het is diep, het heeft... ziel,' zei Govd. 'Er zit echt ziel in.'
Klif knikte. Als je ver van je vertrouwde mijn of berg bent, als je eenzaam tussen vreemden verkeert, als je van binnen niets anders bent dan een heel groot niets... alleen dan zing je de ware *ziel*.
'Ze kijkt naar ons,' fluisterde Buddie.
'Dat onzichtbare meisje?' zei Govd met een blik op het lege gras.
'Ja.'
'Ach, ja. Ik zie haar inderdaad niet. Mooi. Maar als je deze keer geen rotsmuziek speelt is het met ons gedaan.'
Buddie pakte zijn gitaar. De snaren beefden onder zijn vingers. Hij voelde zich opgetogen. Hij had *daar*op mogen spelen, voor al die lui daar. Verder was alles nu van geen belang. Wat daarna nog gebeurde deed er niet toe.
'Denk maar niet dat je al wat gehoord hebt,' zei hij.
Hij liet zijn voet stampen.
'Eén, twee, een twee drie vier –'
Govd kon nog net de melodie herkennen voordat de muziek hem overrompelde. Hij had hem pas een paar tellen geleden nog gehoord. Maar nu zat de *bonk* erin.

Pander gluurde in zijn kistje.
'Ik geloof dat we dit opvangen, Aartskanselier', zei hij, 'maar ik weet niet wat het is.'
Ridiekel knikte en bekeek het publiek. Men luisterde met open mond. De harp had de boender over hun ziel gehaald en nu zette de gitaar hun ruggengraat onder stroom.
En bij het podium was een lege plek.
Ridiekel legde een hand over zijn ene oog en tuurde tot het andere ervan traande. Toen lachte hij even.
Hij keek om naar het Muzikantengilde en zag Slijm Deegvis tot

*Llaweloos voor 'Jantje Wees Goed'.

zijn afgrijzen aanleggen met een kruisboog. Het scheen dat hij dit met tegenzin deed; meneer Kliet stond in hem te porren.
Ridiekel stak een vinger op en deed alsof hij aan zijn neus krabde. Zelfs boven het luide spelen uit hoorde hij hoe de kruisboogpees met een hoog *toing* knapte en hoe meneer Kliet tot zijn stiekeme vreugde een gilletje slaakte toen het losse eind zijn oor raakte. Daar had hij zelf niet eens aan gedacht.
'Tja, ik ben ook zo'n watje, hè,' zei Ridiekel in zichzelf. 'Hè. Hè. Hè.'

'Dit was een hartstikke goed idee, zeg,' zei de Administrateur bij de bewegende beeldjes in de kristallen bol. 'Wat een prachtmanier om van alles te zien. Zouden we misschien ook even in de Opera kunnen kijken?'
'En anders de Bunzingclub, in de Brouwersstraat?' zei de Bovenstalmeester.
'Hoezo?' zei de Administrateur.
'Ach, zomaar,' zei de Bovenstalmeester vlug. 'Niet dat ik er ooit van mijn leven geweest ben, begrijp me goed, hoor.'
'Eigenlijk horen we dit helemaal niet te doen,' zei de Lector Recentelijke Runen. 'Het is eigenlijk geen fatsoenlijke toepassing van een toverbol –'
'Ik weet gewoon geen betere toepassing voor een toverbol', zei de Hoofddekaan, 'dan ermee te kijken naar lui die Bonk- en Rotsmuziek spelen.'

De Eendenman, Roggelaatje, Arnoud Zijdelings, Vieze Ouwe Henkie en Vieze Ouwe Henkies Stank en Vieze Ouwe Henkies hond dwaalden langs de rand van de menigte. Men had uitzonderlijk veel in de wacht gesleept. Dat was steeds zo als er met worstebroodjes werd gevent. Je had van die dingen die niemand wou eten, zelfs niet onder invloed van Rots- en Bonkmuziek. Je had van die dingen die zelfs met mosterd niet te vermommen waren.
Arnoud raapte de kliekjes op en deed ze in een mandje op zijn wagentje. Dat werd later vanavond onder de brug nog een vorstelijke oersoep.
De muziek was over hen heen gespoeld. Het deed hen niets. Rots- en Bonkmuziek kwam uit een droomwereld en onder de brug deed je niet aan dromen.
Toen waren ze blijven staan om te luisteren, want er stroomde een nieuwe muziek over het park die elke man en vrouw en elk ding bij de hand nam om hem, haar of het de weg naar huis te laten zien.
De bedelaars bleven met open mond staan luisteren. Iemand

die de gezichten één voor één had bekeken, *als* er al iemand naar de onzichtbare bedelaars keek, zou zich hebben moeten afwenden...
Behalve dan van meneer Boender. Daarvan viel niks af te wenden.
Toen de band weer Rots- en Bonkmuziek speelde kwamen de bedelaars weer met beide benen op de grond terecht.
Behalve dan meneer Boender. Die bleef maar staan kijken.

De laatste noot verklonk.
En toen, net toen de tsunami van toejuichingen begon aan te rollen, holde De Band weg in de duisternis.
Snikkel keek vergenoegd toe van tussen de coulissen aan de overkant. Hij had eerst nog eventjes in de rats gezeten, maar nu leek alles weer in het gareel.
Er trok iemand aan zijn mouw.
'Wat doen ze nou, meneer Snikkel?'
Snikkel keek om.
'Jij bent toch Vullis?' zei hij.
'Nee, Beuk, meneer Snikkel.'
'Wat zij doen, Vullis, is het publiek niet geven wat het wil,' zei Snikkel. 'Supercommercieel. Wachten tot ze erom krijsen, en het dan weghalen. Wacht maar af. Zodra die lui met hun voeten gaan stampen komen ze weer het podium opgestiefeld. Op exact het juiste moment. Als jij dat kunstje ook eens leert, Vullis –'
'Nee, Beuk, meneer Snikkel.'
'–ja, *dan* kon je misschien ook eens Rots- en Bonk spelen. Rots- en Bonkmuziek, Vullis –'
'– nee, Beuk –'
'– is niet *zomaar* muziek,' zei Snikkel terwijl hij wat propjes watten uit zijn oren trok. 'Het is van alles. Vraag me niet hoe dat kan.'
Snikkel stak een sigaar op. Het kabaal liet het lucifervlammetje flakkeren.
'Elk ogenblik nu,' zei hij. 'Wacht maar.'

Er brandde een vuurtje van een stapel oude schoenen en prut. Een grauwe gedaante draaide er in een kringetje omheen, onder opgewonden gesnuffel.

'Stap in, stap in, stap *in*!'
'Dit zammeneer Snikkel niks bevallen,' jammerde Bitumen.
'Dan heeft meneer Snikkel pech gehad,' zei Govd terwijl ze Buddie de kar in hesen. 'En laat nou de vonken van die hoeven vliegen, gesnopen?'

'Neem de weg naar Quorm,' zei Buddie, net toen de kar met een schok op gang kwam. Hij wist niet waarom. Het leek gewoon een bestemming die *klopte*.
'Niet zo'n goed idee,' zei Govd. 'Ze zullen daar vast meer willen weten over die kar die ik uit dat zwembad viste.'
'Neem de weg naar Quorm!'
'Dit zammeneer Snikkel vanzeleveniks bevallen,' zei Bitumen terwijl de kar de weg opdraaide.

'Elk... ogenblik... nu,' zei Snikkel.
'Dat neem ik wel aan', zei Beuk, 'want ik geloof dat ze nou aan het stampen zijn.'
Door het gejuich viel inderdaad enig stampen te beluisteren.
'Let maar eens op,' zei Snikkel. 'Ze zullen het *precies* uitkienen. Geen centje pijn. Auwk!'
'Je hoort je sigaar wel andersom in je mond te steken hoor, meneer Snikkel,' zei Beuk bedeesd.

De wassende maan verlichtte het landschap toen de kar door de poort de weg naar Quorm op hotste.
'Hoe wist je nou dat ik de kar klaar had laten zetten?' zei Govd, net toen ze na een korte vlucht weer neerdaalden.
'Wist ik niet,' zei Buddie.
'Maar je holde toch weg!'
'Ja.'
'Waarom?'
'Het was... gewoon... tijd.'
'Waarom wil je eigenlijk naar Quorm?' vroeg Klif.
'Daar kan ik... kan ik toch de boot naar huis nemen?' zei Buddie. 'Ja, zo is het. De boot naar huis.'
Govd keek even naar de gitaar. Dit klonk fout. Het kon toch niet zomaar ophouden... en zij er dan zeker zomaar van afkomen....
Hij schudde zijn hoofd. Wat kon er nu nog misgaan?
'Dit zammeneer Snikkel niksvanzeleven bevallen,' jammerde Bitumen.
'Ach, hou toch je kop,' zei Govd. 'Wat kan *hem* er nou niet aan bevallen?'
'Nou, om te beginnen', zei Bitumen, 'de *hoofd*zaak, wattum het minst zal bevallen, dat is... uh... dat wij het geld hebben...'
Klif voelde onder de bok. Er klonk een dof gerinkel, zoals van een hele hoop goud dat zich lekker ligt koest te houden.

Het podium rammelde mee met de trillingen van het stampen. Er werd nu ook wat geschreeuwd.
Snikkel keek met een gruwelijke grijns opzij naar Beuk.

'Hé zeg, ik *krijg* me toch een reuze-idee,' zei hij.

Een piepklein gedaantetje krabbelde uit de rivier de weg op. In het verschiet gloeiden de lampjes van het podium door de schemering.

De Aartskanselier gaf Pander een por en wapperde met zijn staf.
'Welnu', zei hij, 'als er opeens een scheur in de werkelijkheid komt en daar komen akelig krijsende Dingen doorheen, dan is het onze klus om ze hun zaligheid te geven. Om –' Hij krabde zich op zijn hoofd. 'Hoe zegt de Hoofddekaan dat ook weer? De berk erin te zetten?'
'De beuk erin, meneer,' zei Pander. 'De beuk erin zetten, zegt hij.'
Ridiekel tuurde naar het lege podium.
'Zie er nergens een,' zei hij.

De vier leden van De Band zaten rechtop en keken recht vooruit over de maanbeschenen vlakte.
Op het laatst verbrak Klif de stilte.
'Hoeveel?'
'Zeg maar vijfduizend daalders –'
'VIJFDUIZEND *DAAL*–?'
Klif klemde zijn enorme hand om Govds mond.
'Hoe kwam dat?' vroeg Klif terwijl de dwerg zich in bochten wrong.
'MMFMMMFND *MMFLMMF*?'
'Kwas wat in de war,' bekende Bitumen. 'Tspijt me.'
'We komen nooit ver genoeg,' zei Klif. 'Dat weet je toch? Zelfs niet als we doodgaan.'
'Ik probeerdenut nog te zeggen!' jammerde Bitumen. 'Misschien... misschien kunnewut trugbrengen?'
'MMF *MMF*MMNGN?'
'Hoe zou dat dan moeten?'
'MMF *MMF*MMNGN?'
'Govd', zei Klif op een toon die voor rede vatbaar was, 'ik ga mijn hand van je mond halen. En dan ga jij niet schreeuwen. Okee?'
'Mmf.'
'Goed.'
'HET *TERUG*BRENGEN? VIJFDUIZEND *DAAL*– mmfmmfmmf–'
'Ik neem aan dat een deel ervan van ons is,' zei Klif, en hij klemde zijn hand nog wat vaster.
'Mmf!'

'*Ik* heb noggeen loongad, zeker weten,' zei Bitumen.
Klif krabde met zijn vrije hand onder zijn kin.
'Drissookwat van Chrysopraas bij,' zei Bitumen. 'Meneer Snikkel leende wat geld vannum ommut Festival op te zetten.'
'*Die* ontloop je niet', zei Klif, 'behalve als we helemaal doorrijden naar de Velg en ons dan over de rand knikkeren. En dan is het nog de vraag.'
'We zouwenut toch... kunnen... uitleggen?' zei Bitumen.
Voor hun geestesoog verscheen de glanzend marmeren kop van Chrysopraas.
'Mmf.'
'Nee.'
'Quorm, dus,' zei Buddie.
Klifs diamanten tanden schitterden in het maanlicht.
'Ik dacht...' zei hij, 'ik dacht net... dat ik een stukje terug wat hoorde. Net paardentuig –'

De onzichtbare bedelaars maakten aanstalten om van het park weg te dwalen. Vieze Ouwe Henkies Stank was nog even gebleven, omdat hij de muziek zo leuk vond. En meneer Boender had zich niet verroerd.
'We hebben zowat twintig worstjes,' zei Arnoud Zijdelings.
Rochelaatje rochelde een rocheltje met botjes erin.
'Benzeblazerd?' zei Vieze Ouwe Henkie. 'Zei'k het niet, mij effies bespioneren, met stralen!'
Iets kwam met sprongen over het gras op meneer Boender af, rende langs zijn mantel omhoog en greep hem met beide klauwtjes ter weerszijden aan zijn kap.
Er klonk de holle bons van twee elkaar rakende schedels.
Meneer Boender wankelde achteruit.
PIEP!
Meneer Boenders oogkassen knipperden en hij ging pardoes zitten.
De bedelaars staarden verbaasd naar het poppetje dat daar op de keien op en neer wipte. Zelf ook al van de onzichtbare zijnde waren ze heel behendig in het zien van wat ongezien blijft voor andere lieden of, waar het Vieze Ouwe Henkie betrof, voor elk denkbaar oog.
'Hé, da's een rat,' zei de Eendenman.
'Bejjeblazerd,' zei Vieze Ouwe Henkie.
De rat steigerde onder luid gepiep in kringetjes rond. Meneer Boenders oogkassen knipperden nog eens... En De Dood kwam overeind.
IK MOET WEG, zei hij.
PIEP!

De Dood schreed weg, stond stil en kwam weer terug. Hij wees met een knokige vinger naar de Eendenman.
WAAROM, zei hij, LOOP JIJ MET DIE EEND OP JE HOOFD?
'Wat voor eend?'
ACH. NEEM ME NIET KWALIJK.

'Hoor nou, wat kan er nou misgaan?' zei Beuk met een wanhopig gebaar. 'Het *moet* gewoon lukken. Als je je grote kans krijgt omdat de ster ziek is of zo, dan weet iedereen dat het publiek meteen weg van je is. Dat gebeurt toch aan de lopende band?'
Jopo, Knakkie en Vullis gluurden tussen de gordijnen door naar het tumult. Ze knikten weifelend.
Maar *natuurlijk* liep alles goed af als je eenmaal je grote kans kreeg...
'We *kunnen* eventueel "Anarchie in A-M" doen,' twijfelde Jopo.
'Dat hebben we nog niet onder de knie,' zei Knakkie.
'Jewel, maar dat zijn we wel gewend.'
'Nou ja, dan kunnen we het net zo goed proberen...'
'Mooi zo!' zei Beuk. Hij stak zijn gitaar uitdagend omhoog. 'Doe maar! Alles voor sex en drugs en Rots- en Bonkmuziek!'
Hij voelde gewoon hun ongelovige blikken.
'Heb je nooit gezegd, dat je drugs had,' zei Jopo verwijtend.
'En trouwens', zei Knakkie, 'volgens mij heb je ook nooit –'
'Eén van de drie raak is nog niet zo beroerd!' riep Beuk.
'Jazeker wel, het is maar drieëndertig pro–'
'Kop dicht!'

Men stampvoette en klapte in zijn handen van spottende minachting.
Ridiekel tuurde langs zijn staf.
'Nou had je ooit wel die Zalige Sint Bobje,' zei hij. 'Die had ook geen beuk, maar wel zaligheid, dus.'
'Pardon?' zei Pander.
'Dat was een ezeltje,' zei Ridiekel. 'Honderden jaren geleden. Werd bisschop gemaakt in de Omse kerk, vanwege het dragen van een heilig persoon, geloof ik. En toen werd hij zalig.'
'Nee... nee... nee... Aartskanselier,' zei Pander. 'Het zijn maar zeg maar zegswijzen. Iemand zijn zaligheid geven, de beuk erin. Dat is iemand bij zijn... je weet wel, meneer... zijn kladden, zijn lurven grijpen.'
'Ik vraag me dan wel af waar die zitten,' zei Ridiekel. 'En helemaal bij die schepsels uit de kerkerdimensies, met al die poten en zo.'
'Ik weet het ook niet, meneer,' gaf Pander het op.

'Misschien moeten we ze dan maar overal bij grijpen, voor de zekerheid.'

De Dood wist de rat in te halen bij de Koperen Brug.
Niemand had Albert aangeroerd. Aangezien hij in de goot lag was hij haast even onzichtbaar als Rochelaatje.
De Dood rolde een mouw op. Hij stak zijn hand door de stof van Alberts jas alsof die maar een nevel was.
DIE STOMME OUWE HALVE GARE NAM HEM OOK ALTIJD MEE, mompelde hij. IK HEB GEEN IDEE WAT HIJ DACHT DAT IK ERMEE ZOU KUNNEN UITHALEN...
De hand dook weer op, met een krom stukje glas in de palm. Er schitterde een mespuntje zandkorrels op.
VIERENDERTIG SECONDEN, zei de Dood. Hij gaf het glas door aan de rat. ZOEK IETS OM DIT IN TE DOEN. EN NIET LATEN VALLEN.
Hij ging staan en nam de wereld in ogenschouw.
Met het *gloing-gloing-gloing* van een over de keien stuiterende lege bierfles kwam de rat weer teruggedraafd uit de Gelijmde Trom.
Vierendertig seconden aan zand wervelden er wat doelloos in rond.
De Dood hees zijn bediende overeind. Voor Albert verliep er nu geen tijd. Zijn ogen stonden glazig, zijn biologische klok stond in zijn vrij. Hij hing aan de arm van zijn meester als een lorrig confectiepak.
De Dood griste de fles uit de klauwtjes van de rat en hield hem voorzichtig wat schuin. Er begon weer wat leven te stromen.
WAAR IS MIJN KLEINDOCHTER? zei hij. JE MOET HET ME ZEGGEN. ANDERS KAN IK HET NIET WETEN.
Alberts ogen knipten open.
'Ze probeert die jongen te redden, Meester!' zei hij. 'Ze beseft niet wat het woord Plicht betekent –'
De Dood hield de fles weer recht. Albert verstarde middenin zijn zin.
MAAR DAN JIJ, NIETWAAR? zei de Dood wrang. EN ANDERS IK WEL.
Hij knikte naar de Dood der Ratten.
PAS GOED OP HEM, zei hij.
De Dood knipte met zijn vingers.
Er gebeurde niets, afgezien van dat knippen.
UH. DIT IS HEEL GÊNANT. ZIJ HEEFT IETS VAN MIJN MACHT. IK BEN BLIJKBAAR TIJDELIJK NIET IN STAAT OM... UH...
De Dood der Ratten piepte gedienstig.
NEE. JIJ PAST OP HEM. IK WEET WAAR ZE HEENGAAN. GESCHIEDENIS IS GEK OP KRINGLOPEN.

De Dood keek naar de boven de daken uitstekende torens van de Gesloten Universiteit.
EN ER IS HIER IN DE STAD ERGENS EEN PAARD WAAROP IK RIJDEN KAN.

'Wacht even. Daar komt iets...' Ridiekel keek dreigend naar het podium. 'Wat zijn *dat* nu weer?'
Pander tuurde.
'Ik geloof... het *zouden* mensen kunnen zijn, meneer.'
De menigte had het gezamenlijke stampen gestaakt en zag het aan met een stilzwijgend 'nou moet het wel wat gaan voorstellen'.
Beuk stapte naar voren met een grote, glimmende, halfgare grijns.
'Jawel, maar ze kunnen elk ogenblik in tweeën splijten en dan komen die griezeldige wezens eruit,' zei Ridiekel hoopvol.
Beuk bracht zijn gitaar in de aanslag en sloeg een akkoord.
'Nee maar!' zei Ridiekel.
'Ja, meneer?'
'Dat klonk nou *precies* als een kat die zijn behoefte probeert te doen met een dichtgenaaide bips.'
Panders gezicht vertrok van afgrijzen. 'Maar meneer, je wilt toch niet zeggen dat je ooit –'
'Nee, maar het zou wel degelijk zo klinken. Precies zo.'
De menigte weifelde, onzeker omtrent deze nieuwe wending.
'Hallo, Ankh-Meurbork!' riep Beuk. Hij knikte naar Vullis, die bij de tweede poging zijn drums wist te raken.
Ende Ondersteunende Ghroepen stortte zich in zijn eerste en, na weldra bleek, laatste nummer. Drie laatste nummers, om precies te zijn. Beuk had zijn zinnen gezet op 'Anarchie in A-M', Jopo was verstard nu hij zich niet in een spiegel kon zien en speelde de enige bladzij uit Bart Weekdoms boek die hij zich kon herinneren, namelijk de inhoud, en Knakkie zat met zijn vingers klem tussen de snaren.
En wat Vullis betrof, namen van liedjes waren iets dat alleen anderen overkwam. Hij concentreerde zich op het ritme. De meesten hoeven dat niet. Maar voor Vullis vergde zelfs in je handen klappen heel wat concentratie. Dus speelde hij in zijn eigen tevreden wereldje zonder te merken dat het publiek als een slecht gevallen gerecht omhoogkwam en tegen het podium spatte.

Sergeant Dendarm en Korporaal Bollebos hadden dienst bij de Deosilse Poort en luisterden onder het genot van een gezamenlijke sigaret naar het kabaal van het festival in de verte.

'Klinkt als een drukke avond,' zei Sergeant Dendarm.
'Zeg dat wel, sezjant.'
'Klinkt naar moeilijkheden.'
'Mazzel dat wij dat mislopen, sezjant.'
Er kwam een paard de straat afgeklepperd, met een ruiter die zich maar met moeite in het zadel hield. Bij nadering hiervan ontwaarden zij de vertrokken gelaatstrekken van S.I.E.V. Snikkel, die reed met de behendigheid van een zak aardappelen.
'Kwam hier soms net een kar langs?' vroeg hij dringend.
'Welke kar, Vlees?' zei Sergeant Dendarm.
'Hoe bedoel je, welke kar?'
'Nou, het waren er twee,' zei de sergeant. 'Eentje met een paar trollen erin, en meteen daarna eentje met meneer Kliet. Je weet wel, het Muzikantengil–'
'O, nee toch!'
Snikkel zweepte het paard weer op gang en ging met grote sprongen de nacht in.
'Wat moest dat nou voorstellen?' zei Bobo.
'Iemand is hem zeker nog een duit schuldig,' zei Sergeant Dendarm die alweer op zijn speer leunde.
Nu klonk het geluid van nog een naderend paard. De wachters drukten zich plat tegen de muur toen het langsdaverde.
Het was groot en wit. De zwarte mantel van de berijder slierde erachteraan, net als haar haar. Er zoefde een windvlaag en weg waren ze, de vlakte op.
Bobo staarde ze na.
'Dat was *zij*,' zei hij.
'Wie?'
'Suzan Dood.'

Het licht in de bol kromp tot een stipje en doofde.
'Dat is dan drie dagen toverkracht waar ik naar fluiten kan,' kankerde de Bovenstalmeester.
'Welbesteed, tot op de laatste pocus,' zei de Leerstoel voor Onbepaalde Studiën.
'Toch lang niet zo goed als ze in lijve zien,' zei de Lector Recentelijke Runen. 'Zoals dat zweet dan op je druipt, dat heeft wel iets, in levenden lijve.'
'*Ik* vond dat het net ophield toen het goed begon te worden,' zei de Leerstoel. 'Ik vond –'
De tovenaars verstijfden van het gehuil dat door het gebouw galmde. Het was een pietsje dierlijk maar tevens mineraal, metalig, met iets van zaagtanden.
Na een tijdje zei de Lector Recentelijke Runen: 'Nou ja, louter dat we een ijselijke, bloedstollende kreet hoorden van dat soort

waarvan het merg in je beenderen bevriest, dat wil nog niet meteen zeggen dat er iets loos is.'
De tovenaars keken even op de gang.
'Het kwam van ergens beneden,' zei de Leerstoel voor Onbepaalde Studiën, al onderweg naar de trap.
'Waarom ga je dan naar *boven*?'
'Omdat ik niet achterlijk ben!'
'Maar wie weet is het een vreselijke miasmaverschijning!'
'Nee toch?' zei de Leerstoel, terwijl hij er nog een schepje opdeed.
'Nou, dan moet je het zelf maar weten. Dat is anders wel de studentenverdieping.'
'Ach. Uh –'
De Leerstoel kwam langzaam weer naar beneden, met af en toe een bange blik achterom.
'Hoor eens, niets komt hier binnen,' zei de Bovenstalmeester. 'Dit gebouw wordt beschermd door uiterst krachtige bezweringen.'
'Zo is het,' zei Recentelijke Runen.
'En die hebben we vast allemaal wel op geregelde tijden opgepept, dat is immers onze plicht,' zei de Bovenstalmeester.
'Uh. Ja. Ja. Natuurlijk,' zei Recentelijke Runen.
Daar had je het geluid weer. Onder die brul zat een traag kloppend ritme.
'De Bibliotheek, denk ik toch,' zei de Bovenstalmeester.
'Heeft iemand de laatste tijd de Bibliothecaris nog gezien?'
'Elke keer dat ik hem zie lijkt hij wel ergens mee te sjouwen. Je gelooft toch niet dat hij iets occults in de zin heeft?'
'Dit is anders wel even een toveruniversiteit.'
'Ja, maar ik bedoel *nog* occulter.'
'Wel bij elkaar blijven, ja?'
'Ik ben toch bij elkaar?'
'Want wat kan ons deren zolang we verenigd zijn?'
'Nou... (1), een hele grote –'
'Hou je mond!'
De Hoofddekaan deed de bibliotheekdeur open. Het was er warm, en stil als fluweel. Nu en dan ritselde er een boek met zijn bladzijden of het rammelde even onrustig met zijn ketting.
Uit het trapgat naar de kelder scheen een zilverig licht. Tevens klonk er nu en dan een 'oek'je.
'Erg aangeslagen klinkt hij niet,' zei de Administrateur.
De tovenaars slopen de trap af. Die deur kon niet missen – daar stroomde het licht uit.
De tovenaars stapten de kelderruimte binnen.
Hun adem stokte.

Daar stond iets, op een verhoging in het midden, met allemaal kaarsen eromheen.
En het *was* gewoon Rots- en Bonkmuziek.

Een lang, donker iemand slipte de hoek om het Saeterplein op en draafde nog steeds versnellend onder de poort van de Gesloten Universiteit door.
Hij werd alleen opgemerkt door Modo de tuindwerg die net vrolijk en wel zijn mestkruiwagen door de schemer rolde. Het was een beste dag geweest. Dat waren de meeste dagen, naar zijn ervaring.
Van het Festival wist hij niets. Over Rots- en Bonkmuziek had hij niets gehoord. Modo hoorde bijna nergens over, want hij luisterde niet. Compost, daar hield hij van. Na compost hield hij van rozen, want die waren iets waar je compost voor kon composteren.
Van nature was hij een tevreden dwerg, die ondanks zijn kortheid over alle bijkomende problemen van het tuinieren in een hoogbetoverde omgeving wist heen te stappen, zoals meeldauw, roetdauw *en* waggelgedrochten met vangarmen. Fatsoenlijk gazonbeheer was soms een hele toer als men toeliet dat dingen uit andere dimensies eroverheen glibberden.
Er draafde nu net iemand overheen, om te verdwijnen door de voordeur van de bibliotheek.
Modo bekeek de afdrukken en zei: 'O, jee.'

De tovenaars begonnen weer te ademen.
'Oei zeg,' zei de Lector Recentelijke Runen.
'Versteend als een garnaal...' daasde de Bovenstalmeester.
'*Dat* noem ik pas rotsmuziek,' zuchtte de Hoofddekaan. Met de vervoering van een vrek in een goudmijn stapte hij dichterbij.
Het kaarslicht kaatste schitterend van zwart en zilver. Er was heel wat van die twee.
'Oei zeg,' zei de Lector Recentelijke Runen. Het leek wel een bezweerzang.
'Hela, is dat niet mijn neushaarspiegeltje?' verbrak de Administrateur de betovering. 'Dat is mijn neushaarspiegeltje, zeker weten –'
Alleen was het zwart wel zwart maar het zilver was niet echt zilver. Het was gewoon alles wat de Bibliothecaris maar bij elkaar had weten te scharrelen en aan elkaar had weten te prutsen aan spiegeltjes, glimmende blikjes, verguldsel en ijzerdraad...
'– want kijk dat zilveren houdertje maar... waarom zit het aan

waar mijn lijf uithangt weten we niet? En hoe zit het dan met mijn geld?'
Van ver in het donker klonken vage voetstappen. Ze naderden, langzaam maar zeker. En stonden stil.
Een stem zei: Eén. Eén. Eén, twee. Eén, twee.
Toen verdwenen de voetstappen weer in de verte.
Na een tijdje zei een tweede stem: Eén, twee, drie, vier –
En daar ontstond het heelal.
Het was verkeerd om dit een oer*knal* te noemen. Dan had je het louter over lawaai en dus over *ruis*, en ruis kon alleen maar nog meer ruis scheppen en een kosmos vol willekeurige chaosdeeltjes.
Het ontstaan van de materie léék wel een ordeloze ontploffing maar er was één richtsnoer waarop alles werd aangesloten: een luid akkoord. Alles kwam in één grote guts tegelijk naar buiten gestroomd en die stroom zelf bevatte al, als een soort omgekeerde fossielen, alles wat hij ooit zou worden.
En zigzaggend door de uitdijende wolk, levend en *live*, dus die eerste muziek, in het wild.
Die had vorm. Een wervelend impulsmoment. Ritme. Hij sloeg een bonkende tegenmaat, waarop prima te dansen viel.
En alles deed dat.
En zomaar in Suzans hoofd zei een stem: *En nooit zal ik sterven.*
Hardop zei ze: 'In al wat leeft zit een stukje van je.'
Ja. Ik ben de bonkende hartslag. De ondertoon.
De anderen kon ze nog steeds niet zien. Het licht stroomde langs haar heen.
'Maar hij gooide de gitaar toch weg.'
Ik wilde hem voor mij laten leven.
'Je wilde hem voor je laten *sterven*! Tussen de wrakstukken van die kar!'
Wat maakt dat uit? Doodgaan zou hij toch. Maar sterven in muziek... Iedereen zal zich altijd de nummers herinneren waarvoor hij nooit de kans kreeg om ze te zingen. En dat zijn juist de allerbeste nummers.
Je leven leven in een ogenblik.
En dan eeuwig voortleven. Nooit verbleken.
'Stuur ons terug!'
Je bent niet eens weggeweest.
Ze knipperde met haar ogen. Ze stonden nog steeds op de weg.
De lucht flitste en knetterde en zat vol natte sneeuw.
Ze keek om in het afgrijzen van Buddies gezicht.
'We moeten zien te ontsnappen –'
Hij stak een hand op. Die was doorzichtig.

Klif was zowat verdwenen. Govd probeerde het hengsel van de geldzak vast te houden maar zijn vingers gleden er al doorheen. Zijn gezicht stond vol angst voor de dood, of wie weet, voor armoede.
Suzan schreeuwde: 'Hij heeft jullie weggegooid! Dat is niet *eerlijk*!'

Op de weg naderde een allesdoordringend blauw licht. Geen wagen kon zo snel rijden. Er klonk een gekrijs als de kreet van een kameel die opeens twee bakstenen heeft gezien.
Het licht was bij de bocht, slipte, sloeg tegen een kei en sprong over de kloof de ruimte in.
Er was nog net genoeg tijd voor een holle stem om O, JEETJ– te zeggen.
...voor het licht tegen de wand aan de overkant kwakte in één grote, uitdijende kring van vlammen.
Botten rolden stuiterend omlaag naar de rivierbedding en kwamen tot stilstand.

Suzan draaide zich bliksemsnel om, klaar om de zeis te zwaaien. Maar de muziek zat in de lucht. Nergens een *ziel* om op te mikken.
Je kon wel 'dit is niet *eerlijk*' zeggen tegen het heelal. Maar het heelal zei dan gewoon: 'O, nee? Jammer.'
Je kon mensen gaan redden. Op het nippertje ter plekke zijn. En dan was er iets dat met zijn vingers knipte en zei: nee, het moet *zo*. Ik zal je zeggen hoe het wezen moet. De legende moet zich *zo* afspelen.
Ze stak haar hand uit en probeerde die van Buddie te pakken. Ze voelde hem wel, maar alleen als een kilte.
'Kun je me horen?' schreeuwde ze boven de triomfantelijke akkoorden uit.
Hij knikte.
'Het is... het is net een legende! Het *moet* gewoon gebeuren! En ik kan het niet tegenhouden – hoe kan ik nu zoiets als muziek doodmaken?'
Ze holde naar het randje van de kloof. De kar stond in lichterlaaie. Daar zouden ze niet in opduiken. Dan zouden ze *erin* gezeten hebben.
'Ik kan het niet tegenhouden. Het is *oneerlijk*!'
Ze beukte haar vuisten tegen de lucht.
'*Opa!*'

Blauwe vlammetjes flakkerden schichtig over de keien van de droge rivierbedding.

Een klein vingerkootje rolde over de stenen tot het tegen een ander, iets groter botje kwam te liggen.
Een derde botje tuimelde van een kei om zich erbij te voegen.
In het halfduister tussen de stenen klonk een gerammel en er stuiterde een handjevol witte vormpjes over de keien tot er een hand, met de wijsvinger naar de hemel, oprees in de nacht.
Toen klonk er een reeks lagere, hollere geluiden van langere, grotere dingen die buitelend door de duisternis hinkelden.

'Ik wou er iets beters van maken!' schreeuwde Suzan. 'Wat heb je er nu aan om de Dood te zijn als je aldoor achterlijke regeltjes moet opvolgen?'
HAAL ZE TERUG.
Terwijl Suzan omkeek huppelde er nog een teenkootje over de modder om zich ergens onder de mantel van de Dood naar zijn plaats te reppen.
Hij schreed nader, griste de zeis weg van Suzan en liet die in dezelfde beweging boven zijn hoofd zwieren om hem op de rotsen te laten neerkomen. Het zeisblad ging aan scherven.
Hij bukte zich en raapte een scherfje op. Het glinsterde tussen zijn vingers als een klein sterretje van blauw ijs.
DAT WAS GEEN VERZOEK.
De stem van de muziek bracht de neerdwarrelende sneeuw aan het dansen.
Je kunt me niet doodmaken.
De Dood haalde van onder zijn mantel de gitaar te voorschijn. Er waren stukjes afgebroken, maar dat gaf niet; de vorm ervan schitterde in de lucht. De snaren gloeiden.
De Dood nam een houding aan waarvoor Beuk maar wat graag zijn leven had overgehad en stak één hand omhoog. De scherf glinsterde tussen zijn vingers. Als licht geluid had kunnen maken, had het van *ting* geflitst.
Hij wilde de grootste muzikant van de wereld zijn. Wet is wet. De bestemming ligt vast.
Het was net of de Dood nu eens niet grijnsde.
Hij liet zijn hand op de snaren neerkomen.
Er klonk geen geluid.
In plaats daarvan viel er juist geluid stil, er viel een gedruis weg waarvan Suzan nu pas besefte dat ze het aldoor had gehoord. De hele tijd. Haar hele leven. Een soort geluid dat je pas opvalt als het ophoudt...
De snaren stonden stil.
Er zijn miljoenen akkoorden. Er zijn miljoenen getallen. En iedereen vergeet altijd die ene nul. Maar zonder die nul zijn de

getallen maar cijferwerk. Zonder het lege akkoord is muziek niet meer dan ruis.
De Dood speelde het lege akkoord.
De bonkende hartslag vertraagde. En verflauwde. Het heelal wervelde verder, elk atoom ervan. Maar weldra zou het tollen stoppen en zouden de dansers om zich heenkijken en zich afvragen hoe ze nu verder moesten.
DAAR is het nog geen tijd voor! Speel iets anders!
KAN IK NIET.
De Dood knikte naar Buddie.
MAAR *HIJ* WEL.
Hij gooide de gitaar over naar Buddie. Die ging dwars door hem heen.
Suzan holde en greep hem nog net, en stak hem uit.
'Toe, pak aan! Toe, speel dan! Toe, breng die muziek weer op gang!'
Wanhopig sloeg ze zelf langs de snaren. Buddie kromp in elkaar.
'Alsjeblieft!' schreeuwde ze. 'Niet vervagen!'
De muziek gilde in haar hoofd.
Buddie wist de gitaar aan te klampen, maar stond erbij alsof hij hem nog nooit eerder had gezien.
'Wat gebeurt er dan als hij er niet op speelt?' zei Govd.
'Dan gaan jullie allemaal dood in dat wrak daar!'
EN DAARNA, zei de Dood, STERFT DE MUZIEK, EN STOPT DE DANS. DE HELE DANS.
De spookdwerg kuchte even.
'We worden toch wel betaald voor dit nummer, hè?' zei hij.
JE KRIJGT HET HEELAL.
'En gratis bier?'
Buddie trok de gitaar tegen zich aan. Zijn blik kruiste die van Suzan.
Zijn hand kwam omhoog en hij speelde.
Het ene akkoord galmde over de kloof, en kwam teruggekaatst met vreemde onder- en boventonen.
DANK JE WEL, zei de Dood. Hij deed een stap naar voren en nam de gitaar over.
Met een plotse beweging sloeg hij het geval tegen een kei aan splinters. De snaren knapten en *iets* raasde ervandoor, naar de sneeuw en de sterren.
De Dood keek niet ontevreden naar de wrakstukken.
DAT IS PAS ROTSMUZIEK.
Hij knipte met zijn vingers.

De maan kwam op boven Ankh-Meurbork.

Het park was verlaten. Het zilveren licht stroomde over de ravage van het podium en over de modder en de aangegeten worstjes waar de toeschouwers hadden gestaan. Hier en daar spiegelde het van een kapotte geluidsval.
Na een tijdje ging een deel van de modder rechtop zitten om nog wat modder uit te spugen.
'Beuk? Jopo? Vullis?' zei de modder.
'Ben jij dat, Knakkie?' zei een trieste gedaante die aan een van de resterende balken van het podium hing.
De modder peuterde nog wat modder uit zijn oren. 'Okee! Waar zit Vullis?'
'Ik geloof dat ze hem in dat meer gooiden.'
'En Beuk, leeft die nog?'
Er klonk gekreun van onder een stapel puin.
'Jammer,' zei Knakkie innig.
Uit de schaduw kwam een gedaante aangesopt.
Struikelend en kruipend kwam Beuk uit zijn puinhoop.
'Je moep wel toegewew', mompelde hij, want in een zeker stadium van het optreden was zijn gebit in onzachte aanraking gekomen met een gitaar, 'dap dip echpe Bonk- en Ropsmuziek waf...'
'Vooruit dan,' zei Jopo die van zijn balk gleed. 'Maar dan heb ik volgende keer als het even kan liever sex en drugs.'
'Mijn pa zegt dat hij me vermoordt als ik drugs zou gebruiken,' zei Knakkie.
'Kijk, dit is jouw brein, aan de drugs...' zei Jopo.
'Nee, dit is jouw brein, Vullis, op deze bult hier.'
'O, fijn. Bedankt.'
'Een pijnstiller zou me nu het best uitkomen,' zei Jopo.
Wat dichter bij het meer zakte een stapel gonje opzij.
'Aartskanselier?'
'Ja, meneer Stibbond?'
'Ik geloof dat er iemand op mijn hoed heeft getrapt.'
'Wat zou dat?'
'Hij zit nog op mijn hoofd.'
Ridiekel ging zitten en liet de pijn in zijn botten tot bedaren komen.
'Vooruit, kerel,' zei hij. 'We gaan maar naar huis. Ik betwijfel of ik nog wel belangstelling heb voor muziek. Voor dat wereldje ben ik te fijnbesnaard.'

Er ratelde een koets over het kronkelige bergweggetje. Meneer Kliet stond op de bok de paarden de zweep te geven.
Deegvis kwam wankelend overeind. De rand van de afgrond was zo dichtbij dat hij recht in de donkere diepte kon kijken.

'Ik heb er nu wel zo'n beetje totaal mijn bekomst van, langzamerhand,' schreeuwde hij en hij probeerde de zweep weg te grissen.
'Hou op daarmee! Zo halen we ze nooit in!' schreeuwde Kliet.
'Nou en? Wie kan dat wat schelen? Ik vond die muziek *best* leuk!'
Kliet keek om. Hij keek vreselijk.
'Verrader!'
De greep van de zweep raakte Deegvis vol in zijn maag. Hij wankelde achteruit, greep nog naar de rand van de koets en stortte omlaag.
Zijn uitgestoken arm kreeg houvast aan wat in het donker aanvoelde als een dunne tak. Hij bleef wild zwaaiend boven de afgrond hangen tot zijn schoenen ergens greep op de rotsen kregen en hij met zijn andere hand een afgebroken hekpaaltje kon vastpakken.
Nog net zag hij de kar rechtuit doorratelen. De weg maakte echter een scherpe bocht.
Deegvis deed zijn ogen dicht en hield zich stevig vast tot de laatste gil, kraak en knars waren weggestorven. Toen hij ze weer opendeed zag hij nog net een brandend wiel de kloof instuiteren.
'Attenooie', zei hij, 'nog mazzel dat er net een... dinges...'
Zijn blik gleed omhoog. En verder omhoog.
JA. ZEG DAT WEL, HÈ?

Meneer Kliet kwam overeind zitten tussen de brokstukken van de kar. Die stond onmiskenbaar uitermate in brand. Wat een mazzel, zei hij bij zichzelf, dat hij dat had overleefd.
Door de vlammen kwam een zwartgemantelde gedaante aangewandeld.
Meneer Kliet keek ernaar. In dit soort zaken had hij nooit geloofd. Hij had *nergens* ooit in geloofd. Maar als hij *wel* had geloofd, dan had hij toch in een wat groter iemand geloofd.
Hij keek omlaag naar wat hij voor zijn lijf had gehouden en merkte dat hij erdoorheen kon kijken, en dat het aan het vervagen was.
'Och heden,' zei hij. 'Hè. Hè. Hè.'
Het gedaantetje grijnsde en liet zijn nietige zeisje zwaaien.
GCH, GCH, GCH.

Een hele tijd later kwamen er lui in de kloof afgedaald om het stoffelijk overschot van meneer Kliet te scheiden van het overschot van al het andere. Veel was het niet.
Er waren wat aanwijzingen dat het om een of andere muzikant

ging... er was toch zo'n muzikant uit de stad gevlucht of zo... of niet soms? Of was dat een ander geval? Nou ja, nu was hij dus dood. Ja toch?
Niemand had aandacht voor de andere dingen. Er verzamelde zich nu eenmaal van alles in die droge rivierbedding. Er lag een paardenschedel, en wat veren en kralen. En wat brokken van een gitaar, opengebarsten als een eierschaal. Maar wat er hier nu zijn vleugels had uitgeslagen viel toch moeilijk uit te maken.

Suzan deed haar ogen open. Ze voelde de wind langs haar gezicht. Aan haar beide kanten zaten armen. Die hielden haar overeind en tegelijkertijd de teugels van een wit paard vast.
Ze leunde wat voorover. Er joegen wolken voorbij, heel in de diepte.
'Vooruit,' zei ze. 'En wat gaat er nu dan gebeuren?'
De Dood zweeg even.
DE GESCHIEDENIS KOMT ALTIJD WEER IN HET GAREEL. HIJ WORDT DOORLOPEND OPGELAPT. STEEDS ZIJN ER WEER LOSSE EINDJES... IK MAG AANNEMEN DAT SOMMIGEN WAT VERWARDE HERINNERINGEN OVERHOUDEN AAN IETS VAN EEN CONCERT IN HET PARK. MAAR WAT GEEFT DAT? DAN HERINNEREN ZE ZICH DINGEN DIE NIET GEBEURD ZIJN.
'Maar ze zijn *wel* gebeurd!'
DAT OOK.
Suzan staarde omlaag naar het donkere landschap. Hier en daar pinkten de lichtjes van hofsteden en dorpjes, waar de bewoners werk maakten van hun leven zonder erg voor wat daar boven hun hoofd voorbijkwam. Ze benijdde die lui.
'Dus', zei ze, 'en dan louter als voorbeeld, hoor... hoe zou het verdergaan met De Band?'
ACH, DIE KUNNEN OVERAL UITHANGEN. De Dood keek even naar Suzans achterhoofd. NEEM DAT JONGMENS, BIJVOORBEELD. MISSCHIEN IS HIJ WEGGEGAAN UIT DE GROTE STAD. MISSCHIEN GING HIJ ERGENS ANDERS HEEN. NAM HIJ EEN BAANTJE, LOUTER OM ZICH TE KUNNEN BEDRUIPEN. WACHTTE HET JUISTE MOMENT AF. DEED HET OP *ZIJN* MANIER.
'Maar hij moest die avond wel in de Trom verschijnen!'
NIET ALS HIJ NIET KWAM OPDAGEN.
'Kun jij daar dan voor zorgen? Zijn leven moest toch aflopen! Je zei dat je geen leven kon geven!'
IK NIET. JIJ MISSCHIEN WEL.
'Hoe bedoel je?'
LEVEN KUN JE DELEN.
'Maar hij is... weg. Het ligt niet bepaald voor de hand dat ik hem ooit weer zie.'

JE WEET BEST VAN WEL.
'Hoe weet jij dat?'
JE WIST HET ALTIJD AL. JE HERINNERT JE *ALLES*. NET ALS IK. MAAR JIJ BENT EEN MENS EN JOUW GEEST KOMT VOOR JE EIGEN BESTWIL IN OPSTAND. MAAR TOCH WAAIT ER IETS OVER. DROMEN, MISSCHIEN. VOORGEVOEL. EMOTIES. SOMS ZIJN SCHADUWEN ZO LANG DAT ZE ER EERDER ZIJN DAN HET LICHT.
'Ik geloof niet dat ik daar ook maar *iets* van snapte.'
OCH, WE HEBBEN ER EEN LANGE DAG OPZITTEN.
Nog meer wolken gleden onder hen door.
'Zeg, opa?'
JA?
'Ben je er nu weer?'
KENNELIJK WEL. DRUK, DRUK, DRUK.
'Dus ik mag ermee ophouden? Ik was er geloof ik niet zo goed in.'
JA.
'Maar... je hebt daarnet heel wat wetten overtreden...'
MISSCHIEN ZIJN HET SOMS MAAR RICHTLIJNEN.
'Maar mijn ouders zijn evengoed overleden.'
IK HAD ZE NOOIT MEER LEVEN KUNNEN GEVEN. IK HAD ZE ALLEEN ONSTERFELIJKHEID KUNNEN GEVEN. ZE VONDEN DAT DE PRIJS NIET WAARD.
'Ik... geloof dat ik weet wat je bedoelt.'
JE BEZOEK BLIJFT ALTIJD WELKOM. NATUURLIJK.
'Dank je.'
HET ZAL DAAR ALTIJD EEN TWEEDE THUIS VOOR JE ZIJN. ALS JE DAT WILT.
'Echt?'
IK LAAT JE KAMER PRECIES ZOALS JE HEM ACHTERLIET.
'Dank je.'
EEN BENDE.
'Het spijt me.'
IK ZIE NAUWELIJKS WAAR DE VLOER IS. JE HAD BEST WAT MOGEN OPRUIMEN.
'Het spijt me.'
Daar beneden schitterden de lichtjes van Quorm. Binkie maakte een zachte landing.
Suzan keek naar de rondom haar gelegen schoolgebouwen.
'Dus ik ben hier... ook al... de hele tijd geweest?' zei ze.
JA. DE GESCHIEDENIS VAN DE LAATSTE PAAR DAGEN IS... ANDERS GEGAAN. JE HEBT JE EXAMEN PRIMA GEMAAKT.
'O ja? Wie maakte het dan voor me?'
JIJ.
'O.' Suzan haalde haar schouders op. 'Wat voor cijfer had ik voor logica?'

JE HAD EEN TIEN.
'Ach, *kom*. Ik krijg altijd een tien-plus!'
JE HAD NOG MEER MOETEN STUDEREN.
De Dood zwaaide zich in het zadel.
'Wacht nog even,' zei Suzan gauw. Ze wist dat ze het moest zeggen.
JA?
'Hoe zit het nou met... je weet wel... dat het lot van één persoon veranderen neerkomt op de hele wereld veranderen?'
SOMS MOET DE HELE WERELD WORDEN VERANDERD.
'O. Uh. Opa?'
JA?
'Uh... de schommel...' zei Suzan. 'Die daar in de boomgaard. Ik wou zeggen... dat was best een goeie. Een fijne schommel.'
ECHT?
'Ik was gewoon nog te jong om dat te kunnen waarderen.'
JE VOND HEM ECHT LEUK?
'Hij had... allure. Ik geloof niet dat iemand ooit zo'n schommel had.'
DANK JE WEL.
'Maar... dit alles verandert nergens iets aan, hoor. De wereld zit nog steeds vol met stomme lui. Ze gebruiken hun hersens niet. Het lijkt wel of ze niet goed willen nadenken.'
MAAR JIJ WEL?
'Ik doe er tenminste mijn best voor. Bijvoorbeeld... als ik de laatste dagen hier geweest ben, wie ligt er dan nu in mijn bed?'
IK DENK DAT JE GEWOON EVEN BENT OPGESTAAN VOOR EEN MAANWANDELING.
'O. Dan is er niks aan de hand.'
De Dood kuchte.
ZOU ER..?
'Hè?'
IK WEET DAT HET MAL IS, EIGENLIJK...
'Wat dan?'
ZOU ER... NOG EEN KUSJE AFKUNNEN VOOR JE OUWE OPA?
Suzan staarde hem aan.
De blauwe gloed in de ogen van de Dood verflauwde geleidelijk en met het doven van dat licht zoog het haar blik naar binnen, door de oogkassen heen in de erachter gelegen duisternis...
...die almaar doorging, eeuwig. Er bestond geen woord voor. Zelfs *eeuwigheid* was maar een mensenbegrip. Er een naam aan geven gaf er ook een lengte aan; toegegeven, een hele lange. Maar deze duisternis was wat je overhield als eeuwigheid het begeven had. Dit was waar de Dood woonde. Eenzaam.
Ze pakte zijn hoofd, trok het omlaag en zoende hem bovenop

zijn schedel. Die was glad en ivoorwit, net een biljartbal.
Ze keek om naar de schimmige gebouwen in een poging om haar verlegenheid te verbergen.
'Ik hoop maar dat ik eraan dacht om een raam open te laten.'
Och, nou ja, er zat niets anders op. Ze moest het weten, ook al vond ze het stom van zichzelf om het te vragen. 'Hoor eens, die... uh, die lui die ik ben tegengekomen... weet jij of ik die ooit weer –'
Toen ze zich weer omdraaide was er niemand meer. Alleen een paar hoefafdrukken op de keien, die langzaam uitdoofden.
Er stond geen raam open. Ze liep om naar de deur en ging in het donker de trap op.
'Suzan!'
Suzan voelde al hoe ze uit beschermende gewoonte begon te vervagen. Ze hield ermee op. Dat was nergens voor nodig. Het was *nooit* ergens voor nodig geweest.
Er stond iemand aan het eind van de gang, in een kring van lamplicht.
'Ja, juffrouw Bipps?'
De schoolleidster tuurde haar aan, alsof ze wachtte tot ze iets deed.
'Gaat het wel met je, juffrouw Bipps?'
De lerares herstelde zich. 'Weet je wel dat het al over middernacht is? Schande! En je bent uit bed! En dat is *bepaald* geen schooluniform!'
Suzan keek omlaag. Het was altijd lastig om elk detail te laten kloppen. Ze droeg nog steeds die zwarte jurk met dat kant.
'Ja', zei ze, 'dat is zo.' Ze keek juffrouw Bipps aan met een vriendelijk, opgeruimd lachje.
'Nou, er zijn *wel* schoolregels, hoor,' zei juffrouw Bipps, maar haar stem klonk wat aarzelend.
Suzan klopte haar op de arm. 'Ik geloof dat dat vast meer richtlijnen zijn, vind je ook niet? Eulalia?'
De mond van juffrouw Bipps viel open en ging weer dicht. En Suzan merkte dat ze eigenlijk maar een klein vrouwtje was. Ze straalde wel hoogte uit in houding, stem en manieren, en in elk ander opzicht, maar nou net niet met haar lengte. Verbijsterend genoeg had ze dit blijkbaar voor iedereen verborgen weten te houden.
'Maar ik moest maar liever naar bed gaan,' zei Suzan, terwijl haar geest doorhuppelde op adrenaline. 'Jij ook, trouwens. Het is veel te laat om op jouw leeftijd nog door tochtige gangen te zwerven, vind je niet? Morgen ook nog de laatste schooldag. Als de ouders komen wil je er niet vermoeid uitzien.'
'Uh... ja. Nee. Wel bedankt, Suzan.'

Suzan liet de verweesde lerares nog maar eens een warm lachje zien en zette koers naar de slaapzaal, waar ze zich in het donker uitkleedde en onder de wol gleed.
Het was stil in de zaal, afgezien van het zachte ademen van negen meisjes en de gesmoorde ritmische lawine van de slapende Prinses Jade.
En, wat later, het gesnik van iemand die probeerde onhoorbaar te zijn. Dat duurde nogal. Er viel heel wat in te halen.
Hoog boven de wereld knikte de Dood. Je kon voor onsterfelijkheid kiezen, of je koos voor menselijkheid.
Je moest dat voor jezelf uitmaken.

Het was de laatste dag van dit trimester, en dus een rommeltje. Sommige meisjes gingen al vroeg weg en er was een stroom ouders afkomstig uit diverse volkeren, en van lesgeven kon geen sprake zijn. Algemeen werd door iedereen aanvaard dat de teugels wat werden gevierd.
Suzan, Truida en Prinses Jade slenterden tot bij de bloemenklok. Het was nu kwart voor madeliefje.
Suzan voelde zich uitgehold, maar ook uitgerekt als een snaar. Het verbaasde haar dat er geen vonken uit haar vingertoppen vlogen.
Truida had een zak vol gebakken vis gekocht van de snackbar in de Drierozensteeg. Uit het papier steeg de geur op van warme majo en klinkklare cholesterol, onbezoedeld met de smet van gebakken bederf die de waren van dit winkeltje doorgaans hun vertrouwde pikanterie bezorgde.
'Mijn vader zegt dat ik naar huis moet om met een of andere trol te trouwen,' zei Jade. 'Hé zeg, als daar nog goeie graatjes bij zitten wil ik die hebben.'
'Heb je hem al eens gezien?' zei Suzan.
'Nee. Maar mijn vader zegt dat hij een joekel van een berg heeft.'
'Als ik jou was zou ik dat niet pikken,' zei Truida tussen een mondvol vis door. 'Dit is *wel* even de Eeuw van de Slodderovs, hoor. Ik zou mijn poot stijf houden en nee zeggen. Hè, Suzan?'
'Watte?' zei Suzan, die aan iets anders had lopen denken; maar toen alles voor haar was herhaald, zei ze: 'Nee. Ik zou eerst kijken wat voor iemand hij was. Misschien is hij best leuk. En dan is die berg mooi meegenomen.'
'Ja. Dat is logisch. Stuurde je vader je dan geen portret?' vroeg Truida.
'Ja, hoor,' zei Jade.
'En..?'
'Tja... wel mooie rotsspleten,' zei Jade peinzend. 'En van die

gletsjer zei mijn vader dat hij zelfs met midzomer niet gesmolten is.'
Truida knikte goedkeurend.
'Klinkt als een keurige knul.'
'Maar ik heb altijd een zwak gehad voor Richel, uit het dal verderop. Vader heeft de pest aan hem. Maar hij werkt reuzehard en heeft al haast genoeg gespaard voor een eigen brug.'
Truida slaakte een zucht. 'Het is wel eens moeilijk om vrouw te zijn,' zei ze. Ze stootte Suzan aan. 'Moet je ook een stukje vis?'
'Nee dank je, ik heb geen trek.'
'Erg lekker, deze. Niet van dat oudbakken spul dat je vroeger kreeg.'
'Nee, dank je.'
Truida stootte nog eens.
'Wil je zeker liever zelf halen, hè?' zei ze met een vette lach in haar baard.
'Hoezo dat?'
'Och, heel wat meiden zijn daar vandaag al langs geweest,' zei de dwerg. Ze boog zich dichterbij. 'Om die nieuwe jongen, die daar werkt,' zei ze. 'Ik zou zweren dat het een elf is.'
Binnenin Suzan werd ergens aan getokkeld en dat ging van *plonk*.
Ze kwam overeind.
'Dus *dat* bedoelde hij! Dingen die *nog niet gebeurd* zijn.'
'Wat? Wie?'
'Die snackbar in de Drierozensteeg?'
'Ja, die.'

De deur van het tovenaarshuis stond open. De tovenaar had een schommelstoel in de deuropening gezet en zat te slapen in de zon.
Op zijn hoed was een raaf neergestreken. Suzan bleef staan, en keek het beest kwaad aan.
'Heb je soms nog commentaar?'
'Kras, kras,' zei de raaf en hij schikte zijn veren.
Ze liep verder, maar wist dat ze bloosde. Achter haar zei een stem: 'Ha.' Ze deed of ze het niet hoorde.
Tussen de rommel in de goot bewoog even iets onduidelijks.
Verstopt onder een vispapiertje klonk het van:
GCH, GCH, GCH.
'Ja, leuk hoor,' zei Suzan.
Ze liep door.
En zette het toen op een hollen.

De Dood lachte even, duwde het vergrootglas weg en keerde

zich af van de Schijfwereld, en merkte dat Albert daar naar hem stond te kijken.

EVEN CONTROLEREN, zei hij.

'Jawel hoor, Meester,' zei Albert. 'Ik heb Binkie gezadeld.'

JE BEGRIJPT DAT IK ALLEEN MAAR EVEN KEEK?

'Jazeker, Meester.'

EN, HOE VOEL JE JE NU?

'Prima, Meester.'

JE HEBT JE FLES NOG?

'Ja, Meester.' Die stond op een plank in Alberts slaapkamer.

Hij volgde de Dood naar buiten het erf bij de stal op, hielp hem in het zadel en reikte de zeis aan.

EN NU MOET IK ER OPUIT, zei de Dood.

'Zo mag ik het horen, Meester.'

EN HOU OP MET DAT GEGRIJNS.

'Jawel, Meester.'

De Dood reed weg, maar merkte dat hij het witte paard zomaar over het pad naar de boomgaard stuurde.

Voor één bepaalde boom bleef hij stilstaan, om er een tijdje naar te kijken. Ten slotte zei hij:

LIJKT *MIJ* VOLMAAKT LOGISCH.

Binkie wendde zich gehoorzaam af en draafde de wereld in.

De streken en steden ervan lagen voor hem. Blauw licht vlamde langs het scherp van het zeisblad.

De Dood voelde dat er aandacht op hem gericht was. Hij keek omhoog naar het heelal, dat hem met verbaasde belangstelling in de gaten hield.

Een alleen voor hem hoorbare stem zei: Dus je bent een rebel, Doodje? En waartegen dan?

De Dood dacht even na. Misschien was er een snedig antwoord, maar hij wist er zo gauw geen.

Dus hij negeerde het maar en reed naar de levens van het mensdom.

Die hadden hem *nodig*.

Ergens, in weer een andere wereld ver van de Schijf, pakte iemand aarzelend een instrument dat meegalmde met het ritme in zijn ziel; die muziek...

Nooit zal hij sterven.

Hij is hier, en blijft.

EINDE

zich af van de Schijfwereld, en merkte dat Albert daar naar hem stond te kijken.
EVEN CONTROLEREN, zei hij.
'Jawel hoor, Meester,' zei Albert. 'Ik heb Binkie gezadeld.'
JE BEGRIJPT DAT IK ALLEEN MAAR EVEN KEEK?
'Jazeker, Meester.'
EN, HOE VOEL JE JE NU?
'Prima, Meester.'
JE HEBT JE FLES NOG?
'Ja, Meester.' Die stond op een plank in Alberts slaapkamer.
Hij volgde de Dood naar buiten het erf bij de stal op, hielp hem in het zadel en reikte de zeis aan.
EN NU MOET IK ER OPUIT, zei de Dood.
'Zo mag ik het horen, Meester.'
EN HOU OP MET DAT GEGRIJNS.
'Jawel, Meester.'
De Dood reed weg, maar merkte dat hij het witte paard zomaar over het pad naar de boomgaard stuurde.
Voor één bepaalde boom bleef hij stilstaan, om er een tijdje naar te kijken. Ten slotte zei hij:
LIJKT *MIJ* VOLMAAKT LOGISCH.
Binkie wendde zich gehoorzaam af en draafde de wereld in.
De streken en steden ervan lagen voor hem. Blauw licht vlamde langs het scherp van het zeisblad.
De Dood voelde dat er aandacht op hem gericht was. Hij keek omhoog naar het heelal, dat hem met verbaasde belangstelling in de gaten hield.
Een alleen voor hem hoorbare stem zei: Dus je bent een rebel, Doodje? En waartegen dan?
De Dood dacht even na. Misschien was er een snedig antwoord, maar hij wist er zo gauw geen.
Dus hij negeerde het maar en reed naar de levens van het mensdom.
Die hadden hem *nodig*.

Ergens, in weer een andere wereld ver van de Schijf, pakte iemand aarzelend een instrument dat meegalmde met het ritme in zijn ziel; die muziek...
Nooit zal hij sterven.
Hij is hier, en blijft.

EINDE